17. l'Indochine
(le Cambodge,
le Laos,
le Viêt-Nam)
18. le Luxembourg
19. Madagascar
20. le Mali
21. le Maroc

22. la Mauritanie
23. le Niger
24. la Nouvelle-Calédonie
25. la République Centrafricaine
26. la Réunion
27. Saint-Pierre-et-Miquelon
28. le Sénégal

29. Djibouti
30. la Suisse
31. Tahiti
32. le Tchad
33. le Togo
34. la Tunisie
35. le Zaïre

Situations et Contextes

Situations et Contextes

H. JAY SISKIN   JO ANN RECKER
Northwestern University   *Xavier University*

With the assistance of Émile Bedriomo and Julie A. Storme

Holt, Rinehart and Winston, Inc.

Fort Worth   Chicago   San Francisco   Philadelphia
Montreal   Toronto   London   Sydney   Tokyo

Publisher	Ted Buchholz
Acquisitions Editor	Jim Harmon
Senior Developmental Editor	Katia Brillié Lutz
Developmental Editor	John McMinn
Project Editor	Kristen Coston
Production Manager	Kenneth A. Dunaway
Art & Design Supervisor	Serena Barnett
Text Designer	Hal Lockwood
Cover Designer	Turtel Onli
Photo Researcher	Rona Tucillo

Library of Congress Cataloging-in-Publication Data

ISBN: 0-03-026407-3

Address for editorial correspondence: Holt, Rinehart and Winston, Inc., 301 Commerce Street, Suite 3700, Fort Worth, TX 76102

Address for orders: Holt, Rinehart and Winston, Inc., 6277 Sea Harbor Drive, Orlando, Florida 32887. 1-800-782-4479, or 1-800-433-0001 (in Florida)

PRINTED IN THE UNITED STATES OF AMERICA

0 1 2 3 039 9 8 7 6 5 4 3 2 1

Holt, Rinehart and Winston, Inc.
The Dryden Press
Saunders College Publishing

Preface

Situations et Contextes emphasizes a communicative and proficiency approach to the teaching of speaking, reading, listening, writing, and culture. The program consists of several components that enable students to function in everyday situations using authentic language and culturally appropriate behavior.

Student textbook

The student textbook is composed of fourteen chapters with the following divisions:

Warm-up: Each chapter begins with a page of photos accompanied by questions intended to stimulate discussion of cross-cultural differences and prepare students for the communicative and cultural themes of the chapter.

Situations: Each chapter contains three *Situations*. The *Situations* present grammar and vocabulary associated with places or scenarios that are likely to be encountered by a person studying, working, or traveling in a French-speaking country. They are usually in dialogue form and follow the lives of the Bordier family and their American au pair girl, Anne Williams. Comprehension questions follow each *Situation*.

Autrement dit: Each *Situation* is followed by a section that expands the vocabulary and expressions presented in context in the dialogue. These new items are organized according to semantic field, such as colors or clothing; context, such as "at the university" or "at the movies"; or linguistic function, such as "expressing happiness," or "inviting." This new vocabulary is practiced through mechanical, meaningful, and communicative exercises that follow.

Structures: This section explains new grammar that has been presented in context through the *Situation*. Grammar is presented in small steps and recycled; for example, the imperfect is discussed four times: its three different functions are explained in separate *Structures* and then it is contrasted with the *passé composé*. Exercises that focus on form, meaning, and communication follow.

Lectures: Beginning with chapter 2, each chapter contains a reading based on a piece of realia. Beginning in chapter 5, this is complemented by a more extensive reading. Readings were selected to complement the theme of the chapter, and to explore French institutions, values, and social patterns. All readings are authentic and minimally edited. They are preceded by preparatory activities that concentrate on reading strategies such as guessing meaning from context or form and hypothesizing about content. Post-reading exercises check comprehension and contain meaningful and communicative activities that give students additional practice in speaking.

Activités: The concluding section, *Activités,* contains games and role-play activities that help students to recycle vocabulary and structures presented in the chapter.

Other features: Each chapter ends with an alphabetical list of the active vocabulary presented in the chapter. The appendixes consist of verb charts, including irregular verbs; a list of verbs that use the auxiliary *être;* French–English/English–French vocabularies; and the index.

Ancillaries

The Workbook/Lab Manual

Writing, listening comprehension, and pronunciation are the foci of the *Workbook/Lab Manual.* Each chapter is divided into two parts: *Activités écrites* and *Activités orales.* For each *Autrement dit* and *Structure* of the student text, the *Activités écrites* provide additional writing practice, while the *Activités orales* provide practice in listening comprehension. Typical written activities include mechanical exercises such as matching and fill-in-the-blank; meaningful exercises, in which students are asked to complete sentences in a way that expresses their personal situation; and open-ended, communicative exercises. Each chapter also contains two written compositions, preceded by preparatory activities. These activities break the writing process into small steps that allow students to practice and compose before they complete the final product. In chapters 1–7, these compositions are based on realia such as student schedules and ordering forms, thus reflecting real-life writing needs.

The oral activities of the *Workbook/Lab Manual* are found on corresponding cassettes. The *Activités orales* section of each chapter begins with pronunciation explanations and drills and is followed by various listening activities that practice new vocabulary and structures presented in the chapter.

The Listening Kit

In addition to the listening practice provided in the *Workbook/Lab Manual*, the *Situations et Contextes* program includes a 60-minute cassette of authentic, unedited messages recorded in France and Canada. Among the listening tasks are announcements, telephone messages, and radio broadcasts. The organization of these messages follows that of the student text, and their content corresponds to the chapter themes. Each message or group of messages is accompanied by pre-listening exercises, which activate background knowledge in order to facilitate the listening task; the listening task itself (guided dictations, grids, true/false questions, etc.); and post-listening exercises, which relate the listening task to other modalities such as speaking and writing.

Acknowledgments

The publication of *Situations et Contextes* could not have been accomplished without the assistance and support of many people. We would first like to acknowledge the role of Emily Spinelli in initiating this project and thank her for her continued guidance. We are especially grateful to our Senior Developmental Editor, Katia Brillié Lutz, whose encouragement, direction, and hard work are in great part responsible for the production of this textbook; and to our Acquisitions Editor, Jim Harmon, whose enthusiasm and support made *Situations et Contextes* a reality. We also wish to express our appreciation to John McMinn and Tina Barland for their patience and thoroughness in editing the manuscript; to Sharon Alexander for her valuable suggestions, to Hal Lockwood and Kristen Coston of Bookman Productions for overseeing the final stages of production; to Dan Mandell and Michel, Serge, and Corine Brillié for their technical support; and to Jean-François Fourny and Viviane Luisetto for their help in linguistic and cultural matters.

We would also like to acknowledge the role of the many reviewers who provided us with insightful comments and helpful criticism for improving the text: Susan Baldwin, North Valley Community College; John T. Booker, University of Kansas; Paulette Cuvillier, Broward Community College; Martha Gill, Arkansas State University; Ann Tuckey Harrison, Michigan State University; Bette Hirsch, Cabrillo College; Geoffry R. Hope, University of Iowa; John Klee, Foothill College; Renée Larrier, Rutgers University; Kitzie McKinney, Bentley College; Nicole Mosher, North Central College; Marie-Thérèse Noiset, University of North Carolina; Bernard Picard, Manhattan Community College; Norman Poulin, University of Southern Mississippi; Mary Rice-DeFosse, Bates College; Regis Robe, University of South Carolina; Sarah Russell, Gainesville College; Friedrun Sullivan, Anne Arundel Community College; Carol Wasserman, Manhattan Community College; Katherine Wiebe, University of Oregon.

Finally, we would like to thank our families, who cooked, cleaned, and did without us as we endeavored to complete this project.

H.J.S.
J.A.R.
J.A.S.

Table des matières

Chapitre 1

La salle de classe

SITUATION

1   Avant la classe

MONIQUE:	Salut, Jean-Philippe.
JEAN-PHILIPPE:	Salut, Monique. Ça va?
MONIQUE:	Oui, très bien. Et toi?
JEAN-PHILIPPE:	Ça va.
MONIQUE:	Quoi de neuf?
JEAN-PHILIPPE:	La fille au pair arrive demain.
MONIQUE:	L'Américaine?
JEAN-PHILIPPE:	Oui. Anne Williams. Ah! Voilà Claire. Bonjour, Claire, comment ça va?
CLAIRE:	Comme ci comme ça.

Avez-vous suivi?

A. **Classez les noms dans le dialogue.** (*Classify the names in the dialogue according to sex.*)

👤 GARÇONS	👤 FILLES

B. **Choisissez la réponse correcte.** (*Choose the appropriate answer to the question.*)

1. Salut, Jean-Philippe, ça va?
   a. Anne Williams arrive demain.
   b. Quoi de neuf?
   , c. Ça va.
2. Bonjour, Claire. Quoi de neuf?
   a. La fille au pair arrive demain.
   b. Voilà Monique.
   c. Et toi?
3. Voilà Monique. Comment ça va?
   , a. Ça va, et toi?
   b. Très bien, et vous?
   c. Quoi de neuf?
4. _____ est américaine.
   , a. Anne   c. Monique
   b. Claire
5. Jean-Philippe est _____.
   a. américain   , b. français

Autrement dit
Greeting people

◇¹ **Salut,** Monique.
 Bonjour, Monique.
□ Bonjour, Monsieur/Madame/Mademoiselle.

◇ Bonsoir,° Monique.   Good evening
□ Bonsoir, Monsieur/Madame/Mademoiselle.

---

¹ The symbol ◇ indicates informal register; the symbol □ indicates formal register.

Making small talk

◇ **Ça va?**
◇ Comment vas-tu?
☐ Comment allez-vous?

◇ **Très bien, et toi?**
◇ Ça va (et toi?)
◇ Pas mal (et toi?)
☐ Très bien, merci (et vous?)

Pointing out people

Ah! Voilà Claire.
C'est Claire.

Introductions

Claire, c'est Jean-Philippe. Jean-Philippe, c'est Claire.

Pratique et conversation

A. **Tu ou vous?** Indicate whether you would use **tu** or **vous** with the following people by putting an X in the appropriate column. Discuss your choices.

	TU	VOUS
1. your new neighbor		
2. your boy/girlfriend		
3. your sister		
4. your father		
5. a passerby		

B. **Salut, ça va?** How would you greet and make small talk with the following people?

1. your instructor
2. your cousin
3. your elderly neighbor
4. your closest friend
5. your friend's parents

C. **Et vous?** Complétez les dialogues. *(Complete the dialogues.)*

1. Bonjour, Madame. _____?
   Très bien, merci, et vous?

   _____.

2. Salut, ça va?
   _____?
   Comme ci comme ça.

3. Salut, _____. Comment vas-tu?
   _____? Et toi?

4. Bonjour, _____.
   Comment allez-vous?
   Très bien, _____?

D. **Dans le couloir.** You meet your instructor in the hall. You greet him/her and make small talk. He/She replies and asks how you are doing. You reply.

E. **Dans la salle de classe.** Introduce a classmate to another class-mate. They will exchange greetings and make small talk.

Devoirs pour demain

LE PROFESSEUR: Et pour demain, préparez le chapitre cinq.
MONIQUE: C'est tout, Monsieur?
LE PROFESSEUR: Non. Lisez aussi le chapitre six.
HENRI: Et c'est tout, Monsieur?
LE PROFESSEUR: Non. Répondez aux questions de la page quatorze.
PIERRE: Et maintenant, c'est tout, Monsieur?
LE PROFESSEUR: Oui, c'est tout. Au revoir, tout le monde.

Avez-vous suivi?

1. Les devoirs pour demain sont _____, _____ et _____.

2. Le professeur est...
   a. sévère
   b. patient
   c. généreux
   d. original

3. Les étudiants sont...
   a. contents
   b. furieux
   c. impatients
   d. respectueux

Autrement dit

Classroom expressions

{ Préparez le chapitre cinq!	*Prepare chapter five!*
{ Étudiez la leçon cinq!	*Study lesson five!*
{ Ouvrez votre livre à la page huit!	*Open your books to page eight!*
{ Allez à la page huit!	*Go to page eight!*
Fermez votre livre!	*Close your book!*
Lisez aussi le chapitre six.	*Also read chapter six.*
Répétez la phrase!	*Repeat the sentence!*
Répondez à la question!	*Answer the question!*
Écoutez la cassette!	*Listen to the tape!*
Écrivez la phrase!	*Write the sentence!*
Je ne comprends pas!	*I don't understand!*

Pratique et conversation

A. **Vous êtes le professeur.** (*You are the teacher.*) En français...

1. Greet two of your students.
2. Ask the class to open their books.
3. Ask them to turn to page six.
4. Ask Philippe to answer the question.
5. Ask Monique to read.
6. Ask the class to listen to the tape.
7. Ask the class to repeat.
8. Ask the class to close their books.
9. Say good-bye to two of your students.

B. **Est-ce que vous comprenez?** (*Do your understand?*) It is your first day in class as an exchange student in Switzerland. Show that you understand by responding appropriately to your teacher's and classmates' statements.

1. Salut [Marie], ça va?
2. Bonjour [Anne].
3. Ouvrez votre livre à la page cinq.
4. Fermez votre livre.

Autrement dit
Expressing small quantities

0	zéro	16	seize
1	un	17	dix-sept
2	deux	18	dix-huit
3	trois	19	dix-neuf
4	quatre	20	vingt
5	cinq	21	vingt et un
6	six	22	vingt-deux
7	sept	23	vingt-trois
8	huit	24	vingt-quatre
9	neuf	25	vingt-cinq
10	dix	26	vingt-six
11	onze	27	vingt-sept
12	douze	28	vingt-huit
13	treize	29	vingt-neuf
14	quatorze	30	trente
15	quinze		

L'arithmétique

$2 + 2 = 4$
Deux et deux, ça fait quatre.
$5 - 3 = 2$
Cinq moins trois, ça fait deux.

Pratique et conversation

A. **Comptez en français.** (*Count in French.*)

1. Count from 0–30.
2. Count from 0–30 by twos, fives, tens.

B. **Les calculs.** Lisez et calculez.

1. $17 - 9 =$ _____
2. $4 + 7 =$ _____
3. $12 + 3 =$ _____
4. $16 - 5 =$ _____
5. $8 + 6 =$ _____

C. **Paris en avril.** Lisez les températures en français.

	Maximum	Minimum
Ajaccio	16°C	6°C
Biarritz	10°C	6°C
Brest	8°C	3°C
Caen	7°C	2°C
Dijon	6°C	1°C
Lille	10°C	5°C
Marseille	12°C	8°C
Paris	7°C	2°C
Strasbourg	9°C	1°C
Pointe-à-Pitre	20°C	15°C

D. **Allez les verts!** Lisez les résultats de ces matchs de football. *(These are the scores from recent soccer matches. Read the numbers in French.)*

Saint-Étienne bat Brest	3 - 0 (trois à zéro)
Bastia bat Lyon	2 - 0
Tours bat Metz	4 - 1
Strasbourg bat Tours	3 - 1
Nantes bat Nancy	5 - 1

E. **Les résultats.** You are a sports announcer for your local television station. Report the results of the latest games.

MODÈLE **Chicago bat Détroit 21 - 14.**

Autrement dit
Identifying

a	a	*j*	ji	*s*	esse
b	bé	*k*	ka	*t*	té
c	cé	*l*	elle	*u*	u
d	dé	*m*	emme	*v*	vé
e	e	*n*	enne	*w*	double vé
f	effe	*o*	o	*x*	iks
g	gé	*p*	pé	*y*	i grec
h	ache	*q*	ku	*z*	zède
i	i	*r*	erre		

a. The accents in French are:

   ´   accent aigu (*acute accent*): **étudiant**
   `   accent grave (*grave accent*): **très**
   ^   accent circonflexe (*circumflex accent*): **fête**
   ç   c cédille (*cedilla*): **ça va**
   ¨   tréma (*diaeresis*): **Noël**

Learn the appropriate accent as part of the spelling of the word.

b. To spell a word out loud, use the following models: **De Gaulle: d majuscule** (*capital, upper case*), **e, g majuscule, a, u, deux l, e. Hélène: h majuscule, e accent aigu, l, e accent grave, n, e.**

Pratique et conversation

A. **Les lettres de l'alphabet.** Épelez en français. (*Spell the following words in French.*)

1. Salut
2. très
3. page
4. fille
5. au revoir
6. répétez
7. classe
8. bonjour

B. **Les noms.** You work for a firm with a branch in Brussels. You call the branch office to give them the names of the employees who will be attending a trade show next week. Spell the names of the employees for the secretary who does not speak English.

1. Christina Cavalier
2. Bill McGuire
3. Blair Warnick
4. Mary Louise Talbott
5. Jill Ferguson
6. *Your name*

C. **Codes postaux.** Lisez la ville (*city*) et le code postal.

1. Québec , Québec   G 1 K 7 P6

2. Montréal , Québec   H 2 Y 3 N 4

3. Ottawa , Ontario   K 1 K 2 C6

4. Winnepeg, Manitoba   R 3 C 1 B 3

5. Vancouver , Colombie- Britannique
                          V 6 E 2 M8

SITUATION

3   À demain!

JEAN-PHILIPPE: Salut, Monique, à demain.
MONIQUE: Oui, à demain. Oh... et bonjour à Anne.
JEAN-PHILIPPE: Anne?
MONIQUE: Oui... la fille au pair! Elle° arrive demain, non?   She
JEAN-PHILIPPE: Oui, c'est vrai! Anne Williams!

Avez-vous suivi?

Choisissez la réponse correcte. (*Choose the appropriate rejoinder.*)

1. Salut, Monique.
   a. Salut, Jean-Philippe.
   b. À demain, Jean-Philippe.
   c. Comme ci comme ça.
   d. Oui, c'est vrai.
2. La fille au pair arrive demain, non?
   a. Oui, elle arrive demain.
   b. Bonjour!
   c. Ça va, et toi?
   d. Oui, à demain.

Autrement dit
Taking leave

◇ **Salut,** Monique.
  Au revoir, Monique.
◇ Ciao!
□ Au revoir, Monsieur/Madame/Mademoiselle.

  À demain.
  À tout à l'heure.
  À bientôt.

  Bonne nuit°, Sylvie.   Good night

Dans la librairie

Je voudrais...

des magazines — un Tee-shirt
des affiches —
un livre —
un cahier — un disque
un crayon — une cassette
un stylo — une gomme

  ... s'il vous plaît. Merci.

Dans la salle de classe

un professeur	*a teacher*
un étudiant	*a student* (m.)
une étudiante	*a student* (f.)
un tableau	*a picture*
un bureau	*a desk*
une chaise	*a chair*
un cartable	*a satchel, bookbag*
une porte	*a door*

Pratique et conversation

A. **Au revoir!** How might you say good-bye to the following people?

    1. your best friend
    2. your teacher
    3. your mother
    4. the mailman

B. **Chez un ami.** *(At a friend's house.)* You are invited to a friend's house. There you exchange greetings with other friends who are present, make small talk, and bid farewell.

C. **Trouvez l'intrus.** *(Find the intruder.)* Tell which word or expression does not belong in the series.

    1. stylo, crayon, phrase, gomme
    2. cahier, livre, magazine, chaise
    3. pas mal, au revoir, à tout à l'heure, salut
    4. disque, leçon, chapitre, livre
    5. étudiant, professeur, bureau, étudiante

Structure I
Defining and identifying
The indefinite noun markers *un, une, des*

SINGULAR		PLURAL	
C'est **un** livre.	*This is a book.*	Ce sont **des** stylos.	*These are pens.*
C'est **une** affiche.	*This is a poster.*	Ce sont **des** cassettes.	*These are tapes.*

a. All French nouns belong to one of two gender categories called masculine or feminine. Except for nouns referring to people, gender is unpredictable and must be learned along with the noun.

b. The indefinite noun marker **un/une** indicates gender. The indefinite noun marker used before masculine nouns is **un**. The indefinite noun marker used before feminine nouns is **une**.

c. All French nouns also show number, singular or plural. The indefinite noun marker used before plural nouns is **des**.

d. When **des** is followed by a word beginning with a vowel, a z sound links the two. This is called **liaison: Ce sont des ᶻ affiches.**

e. Most nouns form their plural by adding an −s to the singular form. This −s is written but not pronounced.

f. Nouns that end in −**eau** form their plural by adding an −x (**un tableau, des tableaux; un bureau, des bureaux**).

g. Since most of the time there is no difference in pronunciation between the singular and the plural, the form of the indefinite noun marker will signal this difference.

h. To identify someone or something, use **c'est** *(this is, that is)* before singular nouns and **ce sont** *(these are, those are)* before plural nouns.

i. To say what something is not, use **ce n'est pas** before singular nouns and **ce ne sont pas** before plural nouns:

Ce n'est pas un livre.	*This (That) is not a book.*
Ce ne sont pas des cassettes.	*These (Those) are not tapes.*

j. To ask for identification, use the question **Qu'est-ce que c'est?**:

Qu'est-ce que c'est?	**C'est un disque.**
Qu'est-ce que c'est?	**Ce sont des disques.**

Pratique et conversation

A. **La rentrée.** *(The beginning of the new school year.)* You are at a bookstore. Tell the clerk what supplies you will need. You need many things!

MODÈLE **Je voudrais un crayon et deux stylos, s'il vous plaît.**

B. **Dans mon sac à dos.** *(In my backpack.)* List five things that you have in your backpack.

C. **Qu'est-ce que c'est?** List the objects you would need for the following situations.

1. your homework assignment
2. writing a letter
3. listening to music
4. decorating your dorm room
5. the first day of class

Structure II
Asking questions
Intonation

To turn a statement into a question, use rising intonation rather than falling intonation:

Statement:	Ça va. ↘
Question:	Ça va? ↗
Statement:	C'est un livre. ↘
Question:	C'est un livre? ↗

Pratique et conversation

A. **Un cadeau.** *(A gift.)* Your roommate has bought you a small gift for your birthday. You try to guess what it is. Reply to each guess either affirmatively or negatively. After three incorrect guesses, you tell your partner what the gift is. Use the vocabulary in the *Autrement dit.*

    MODÈLE   Vous: **Ce sont des disques?**
                      Votre partenaire: **Non. Ce ne sont pas des disques.**
                                     (ou: **Oui, ce sont des disques.**)

B. **Le cancre.** *(The dunce.)* One student will play **le cancre** by holding or pointing to objects in the classroom and asking if what he or she is calling the object is correct. Of course, the student will be wrong each time!

    MODÈLE   C'est un crayon? *(While holding a book.)*
                      Non, c'est un livre!

Activités

A. **Nouveaux amis.** *(New friends.)* You are at a café. A friend arrives with a visitor from out of town. You greet each other. Then your friend introduces you to the visitor and you make small talk. Then you say good-bye.

B. **Vive les maths!** *(Hurray for math!)* Dictate five math problems to a partner, allowing only a few seconds for a response. Score one point for each correct answer, zero for an incorrect answer. Then change roles and do the same thing. Winners from each team should meet in challenge rounds until only one math whiz remains.

C. **Le pendu.** *(The hangman.)* One student will select a vocabulary word and write as many blanks on the board as there are letters in the word. The other students will guess letters. Each correct letter is placed in the appropriate blank; for each incorrect letter, another part of the "hangman" is added.

D. **La librairie.** You are a foreign exchange student in France and you need to buy school supplies. You go to the bookstore. You greet the employee, tell him/her what you need, thank him/her and say good-bye.

Vocabulaire actif

À bientôt.	*See you soon.*	**demain**	*tomorrow*
À demain.	*See you tomorrow.*	**des**	*some (may not be translated)*
une **affiche**	*poster*		
Allez!	*Go!*	des **devoirs** (m.)	*homework*
une **Américaine**	*American*	un **disque**	*record*
À tout à l'heure.	*See you soon.*	**Écoutez!**	*Listen!*
elle **arrive**	*she arrives*	**Écrivez!**	*Write!*
avant	*before*	**Et toi?**	*And you? (familiar)*
Au revoir.	*Good-bye.*	un **étudiant**	*student*
aussi	*also*	une **étudiante**	*student*
Bonjour.	*Hello.*	**Étudiez!**	*Study!*
Bonne nuit.	*Good night.*	**Et vous?**	*And you? (polite)*
Bonsoir.	*Good evening.*	**Fermez!**	*Close!*
un **bureau**	*desk*	une **fille au pair**	*au pair girl*
un **cahier**	*notebook*	une **gomme**	*an eraser*
un **cartable**	*satchel*	**Je ne comprends pas.**	*I don't understand.*
une **cassette**	*cassette tape*		
[2 et 2] ça fait	*[2 and 2] equals, makes*	**Je voudrais...**	*I would like . . .*
Ça va?	*How's it going?*	une **leçon**	*lesson*
Ce n'est pas...	*This/That is not . . .*	**Lisez!**	*Read!*
C'est...	*This/That is . . .*	un **livre**	*book*
C'est tout?	*Is that all?*	**Madame**	*Ma'am (may not be translated)*
C'est vrai.	*That's true.*		
une **chaise**	*chair*	**Mademoiselle**	*Miss (may not be translated)*
un **chapitre**	*chapter*		
Ciao!	*Bye!*	un **magazine**	*magazine*
une **classe**	*class*	**maintenant**	*now*
Comme ci comme ça.	*OK., So-so.*	**merci**	*thank you*
		Monsieur	*Sir (may not be translated)*
Comment allez-vous?	*How are you?*	**non**	*no*
		oui	*yes*
Comment ça va?	*How's it going?*	**Ouvrez!**	*Open!*
Comment vas-tu?	*How's it going?*	une **page**	*page*
un **crayon**	*pencil*	**Pas mal.**	*Not bad.*

une **phrase**	sentence	un **stylo**	pen
une **porte**	door	un **tableau**	blackboard
pour	for	un **Tee-shirt**	T-shirt
Préparez!	Prepare!	**tout le monde**	everybody
un **professeur**	teacher	**très bien**	very well
une **question**	question	**un**	a, an, one
Quoi de neuf?	What's new?	**une**	a, an, one
Répétez!	Repeat!	**voilà**	here/there is
Répondez!	Answer!		
Salut!	Hi! Good-bye!	**les nombres (m.) de**	see page 8
s'il vous plaît	please	**1–30**	

Chapitre 2

Chez les Bordier

Anne arrive chez les Bordier

ANNE:	Bonjour, Madame. Je suis Anne Williams.
MME BORDIER:	Ah! Bonjour, Anne! Je suis Solange Bordier.
ANNE:	Enchantée, Madame.
MME BORDIER:	Mais entrez, entrez! Comment allez-vous? Et le voyage?
ANNE:	Ça va. Je suis un petit peu fatiguée,° mais ça va.
MME BORDIER:	Mettez votre° valise ici... Charles! C'est Anne Williams, la jeune fille au pair!
M. BORDIER:	Ah, très heureux, Mademoiselle. Solange, où est Jean-Philippe?
MME BORDIER:	Il est dans la cuisine, avec la petite. Ils arrivent.
M. BORDIER:	Et ça, c'est le gardien de la maison... Pataud.
PATAUD:	Oua! Oua!

(marginal glosses: tired; your)

Avez-vous suivi?

A. **La famille Bordier.** Identifiez les membres de la famille Bordier dans le dessin. *(Identify the members of the Bordier family in the drawing.)*

B. **Anne arrive chez les Bordier.** What do you know about Anne from the dialogues? Fill in the grid.

Nom de famille:	
Prénom:	
Nationalité:	
Âge:	
Situation en France:	

Autrement dit
Identifying

LE PLAN DE L'APPARTEMENT

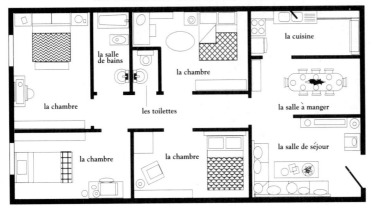

la cuisine

la salle de bains

la chambre

la chambre

les toilettes

la salle à manger

la salle de séjour

la chambre

la chambre

LA SALLE DE SÉJOUR

une fenêtre

une télévision

un sofa

un tableau

une lampe

une radio

un magnétoscope

un fauteuil

LA SALLE À MANGER

un buffet

des chaises

une table

LA CHAMBRE

un téléphone

une chaîne stéréo

un lit

Locating

Où est Jean-Philippe?

Il est...
    dans l'ascenseur   devant la télé

Et Pataud?

Il est...
    sur la chaise   sous la table   derrière le sofa

Pratique et conversation

A. **Trouvez l'intrus.** *(Find the intruder.)* In each series, indicate which word does not belong.

1. une chaise, un tableau, un sofa, un fauteuil
2. une télévision, un tableau, un magnétoscope, une radio
3. un disque, une chaîne-stéréo, un lit, une cassette
4. une salle à manger, une salle de séjour, une salle de classe, une salle de bains
5. une cuisine, une chaise, une table, un buffet

B. **Vrai ou faux?** Regardez le dessin. Indiquez si les phrases sont vraies ou fausses (*true or false*).

1. _____ M. Bordier est devant un sofa.
2. _____ Pataud est sur une chaise.
3. _____ Sylvie est devant une table.
4. _____ Monique est derrière Alain.
5. _____ Mme Bordier est dans une salle de classe.

Structure I
Defining and identifying
The definite noun markers *le, la, les*

	SINGULAR		PLURAL	
masculine	**le** style	*the pen*	**les** stylos	*the pens*
	l'étudiant	*the student*	**les** étudiants	*the students*
feminine	**la** table	*the table*	**les** tables	*the tables*
	l'étudiante	*the student*	**les** étudiantes	*the students*

a. The form of the definite noun marker will depend on the gender and number of the noun.

b. The vowel of **le** and **la** is dropped before a singular noun beginning with a vowel sound: **l'étudiant, l'étudiante.** This is called **élision.**

c. In the plural, there is a linking /z/ sound when **les** is followed by a noun beginning with a vowel sound: **les ⁻ᶻ⁻ étudiants, les ⁻ᶻ⁻ étudiantes.**

Pratique et conversation

A. **Transformez.** Remplacez **un, une, des** par **le, la, les.**

> MODÈLE   C'est un livre.
> **C'est le livre.**

1. C'est un disque.
2. C'est une cassette.
3. Ce sont des crayons.
4. C'est une chaise.
5. C'est une affiche.
6. Ce sont des étudiants.
7. C'est un stylo.

B. **La maison renversée.** *(The upside-down house.)* Regardez le dessin. Où sont les objets? *(Look at the drawing and tell where the objects are located.)*

Structure II
Describing situations and conditions
Present tense of the verb *être*

SUBJECT PRONOUNS	ÊTRE (TO BE)	
Je	suis	dans la cuisine.
Tu	es	dans la salle de bains.
Il/Elle/On	est	chez les Bordier.
Nous	sommes	dans la chambre.
Vous	êtes	sur la chaise.
Ils/Elles	sont	dans la salle de classe.

a. The subject pronouns must be used before the verb. Remember that **tu** is used with a person with whom you are well acquainted; such as a friend, a colleague, a family member, or a child. **Tu** is always singular. In the plural, use **vous. Vous** also serves as a singular pronoun to address people whom you do not know well, or to address those who are older or to whom you wish to show respect. It is better to use **vous** when addressing a native speaker. He or she will let you know when it is appropriate to use **tu.**

b. The pronoun **on** can have a variety of references. In popular speech, it is often used instead of **nous: On est en classe maintenant.** It may also have an indefinite reference: **On parle français ici.** *People/They speak French here./French is spoken here.*

c. **Ils** is used for an exclusively male group or a mixed group (male and female). **Elles** is used for an exclusively female group.

d. Third-person pronouns can also be used to replace nouns referring to things when used as a subject: *Le stylo* **est sur la table.** *Il* **est sur la table.**

e. To negate a verb, **ne (n')** is placed before the verb and **pas** is placed after it. When **ne** is followed by a verb beginning with a vowel sound, **élision** occurs.

Je	ne	suis	pas	dans la cuisine.
Tu	n'	es	pas	dans la salle de bains.
Il/Elle/On	n'	est	pas	chez les Bordier.
Nous	ne	sommes	pas	dans la chambre.
Vous	n'	êtes	pas	sur la chaise.
Ils/Elles	ne	sont	pas	dans la salle de classe.

Pratique et conversation

A. **Chez les Bordier.** Remplacez l'infinitif d'**être** par la forme correcte.

1. Nous/être/chez les Bordier.
2. Les Bordier/être/dans la salle de séjour.
3. Jean-Philippe/être/dans la cuisine.
4. Bonjour. Je/être/Solange Bordier.
5. Ce/être/la fille au pair.
6. Ah! Vous/être/Anne!

B. **Pluriel ou singulier?** Changez le sujet et le verbe de la phrase du singulier au pluriel ou vice versa.

1. C'est le professeur.
2. Vous êtes la fille au pair.
3. Nous sommes dans la salle de séjour.
4. Ce sont les étudiants.
5. Je suis devant le bureau.

C. **Transformations.** Changez la phrase du négatif à l'affirmatif ou vice versa.

MODÈLE   C'est un crayon.
          Ce n'est pas un crayon.

1. Vous êtes professeur.
2. Elle est étudiante.
3. Nous ne sommes pas dans la salle de classe.
4. Tu es devant le sofa.
5. Il est dans la cuisine.
6. Je ne suis pas étudiant.

D. **Où est… ?** Regardez le professeur et répondez à la question.

1. Où est le professeur?
2. Où est le stylo?
3. Où est le livre?
4. Où sont le cahier et le crayon?
5. Où sont les chaises?

Jean-Philippe, le fils de la famille

JEAN-PHILIPPE:	Bonjour, Anne. Tu es exactement° comme sur la photo.	exactly
ANNE:	La photo? Mon Dieu!°	Heavens!
JEAN-PHILIPPE:	Mais non, c'est un compliment. Tu es très bien sur la photo. Dis donc,° Anne, tu parles drôlement° bien français.	Say really
ANNE:	J'adore les langues.	
JEAN-PHILIPPE:	Moi° aussi. Au lycée on étudie le latin, l'allemand et l'anglais, et franchement° je préfère l'anglais, parce que° c'est facile°.	Me frankly because; easy
ANNE:	J'aime beaucoup votre° appartement!	your
JEAN-PHILIPPE:	Ce n'est pas la Californie.	
ANNE:	Justement!° «Vive la différence!»	Exactly!

Avez-vous suivi?

1. Identifiez les deux compliments de Jean-Philippe.

2. Identifiez le compliment d'Anne.

3. Vrai ou faux? *(True or false?)*
   - _____ Anne n'aime pas les langues.
   - _____ Jean-Philippe est à l'école primaire.
   - _____ Jean-Philippe étudie trois langues.
   - _____ Jean-Philippe préfère le latin.
   - _____ L'anglais est difficile pour Jean-Philippe.

4. «Vive la différence» signifie qu'Anne...
    a. n'aime pas les différences
    b. préfère la Californie
    c. apprécie les différences
    d. étudie le français

Autrement dit
Les études

Les cours de langue

le français	*French*
l'espagnol	*Spanish*
l'italien	*Italian*
le russe	*Russian*
l'allemand	*German*

Les sciences

la chimie	*chemistry*
la physique	*physics*
l'informatique	*computer science*
les mathématiques	*mathematics*
◇ les maths	
la biologie	*biology*

Les sciences sociales

la sociologie	*sociology*
les sciences politiques	*political science*
l'histoire	*history*
la philosophie	*philosophy*

Les autres matières

le journalisme	*journalism*
le commerce	*business*
l'éducation physique	*physical education*

À l'université (◇ la fac)

Les étudiants étudient	à la bibliothèque	*at the library*
	dans le bâtiment des langues modernes	*in the modern language building*
Ils écoutent le professeur	dans l'amphithéâtre	*in the lecture hall*
Ils écoutent des cassettes	dans le laboratoire des langues	*in the language lab*
	◇ le labo	
Ils habitent	dans une chambre à la résidence	*in a room at the dorm*

Le restaurant universitaire est aussi sur le campus, mais les étudiants préfèrent les restaurants en ville.

Expressing likes and dislikes

+	−
J'aime les langues.	Je n'aime pas les langues.
J'adore les langues.	Je déteste les langues.
Je préfère les langues.	

Où habiter?

Les Bordier habitent en **ville**,° dans **un immeuble**.°   city; apartment building
Les Rey habitent dans **la banlieue**.° Les Dupont habitent dans **une**   suburbs
maison° à **la campagne**.° Ils n'aiment pas la ville. Ils préfèrent **les**   house; country
jardins° et les animaux.   gardens

Pratique et conversation

A. **Quelle classe?** (*Which class?*) You are walking down the hall and hear parts of different classes being taught. Based on what you hear, try to guess what class it is.

MODÈLE   Pour demain, étudiez le chapitre deux de *Situations et Contextes.*
           C'est la classe de français.

1. L'oxygène et l'hydrogène sont des éléments importants.
2. ¡Buenos días! ¿Cómo estás?
3. La société américaine est très diverse.
4. Le diamètre d'un cercle...
5. Pour disséquer une grenouille (*frog*)...
6. Nein! Fräulein Grünmann, bitte...
7. Les codes binaires sont composés de «zéro» et de «un».

B. **Sondage.** (*Opinion poll.*) Complete the first two sentences below; then poll your class to learn the most liked as well as the most disliked subjects.

Moi, j'aime _____.
Je n'aime pas _____.
Dans le groupe, on préfère _____.
Dans le groupe, on déteste _____.

C. **Les études.** Rank the following subject matters first according to utility, then according to interest, and finally according to difficulty. Indicate your rankings by numbering from one to seven.

_____ la biologie
_____ l'anglais
_____ le français
_____ la philosophie
_____ l'informatique
_____ l'histoire
_____ la chimie

D. **La ville, la banlieue ou la campagne?** Indicate which description applies to which living environment. Then tell which location you prefer by completing the sentence that follows.

	LA VILLE	LA BANLIEUE	LA CAMPAGNE
la tranquilité			
le crime			
les boutiques			
la nature			
l'espace			
le cinéma			
le théâtre			
la pollution			
les animaux			

Complétez la phrase:
J'aime **les villes** parce que j'aime (je préfère/je n'aime pas) **les boutiques.**

E. **Sur le campus.** Where do you do the following activities? Complete the sentences.

  1. J'étudie...
  2. J'écoute le professeur...
  3. Je répète les phrases...
  4. J'écoute les cassettes...
  5. J'habite...

Structure III
Question-asking
Est-ce que

a. We have already seen one way of asking a yes/no question in French by raising the pitch of the voice at the end of a statement. This rise in pitch is called rising intonation.

C'est un livre. → C'est un livre? ↗
This is a book.   *Is this a book?*

b. Another way of asking yes/no questions in French is by placing the phrase **est-ce que** in front of a statement. These questions also have rising intonation.

C'est un livre. → Est-ce que c'est un livre? ↗
Il est étudiant. → Est-ce qu'il est étudiant? ↗

Pratique et conversation

A. **Questions.** Turn the following statements, based on the dialogues, into questions, which your partner will answer. Alternate asking and answering questions.

  1. C'est l'appartement des Bordier.
  2. Sylvie est la fille au pair.
  3. Anne est fatiguée.
  4. Jean-Philippe est à l'école primaire.
  5. Jean-Philippe étudie l'allemand.

B. **Devinez.** (*Guess.*) In pairs, one student will think of an item in his/her briefcase or backpack. The other will try to guess what it is. Repeat the activity, reversing roles. This time, think of an item in your home.

C. **Où est... ?** Mr. Bordier misplaced his pen. Can you guess where it is? Your teacher will tell your partner the location. You have five guesses to find it.

Structure IV
Talking about everyday activities
Present tense of verbs ending in −*er*

PARLER *(TO SPEAK)*			STEM + ENDING	
Je	parle	allemand.	parl	**e**
Tu	parles	anglais.	parl	**es**
Il ne	parle	pas espagnol.	parl	**e**
Nous	parlons	à Mme Bordier.	parl	**ons**
Vous	parlez	français et italien.	parl	**ez**
Elles	parlent	à Sylvie.	parl	**ent**

a.   To conjugate a regular −**er** verb such as **parler,** obtain the verb stem by dropping the −**er** from the infinitive: **parler** > **parl−.** The appropriate subject endings are then added to the stem: −**e**, −**es**, −**e**, −**ons**, −**ez**, −**ent**.

b.   The present tense expresses habitual action or action in progress. It may be translated in one of three ways.

je parle $\begin{cases} \textit{I speak} \\ \textit{I do speak} \\ \textit{I am speaking} \end{cases}$

c.   Before a verb form that begins with a vowel, elision is made in the first-person singular and liaison occurs throughout the plural.

AIMER *(TO LIKE)*	
Singular	**Plural**
j'aime	nous ´ᶻˋaimons
tu aimes	vous ´ᶻˋaimez
il aime	elles ´ᶻˋaiment

d. In the conjugation of the verb **préférer** the é before the endings becomes è in the **je, tu, il,** and **ils** forms.

PRÉFÉRER *(TO PREFER)*	
Singular	**Plural**
je préfère	nous préférons
tu préfères	vous préférez
elle préfère	ils préfèrent

Répéter is conjugated like **préférer.**

e. Here are some more useful – **er** verbs. You used some of these verbs as commands in chapter 1.

chercher	*to look for*
danser	*to dance*
donner	*to give*
écouter	*to listen to*
entrer (dans)	*to enter*
étudier	*to study*
fermer	*to close*
habiter	*to live at, to reside*
manger	*to eat*
penser	*to think*
préparer	*to prepare*
quitter	*to leave*
regarder	*to look*
rentrer	*to come home*
travailler	*to work*

f. When two verbs are used in sequence with no change in subject, the second is generally an infinitive: **J'aime danser.** *I like to dance.*

Pratique et conversation

A. **Le week-end.** Explain to your classmates what you do or don't do on the weekend.

MODÈLE   travailler
   Le week-end, je ne travaille pas.

étudier	danser
regarder la télévision	parler au téléphone
écouter la radio	

B. **Préférences.** Explain to your classmates what you like or don't like to do during your free time.

MODÈLE danser
J'aime danser.

travailler   parler français
écouter la radio   regarder la télévision
étudier

C. **Qui travaille aujourd'hui?** (*Who's working today?*) Your French instructor is trying to schedule appointments with all the members of the class and needs to know which students can't come today because of work. Explain to your instructor which students work and which do not.

MODÈLE Marie (oui): **Marie travaille aujourd'hui.**
Hélène (non): **Hélène ne travaille pas aujourd'hui.**

1. Robert et Thomas (oui)
2. Michel et moi, nous (non)
3. Françoise (non)
4. toi (oui)
5. Roger (oui)
6. moi (non)
7. Catherine et Sylvie (oui)
8. vous (non)

D. **Activités.** Where do you do the following activities? Select a verb from column one and a location from column two.

1	2
étudier	dans la chambre
écouter la radio	dans la salle à manger
parler au téléphone	dans la cuisine
penser	dans la salle de bains
regarder la télé	dans la salle de séjour
manger	à la bibliothèque
travailler	à la résidence

E. **Est-ce que vous étudiez le français?** A French friend wants to know what you and your college friends do. Answer his/her questions.

MODÈLE   Votre ami/e (*Your friend*): **Est-ce que vous étudiez la biologie?**
Vous: **Oui, nous étudions la biologie.**

1. Est-ce que vous parlez français en classe?
2. Est-ce que vous regardez la télévision?
3. Est-ce que vous écoutez la radio?
4. Est-ce que vous travaillez?
5. Est-ce que vous aimez danser?
6. Est-ce que vous étudiez la chimie?

F. **Interview.** Find out about your partner's activities, likes and dislikes at the university. Ask him/her if he/she . . .

1. is studying English/chemistry/computer science/history
2. likes the classes that are mentioned above
3. likes to study
4. studies a lot (*beaucoup*)
5. watches television on the weekend
6. dances on the weekend

Report your results to the class.

G. **Préférences.** Ask your partner if he/she prefers . . .

1. the city or (*ou*) the suburbs
2. the suburbs or the country
3. an apartment or a house
4. chemistry or biology
5. English or French

3

Sylvie, la sœur de Jean-Philippe

ANNE:	Qui sont les deux petites filles là-bas°?	over there
JEAN-PHILIPPE:	C'est ma° sœur Sylvie et une camarade de classe.	my
	Sylvie est à l'école primaire. Sylvie, Sylvie,	
	regarde, c'est Anne Williams.	
SYLVIE:	Qui?	
JEAN-PHILIPPE:	C'est Anne, d'Amérique.	
SYLVIE:	Anne, oh oui, bien sûr. Bonjour, Anne, ça va?	
	Parle un peu anglais.	
JEAN-PHILIPPE:	Mais, qu'est-ce que tu racontes? Anne est ici	
	pour pratiquer le français, pas l'anglais.	
SYLVIE:	Tu étudies l'anglais au lycée, mais tu n'aimes pas	
	pratiquer.	
JEAN-PHILIPPE:	Oh, arrête Sylvie.	

Avez-vous suivi?

1. Vrai ou faux?
   _____ Sylvie est au lycée.
   _____ Anne est en France pour pratiquer le français.
   _____ Jean-Philippe n'aime pas parler anglais.

2. À la fin, Jean-Philippe est...
   a. cordial.
   b. impatient.
   c. furieux.
   d. content.

Autrement dit
Making introductions

To introduce yourself:
- ☐ Bonjour, Madame.
  Bonjour, je me présente.
  Je suis [Betsy Ungar].
  Bonjour, [Bradley Dean].

To respond to an introduction:
- ☐ Enchanté (f. Enchantée), Madame.
- ☐ Très heureux (f. Très heureuse), Mademoiselle.
- ☐ Bonjour, Monsieur/Madame/Mademoiselle.
- ◇ Salut.

To introduce somebody to an acquaintance or to two people:
- ☐ Je vous présente [M. Doumas].

To introduce somebody to a friend:
- ◇ Je te présente [Bernard].

Pratique et conversation

A. **Présentations.** Complétez les dialogues.

1. Bonjour. Je suis [Anne Williams].
   _____.

2. Bonjour. Solange Bordier.
   _____.

3. Salut, Patrick. Je _____ Marie.
   Ah, bonjour, Marie.
4. Je vous présente M. Bordier.
   _____, Monsieur.

B. **Une invitation.** You have invited a friend over to dinner. Introduce him/her to your parents. Each replies appropriately.

C. **Une boum.** You are having a party. Many of the guests do not know each other. Make introductions.

Structure V
Giving orders
The imperative

Sylvie, Sylvie, **regarde,** c'est Anne Williams.
Parle un peu anglais.
Écoutez la cassette.

a. The imperative of the **vous** form of – **er** verbs is derived from the
   present tense by dropping the subject pronoun.

> Étudiez!   *Study!*
> Regardez!   *Look!*

b. The imperative of the **tu** form of – **er** verbs is derived from the
   present tense by dropping the subject pronoun, and the final – **s**
   of the verb.

> Travaille!   *Work!*
> Étudie!   *Study!*

c. When the subject pronoun is dropped from the **nous** form of the
   present tense, the meaning of the verb is *Let's* . . .

> Parlons anglais.   *Let's speak English.*
> Travaillons.   *Let's work.*

d. In the negative imperative, **ne... pas** surrounds the verb.

> Ne   travaille   **pas.**
> Ne   regardez   **pas** la télé.
> N'   écoutons   **pas.**

A. **Les règles de la maison.** Using the cues below, tell Jean-Philippe what he should and should not do.

> MODÈLE regarder la télévision
> **Ne regarde pas la télévision. (ou: Regarde la télévision.)**

1. étudier l'anglais
2. travailler
3. écouter la radio
4. parler anglais avec Anne
5. rentrer tard (*late*)
6. danser

B. **Conseils aux étudiants.** What advice would you give your fellow students so that they will do well in French? Name four things.

> MODÈLE **Étudiez la leçon!**

C. **Situations.** What advice would you give your friend in the following situations? Use an imperative.

1. He/She is not doing well in class.
2. He/She needs money for an upcoming trip.
3. He/She is planning to go skiing at a nearby resort, but is not sure what the weather will be like tomorrow.
4. He/She spends too much time watching TV and not enough time studying biology.
5. He/She needs to brush up on his/her spoken French.

Structure VI
Asking questions
The interrogatives *qui* and *qu'est-ce que*

> **Qui** sont les deux petites filles là-bas?
> Mais, **qu'est-ce que** tu racontes?

a. **Qui** refers to people and means *who*. When it is the subject of a question, the verb following **qui** is always in the third person, singular or plural.

SUBJECT	VERB	COMPLEMENT
Qui	est	Anne Williams?
Qui	sont	les Bordier?

b. **Qu'est-ce que** refers to things and means *what*. You have already seen this form in the question: **Qu'est-ce que c'est? Qu'est-ce que** is used as the object in a question.

OBJECT	SUBJECT	VERB
Qu'est-ce que	tu	étudies?
Qu'est-ce que	M. Bordier	raconte?

Pratique et conversation

A. **Identifications.** Ask your partner to identify the following people.

MODÈLE   le président
           Vous: **Qui est le président?**
           Votre partenaire: **C'est Monsieur [Smith].**

1. le professeur de français
2. Anne Williams
3. Pataud
4. Sylvie
5. l'étudiant/e devant [Marie]
6. l'étudiant/e derrière [Patrick]

B. **Demandez.** Using the verbs below, ask your partner a question about his/her studies using **qu'est-ce que.**

MODÈLE   étudier
           Vous: **Qu'est-ce que tu étudies?**
           Votre partenaire: **J'étudie le français, la biologie et**
                                   l'histoire.

1. étudier
2. préférer
3. adorer
4. détester
5. écouter dans le labo
6. répéter dans la classe de français

C. **Posez la question.** Ask the questions that elicit the following answers.

1. Jean-Philippe étudie l'informatique.
2. C'est la fille au pair.
3. C'est le gardien de la maison.
4. Je n'aime pas les maths.
5. Nous écoutons la radio.

 # Lecture

LES PETITES ANNONCES

Since English and French share a common linguistic history and have borrowed extensively from each other, many words in French resemble English words. These words are called cognates. You will be able to use your knowledge of English to predict the meaning of many words in the job announcements below.

Avant de lire

A. **Le suffixe –eur.** The suffix –eur often indicates a person who does something. Study the following examples.

Personne	Activité
un danseur	il danse
un penseur	il pense
un donneur	il donne
un professeur	il «professe»
un acteur	il joue un rôle

What might the following people do?

un accompagnateur
un animateur
un employeur
un vendeur
un serveur

B. **Les abbréviations.** Study the following abbreviations, which are common in ads of this type.

cher.	cherche
j.f.	jeune fille
c.v.	curriculum vitæ *(résumé)*
qual.	qualifié
km	kilomètre
h.	heure *(hour)*

C. **Devinez.** Can you guess the meaning of the italicized words from their context?

1. Cherche employée de maison, *logée, nourrie.*
2. Cherche j.f. pour *garde-enfant.*
3. Cherche agent de voyages, *formation* tourisme.

Lisons

273010
Cherche femme de ménage°, 3-4 h par semaine°. Quartier Verdanson.
Tél. 67.79.09.50.

cleaning lady
week

273011
Cherche dame ou j.f. pour garder enfants 5 et 8 ans, le mercredi° et jours non scolarisés et aller chercher à l'école Mas Drevon.
Tél. 67.42.33.56 après 20 h 30.

Wednesday

448030
Cher. employée de maison, logée, nourrie, références. 67.45.67.04 de 10 à 12 h

448197
Devenez° animateur, guide, accompagnateur, réceptionniste. Formation tourisme C.F.T., 6, rue Grd-St-Jean, Montpellier.
Tél. 67.92.98.30.

Become

452502
Employée de maison demandée qu. Rondelet 2 après-midi° par mois°. Ecrire Havas n. 190.137 Montpellier (34063)

afternoons
month

452511
Recherche J.F. pour garde enfant + ménage, 10 km Montpellier, logée, nourrie + salaire. Ecrire Havas n. 190.139 Montpellier 34063.

330182
Urgent cherche serveur qual., bonne référence, place à l'année.
Tél. 67.78.31.51.

Avez-vous suivi?

1. If you wanted a position as an *au pair*, which ad/s would you answer?
2. What benefits would you have?
3. If you were interested in a job that allowed you to travel, what position would you apply for?

4. If you wanted to work in food service, which job would you pick?
5. If you only wanted to work part-time, which ad/s might you answer?

Activités

A. **Une réception.** You are at a reception given by an international organization. You meet a French student and introduce yourself. The student asks you about American student life and you respond with information about your studies and what you like to do in your free time; then you ask about student life in France.

B. **Les étudiants américains.** You are a Swiss exchange student writing an article about American students for your class back home. Ask three students in your class: if they work, if they like the university, if they study a lot, and if they like to dance on the weekend.

C. **Sondage.** Take a survey of your classmates. Find out how many of them (1) study English, (2) love political science, (3) work on weekends, (4) study on weekends, (5) watch television a lot.

D. **Chez le professeur.** You have been invited to a party at your teacher's home. There you see several professors and students whom you come across frequently on campus. Introduce yourself to them and explain that you are studying French. They ask you about your experience: whether you like your class, your teacher, the students. You respond to their questions.

Vocabulaire actif

adorer	*to adore*	**aussi**	*also*
aimer	*to like, to love*	la **banlieue**	*suburbs*
l' **allemand** (m.)	*German* (language)	un **bâtiment**	*building*
un **amphithéâtre**	*lecture hall*	**beaucoup**	*a lot*
l' **anglais** (m.)	*English* (language)	une **bibliothèque**	*library*
un **animal** (pl.	*animal*	**bien sûr**	*of course*
animaux)		la **biologie**	*biology*
arrêter	*to stop*	un **buffet**	*sideboard*
arriver	*to arrive, to come*	**ça**	*this, that*
un **ascenseur**	*elevator*	un/e **camarade**	*friend*

la **campagne**	country(side)	**je**	I
une **chaîne stéréo**	stereo	**Je te/vous présente...**	This is . . . (introduction)
une **chaise**	chair	le **journalisme**	journalism
une **chambre**	bedroom	un **laboratoire (labo)**	laboratory
chercher	to look for	une **lampe**	lamp
la **chimie**	chemistry	une **langue**	language
comme	like, as	le **latin**	Latin (language)
le **commerce**	business	**le (l'), la (l'), les**	the (m., f., pl.)
un **compliment**	compliment	un **lit**	bed
un **cours** (pl. des cours)	course	un **lycée**	high school
une **cuisine**	kitchen	un **magnétoscope**	VCR
dans	in	**mais**	but
danser	to dance	une **maison**	house
derrière	behind	**manger**	to eat
détester	to hate	les **mathématiques** (f.)	math
devant	in front of	**Mettez!**	Place!, Put!
donner	to give	**moderne**	modern
une **école primaire**	elementary school	**ne... pas**	not (negation)
écouter	to listen	**nous**	we
l' **éducation physique** (f.)	physical education	**on**	we, you, one, people
elle	she, it (f.)	**ou**	or
elles	they (f.)	**Où est... ?**	Where is . . . ?
Enchanté/e!	Pleased to meet you!	**parler**	to speak
entrer (dans)	to enter	**penser**	to think
l' **espagnol** (m.)	Spanish (language)	une **petite**	little girl
est-ce que	(used to form a question)	un **petit peu**	a little bit
être	to be	un **peu**	a little
les **études** (f.)	studies	la **philosophie**	philosophy
étudier	to study	une **photo**	photo
la **faculté (fac)**	university	la **physique**	physics
un **fauteuil**	armchair	**pratiquer**	to practice
une **fenêtre**	window	**préférer**	to prefer
fermer	to close	**préparer**	to prepare
une **fille**	girl, daughter	**qu'est-ce que**	what
un **fils**	son	**qui**	who
le **français**	French (language)	**quitter**	to leave
un **gardien**	guardian	**raconter**	to tell, to talk about
habiter	to live	une **radio**	radio
l' **histoire** (f.)	history	**regarder**	to watch, to look at
ici	here	**rentrer**	to go home
il	he, it (m.)	une **résidence**	dormitory
ils	they (m. or mixed)	un **restaurant universitaire**	student cafeteria
un **immeuble**	apartment building	le **russe**	Russian (language)
l' **informatique** (f.)	computer science	une **salle à manger**	dining room
l' **italien** (m.)	Italian (language)	une **salle de bains**	bathroom
un **jardin**	garden		

une **salle de séjour**	*living room*	une **toilette**	*toilet*
les **sciences politiques** (f.)	*political science*	**travailler**	*to work*
la **sociologie**	*sociology*	**Très heureux/ heureuse.**	*Pleased to meet you.*
un **sofa**	*sofa*	**tu**	*you* (familiar, sing.)
sous	*under*	une **valise**	*suitcase*
sur	*on*	une **ville**	*city*
une **table**	*table*	**vous**	*you* (familiar, pl.; polite, sing. and pl.)
un **tableau**	*picture*		
un **téléphone**	*telephone*	un **voyage**	*trip*
une **télévision**	*television*		

Chapitre 3

La journée des Bordier

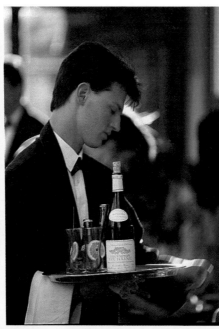

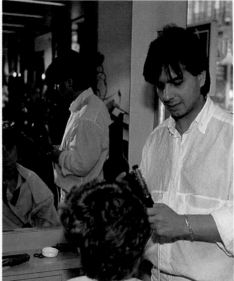

1   On parle de travail

M. BORDIER:	Je suis architecte[1]. En semaine, je quitte la maison vers° huit heures et j'arrive au bureau à neuf heures du matin. Je travaille jusqu'à cinq heures de l'après-midi. Je rentre vers six heures, mais quelquefois, je dîne au restaurant avec des clients et je rentre vers neuf heures du soir.
ANNE:	Et vous, Mme Bordier, où est-ce que vous travaillez?
MME BORDIER:	Dans une agence de voyages. Et pendant l'été, on est très occupés. Quelquefois, pendant les fêtes, je reste au bureau jusqu'à dix heures du soir... et même° jusqu'à minuit avant le quinze août.

toward

even

---

[1] Note the omission of the indefinite noun marker after the verb **être** when followed by the name of a profession. In the third person, two patterns are possible: **Il est architecte/C'est un architecte.**

Avez-vous suivi?

1. Décrivez la famille Bordier.
   a. qui est étudiant au lycée?
   b. qui est architecte?
   c. qui est agent de voyages?
   d. qui est le gardien de la maison?
   e. qui est à l'école primaire?
2. Décrivez l'emploi du temps de M. Bordier.
3. Mme Bordier est très occupée _____ et surtout (*especially*) _____ .
4. Le quinze août en France est...
   a. la fête du travail
   b. la fête de l'Assomption
   c. la Saint-Valentin
   d. la fête nationale

Autrement dit
Les emplois

Je suis...

architecte	
journaliste	
professeur	
étudiant/étudiante	
agent de voyages	
cadre	*executive*
informaticien/informaticienne	*computer scientist*
instituteur/institutrice	*elementary school teacher*
médecin/femme médecin	*doctor*
infirmier/infirmière	*nurse*
avocat/avocate	*lawyer*
ingénieur/femme ingénieur	*engineer*
ouvrier/ouvrière	*factory worker*
caissier/caissière	*cashier*
coiffeur/coiffeuse	*hairdresser*
serveur/serveuse	*waiter/waitress*
facteur	*mailman*

Où est-ce que vous travaillez?
Dans...

        une agence de voyages
        une université
        un hôpital
        une école
        un restaurant
        un lycée
        une école maternelle   *nursery school*
        une usine   *factory*
        un bureau   *office*

À...

        la caisse   *cash register*
        la poste   *post office*

L'heure

En semaine, j'arrive au bureau à...

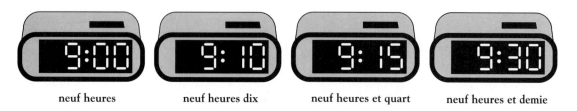

neuf heures   neuf heures dix   neuf heures et quart   neuf heures et demie

... du matin.

Je déjeune à...

midi   midi et demi   une heure

Je travaille jusqu'à...

cinq heures   six heures moins le quart   six heures moins dix

... de l'après-midi.

Je n'arrive pas **en retard**°; j'arrive **à l'heure**° ou **en avance**°.   late; on time; early

Les activités

À six heures du soir, Mme Bordier a...
<blockquote>
un cocktail
une réunion
rendez-vous chez le coiffeur
</blockquote>

Pratique et conversation

A. **L'heure.** Lisez l'heure.

B. **Au travail!** Où est-ce qu'on travaille?

1. Un professeur travaille...
2. Un médecin travaille...
3. Une institutrice travaille...
4. Un architecte travaille...
5. Un agent de voyages travaille...
6. Je travaille...

C. **Sondage.** Rank the following professions in order of (1) pay, (2) prestige, and (3) training. Compare your answers.

_____ agent de voyages
_____ médecin
_____ professeur
_____ infirmier
_____ facteur
_____ avocat
_____ ouvrier
_____ architecte

D. **On cherche un emploi.** You work in an employment agency. What career would you recommend for the following job candidates?

1. M. Bodin: Il aime la cuisine française.
2. Mme Mézil: Elle étudie le commerce.
3. Mme Hoffman: Elle parle français.
4. M. Félix: Il aime voyager.
5. Mlle Sandover: Elle étudie l'informatique.
6. M. Dominique: Il n'aime pas les mathématiques.

E. **Interview.** Demandez à votre partenaire...

1. s'il/elle travaille
2. s'il/elle arrive à l'heure
3. si les cours commencent à neuf heures
4. s'il/elle travaille jusqu'à cinq heures
5. s'il/elle travaille le week-end

Structure I
Asking questions
Information questions

a. Most information questions use the pattern below:

QUESTION WORD + EST-CE QUE + SUBJECT + VERB			
Où	est-ce que	vous	travaillez?
À quelle heure	est-ce que	vous	travaillez?
Quand (When)	est-ce que	vous	travaillez?

b. The question word **pourquoi** means *why*. To answer a question with **pourquoi,** use **parce que** *(because)*.

Pourquoi est-ce que vous étudiez le français?
J'étudie le français **parce que** j'aime la France.

c. Another pattern may be used to form information questions. In this pattern, called inversion, the order of subject and verb is reversed after the question word. You have already seen this pattern.

QUESTION WORD + VERB +		SUBJECT
Comment	vas-	tu?
Où	est	le magnétoscope?

Using inversion to form information questions is less common in spoken French than is the pattern with **est-ce que.** Later we will point out the cases where inversion is more usual.

d. In questions using inversion, a **-t-** is added between the verb and the subject pronoun in the third-person singular if the final letter of the verb form is a vowel.

Comment va-**t**-il?

e. To ask the time of day, use the question:

Quelle heure est-il?

The answer will be:

Il est quatre heures (de l'après-midi).

Pratique et conversation

A. **Curiosité.** Composez des questions.

MODÈLE   Où/M. Bordier/travailler?
            Où est-ce que M. Bordier travaille?

1. À quelle heure/Jean-Philippe/rentrer?
2. Quand/vous/étudier?
3. À quelle heure/tu/regarder/la télévision?
4. Où/nous/déjeuner?
5. Quand/les Bordier/dîner?
6. À quelle heure/tu/étudier?
7. Pourquoi/vous/aimer/le français?
8. Comment/le professeur/parler/français?

B. **Interview.** Posez une question à votre partenaire.

> MODÈLE   à quelle heure/étudier
> Vous: **À quelle heure est-ce que tu étudies?**
> Votre partenaire: **J'étudie à sept heures.**

1. où/travailler
2. quand/regarder la télévision
3. à quelle heure/quitter la maison
4. à quelle heure/déjeuner
5. à quelle heure/rentrer
6. où/étudier
7. quand/danser
8. pourquoi/étudier le français

C. **Les réponses.** A classmate will ask you about your partner's schedule from Activity B. Answer his/her questions.

> MODÈLE   Votre partenaire: **A quelle heure est-ce que [Marc] étudie?**
> Vous: **Il étudie [à trois heures].**

D. **Encore des questions.** Posez une question à votre partenaire. Demandez-lui (*Ask him/her*)...

1. comment il/elle va
2. quelle heure il est
3. où est le professeur
4. à quelle heure il/elle travaille
5. quand il/elle étudie

SITUATION
2

L'emploi du temps

SYLVIE:	Moi, je vais à l'école tous° les jours sauf° le mercredi et le samedi après-midi. Le dimanche, bien sûr, je ne vais pas à l'école.	every; except
JEAN-PHILIPPE:	Bah, ce n'est rien° à côté de mon emploi du temps. Demain, par exemple, j'ai un examen. Et puis, il y a les devoirs. Vous, les parents, vous n'avez pas de devoirs.	it's nothing
MME BORDIER:	Pas de devoirs? Et la cuisine, et le ménage, et la petite? Maintenant, ça va... Anne est ici. Mais après?	

Avez-vous suivi?

1. Quand est-ce que Sylvie ne va pas à l'école?
2. Identifiez deux obligations d'un étudiant.
3. Identifiez trois responsabilités de Mme Bordier.

Autrement dit

Quel jour sommes-nous?

Nous sommes ⎫
     C'est ⎭ lundi.

Les jours de la semaine sont...

> lundi
> mardi
> mercredi
> jeudi
> vendredi
> samedi
> dimanche

Le week-end, j'aime danser.

Pratique et conversation

A. **L'agenda de Mme Bordier.** Lisez l'agenda et répondez aux questions.

JUILLET

LUNDI	MARDI	MERCREDI	JEUDI	VENDREDI
3 184-181	**4** 185-180	**5** 186-179	**6** 187-178	**7** 188-177

heure	LUNDI	MARDI	MERCREDI	JEUDI	VENDREDI
9					
10					
11					
12		déjeuner avec Charles			
13	coiffeur				déjeuner chez les Silvestri
14			jour de congé: moi		
15					
16					
17		jour de congé: Charles			
18					
19					
20			dîner au restaurant Charles et moi		
21				Charles rentre tard	

1. Quand est-ce que Mme Bordier déjeune avec M. Bordier?
2. Quand est-ce qu'elle déjeune chez les Silvestri?
3. Quand est-ce que M. Bordier rentre tard?
4. Quand est-ce que Mme Bordier ne travaille pas? et M. Bordier?
5. Quand est-ce que les Bordier dînent au restaurant?
6. Quand est-ce que Mme Bordier a rendez-vous chez le coiffeur?

B. **Interview.** Demandez à votre partenaire...

1. quand il/elle rentre tard
2. quand il/elle ne travaille pas
3. quand il/elle étudie le français/l'histoire/la chimie
4. quand il/elle dîne à la maison
5. quand il/elle est à l'université

Structure II
Talking about movement and location
Present tense of the verb *aller*

ALLER (TO GO)		
Je ne	**vais**	pas à l'école le mercredi et le dimanche.
Tu	**vas**	à l'université demain?
On	**va**	au restaurant.
Nous	**allons**	à la classe de français.
Vous	**allez**	où?
Elles	**vont**	au lycée.

a. The preposition **à** (to, at) contracts with the definite noun markers **le** and **les**.

En semaine, j'arrive	**au**	bureau à neuf heures du matin.
Les étudiants vont	**aux**	cours.

b. There is no contraction with **la** and **l'**.

Vous allez	**à la**	poste?
Le médecin va	**à l'**	hôpital.

Pratique et conversation

A. **Où est-ce qu'ils vont?** Complétez les phrases par le verbe **aller**.

    MODÈLE   Mme Bordier/à l'appartement
                 Mme Bordier va à l'appartement.

1. Jean-Philippe/à la cuisine
2. nous/à l'université
3. les étudiants/au cours de maths
4. tu/au bureau
5. je/à l'agence de voyages
6. Anne/au cours de français

B. **Activités.** Composez des phrases. Utilisez un élément de chaque colonne.

Le soir			la bibliothèque
Le week-end			l'université
Le vendredi	je		le restaurant
L'après-midi	le professeur	aller	la classe de français
À [six] heures	nous		la discothèque
À [neuf] heures			le cours de [maths]
Le dimanche			le travail

C. **Interview.** Demandez à votre partenaire...

1. quand il/elle va à la bibliothèque
2. quand il/elle va au restaurant
3. quand il/elle va à l'université
4. à quelle heure il/elle va au cours de français
5. quand il/elle ne va pas à l'université

Structure III
Expressing possession
Present tense of the verb *avoir*

AVOIR (TO HAVE)		
J'	**ai**	trois disques.
Tu	**as**	un stylo.
Il	**a**	deux enfants.
Nous	**avons**	une classe de français.
Vous	**avez**	trois livres?
Les Bordier	**ont**	un appartement.
Et puis, il y	**a**	les devoirs.

a. The expression **il y a** means *there is* or *there are*. It is invariable.

b. To ask *how many*, use the question word **combien de**:

Combien de cours avez-vous aujourd'hui?
How many courses do you have today?

c. Use the verb **avoir** to express age:

J'ai dix-huit ans.
I'm eighteen years old.

Pratique et conversation

A. **Obligations.** Complétez les phrases par le verbe **avoir.**

MODÈLE   M. Bordier/trois réunions
M. Bordier a trois réunions aujourd'hui.

1. Jean-Philippe/une classe
2. je/rendez-vous chez le médecin
3. Sylvie et Jean-Philippe/un examen
4. Julie et moi, nous/rendez-vous chez le coiffeur
5. Anne-Françoise/quatre cours
6. les Bordier/un dîner important

B. **L'agenda du patron.** *(The boss' agenda.)* You are a secretary and your boss calls you to get his day's appointments and activities. Read him his schedule.

MODÈLE 9:00/réunion
À neuf heures du matin, vous avez une réunion.

1. 12:00/déjeuner
2. 2:15/rendez-vous chez le coiffeur
3. 3:45/réunion
4. 5:30/cocktail
5. 7:30/dîner

C. **À quelle heure... ?** Later in the day, your boss calls to inquire about his/her activities for the next day. Use the times below to answer his/her questions.

MODÈLE 9:30/réunion
Votre patron/ne: **À quelle heure est-ce que j'ai une réunion?**
Vous: **Vous avez une réunion à neuf heures et demie.**

1. 8:30/réunion
2. 10:10/rendez-vous
3. 12:00/déjeuner
4. 3:50/réunion
5. 8:00/dîner

D. **Interview.** Demandez à votre partenaire...

1. combien de cours il/elle a aujourd'hui
2. combien de réunions il/elle a demain
3. combien d'étudiants il y a dans la classe de français
4. combien de frères/sœurs il/elle a
5. combien d'enfants les Bordiers ont

E. **Les activités.** What do you have on your agenda today? Classes? Meetings? Appointments? Name three things.

SITUATION

3   Des ennuis

MME BORDIER: Demain, je vais avoir des ennuis...
ANNE: Mais, pourquoi?
MME BORDIER: Deux ou trois jours avant les fêtes, il y a une foule dans l'agence.
ANNE: Ah, oui! Vendredi, c'est le quinze août.
MME BORDIER: C'est juste. Les clients arrivent au dernier moment et demandent un billet pour la Bretagne, pour la Normandie, pour la Provence. Mais c'est trop° tard. Il n'y a pas de places dans les trains, pas de places dans les avions...
JEAN-PHILIPPE: Et on ne trouve pas de Parisiens à Paris!
MME BORDIER: Alors, écoutez Sylvie et Jean-Philippe. Pas d'histoires demain soir, entendu?° Je vais être crevée°.

°too

°is that understood?
°tired

Avez-vous suivi?

Complétez les phrases.

1. Avant les fêtes, Mme Bordier a _____.
2. Les clients demandent _____.
3. Mais, il n'y a pas de _____ dans les trains.
4. Et il n'y a pas de _____ à Paris!

Autrement dit

Les fêtes

Deux ou trois jours avant **les fêtes**, il y a une foule dans l'agence. Vendredi, **c'est le quinze août.**

JANVIER	FÉVRIER	MARS	AVRIL	MAI	JUIN
1 D JOUR DE L'AN	1 M s¹ Ella	1 M s Aubin	1 S s Hugues	1 L F. TRAVAIL 18	1 J s Justin
Longueur du jour 8 h 17 mn	2 J Présentation	2 J Mi-Carême	2 D s Sandrine	2 M s Boris	2 V Sacré-Cœur
2 L s Basile 01	3 V s Blaise	3 V s Guénolé a	Longueur du jour 12 h 53 mn	3 M ss Jacq./Phil.	3 S s Kévin
3 M s¹ Geneviève	4 S s Véronique	4 S s Casimir	3 L Annonciation 14	4 J ASCENSION	4 D s¹ Clotilde
4 M s Odilon	5 D s¹ Agathe	5 D s¹ Olive	4 M s Isidore	5 V s¹ Judith	Longueur du jour 15 h 55 mn
5 J s Edouard		Longueur du jour 11 h 13 mn	5 M s¹ Irène	6 S s Prudence	5 L s Igor 23
6 V s Mélaine	6 L s Gaston 06	6 L s¹ Colette 10	6 J s Marcellin	7 D s¹ Gisèle	6 M s Norbert
7 S s Raymond	7 M Mardi Gras	7 M s¹ Félicité	7 V s J.-B. Salle		7 M s Gilbert
8 D Epiphanie	8 M Cendres ja	8 M s Jean de Dieu	8 S s¹ Julie	8 L VICT. 1945 19	8 J s Médard
Longueur du jour 8 h 28 mn	9 J s¹ Apolline	9 J s¹ Françoise	9 D s Gautier	9 M s Pacôme	9 V s¹ Diane
9 L Bapt. Seign. 02	10 V s Arnaud	10 V s¹ Vivien a	Longueur du jour 13 h 18 mn	10 M s¹ Solange	10 S s Landry
10 M s Guillaume	11 S N.-D. Lourdes	11 S s¹ Rosine	10 L s Fulbert 15	11 J s¹ Estelle	11 D s Barnabé
11 M s Paulin	12 D Carême	12 D s¹ Justine	11 M s Stanislas	12 V s Achille	Longueur du jour 16 h 03 mn
12 J s¹ Tatiana	Longueur du jour 9 h 59 mn	Longueur du jour 11 h 38 mn	12 M s Jules	13 S s¹ Rolande	12 L s Guy 24
13 V s¹ Yvette	13 L s¹ Béatrice 07	13 L s Rodrigue 11	13 J s¹ Ida	14 D PENTECOTE	13 M s¹ Elisée
14 S s¹ Nina	14 M s Valentin	14 M s¹ Mathilde	14 V s¹ Maxime	Longueur du jour 15 h 09 mn	14 M s Elisée
15 D s Rémi	15 M s Claude QT	15 M s¹ Louise	15 S s Paterne	15 L s Denise 20	15 J s¹ Germaine
Longueur du jour 8 h 40 mn	16 J s¹ Julienne	16 J s¹ Bénédicte	16 D s Benoît Labre	16 M s Honoré	16 V s Jean-Fr.-Régis
16 L s Marcel 03	17 V s Alexis a	17 V s Patrice a	Longueur du jour 13 h 42 mn	17 M s Pascal QT	17 S s Hervé
17 M s¹ Roseline	18 S s¹ Bernadette	18 S s Cyrille	17 L s Anicet 16	18 J s Eric	18 D s¹ des Pères
18 M s¹ Prisca	19 D s Gabin	19 D s Rameaux	18 M s¹ Parfait	19 V s Yves	Longueur du jour 16 h 07 mn
19 J s Marius	Longueur du jour 10 h 23 mn	Longueur du jour 12 h 03 mn	19 M s¹ Emma	20 S s Bernardin	19 L s Romuald 25
20 V s Sébastien	20 L s¹ Aimée 08	20 L s Herbert 12	20 J s¹ Odette	21 D s¹ Trinité	20 M s¹ Silvère
21 S s¹ Agnès	21 M s Pierre Damien	21 M s¹ Clémence	21 V s Anselme	Longueur du jour 15 h 29 mn	21 M s Rodolphe
22 D s Vincent	22 M s¹ Isabelle	22 M s¹ Léa	22 S s Alexandre	22 L s Emile 21	22 J s Alban
Longueur du jour 8 h 57 mn	23 J s Lazare	23 J s Victorien	23 D s Georges	23 M s Didier	23 V s¹ Audrey
23 L s Barnard 04	24 V s Modeste a	24 V s Vendredi Saint	Longueur du jour 14 h 07 mn	24 M s Donatien	24 S s Jean-Bapt.
24 M s François S.	25 S s Roméo	25 S s Humbert	24 L s Fidèle 17	25 V s Sophie	25 D s Prosper
25 M Conv. s. Paul	26 D s Nestor	26 D PAQUES	25 M s Marc	26 V s¹ Bérenger	Longueur du jour 16 h 06 mn
26 J s¹ Paule		Longueur du jour 12 h 28 mn	26 M s¹ Alida	27 S s Augustin	26 L s¹ Anthelme 26
27 V s¹ Angèle	27 L s¹ Honorine 09	27 L s¹ Habile 13	27 J s¹ Zita	28 D F. Dieu/Mères	27 M s Fernand
28 S s Thom. Aq.	28 M s Romain	28 M s Gontran	28 V s¹ Valérie	Longueur du jour 15 h 43 mn	28 M s¹ Irénée
29 D s Gildas		29 M s¹ Gwladys	29 S s¹ Cather. Si.	29 L s Aymar 22	29 J ss Pierre/Paul
	COMPUT 1989	30 J s Amédée	30 D Souv. Dép.	30 M s Ferdinand	30 V s Martial
30 L s¹ Martine 05	Nombre d'or 14. Cycle solaire 10	31 V s Benjamin	Longueur du jour 14 h 29 mn	31 M Visitation	Été : 21 juin à 9 h 53
31 M s¹ Marcelle	Épacte 22. Lettre dominicale A	Printemps : 20 mars à 15 h 29			

JUILLET	AOÛT	SEPTEMBRE	OCTOBRE	NOVEMBRE	DÉCEMBRE
1 S s Thierry	1 M s Alphonse	1 V s Gilles	1 D s¹ Thérèse E.J.	1 M TOUSSAINT	1 V s¹ Florence
2 D s Martinien	2 M s¹ Julien	2 S s¹ Ingrid	Longueur du jour 11 h 37 mn	2 J Défunts	2 S s¹ Viviane
Longueur du jour 15 h 03 mn	3 J s¹ Lydie	3 D s Grégoire	2 L s Léger 40	3 V s Hubert	3 D Avent
3 L s Thomas 27	4 V s J.-M Vianney	Longueur du jour 13 h 17 mn	3 M s Gérard	4 S s Charles Bor.	Longueur du jour 8 h 27 mn
4 M s Florent	5 S s Abel		4 M s François Ass.	5 D s¹ Sylvie	4 L s¹ Barbara 49
5 M s Antoine-M.	6 D Transfiguration	4 L s¹ Rosalie 36	5 J s¹ Fleur		5 M s Gérald
6 J s¹ Mariette		5 M s¹ Raïssa	6 V s Bruno	6 L s¹ Bertille 45	6 M s Nicolas
7 V s Raoul	7 L s Gaétan 32	6 M s Bertrand	7 S s Serge	7 M s¹ Carine	7 J s Ambroise
8 S s Thibaut	8 M s Dominique	7 J s¹ Reine	8 D s¹ Pélagie	8 M s Geoffroy	8 V Imm. Concept.
9 D s¹ Amandine	9 M s Amour	8 V Nativité N.-D.	Longueur du jour 11 h 12 mn	9 J s¹ Théodore	9 S s Pierre Four.
Longueur du jour 15 h 53 mn	10 J s Laurent	9 S s Alain	9 L s Denis 41	10 V s Léon	10 D s Romaric
10 L s Ulrich 28	11 V s¹ Claire	10 D s¹ Inès	10 M s Ghislain	11 S VICT. 1918	Longueur du jour 8 h 18 mn
11 M s Benoît	12 S s¹ Clarisse	Longueur du jour 12 h 50 mn	11 M s Firmin	12 D s Christian	11 L s Daniel 50
12 M s Olivier	13 D s Hippolyte	11 L s Adelphe 37	12 J s Wilfried		12 M s¹ Jeanne F.C.
13 J ss Henri/Joël	Longueur du jour 14 h 26 mn	12 M s Apollinaire	13 V s Géraud	13 L s Brice 46	13 M s¹ Lucie
14 V FÊTE NATION.	14 L s Evrard 33	13 M s Aimé	14 S s Juste	14 M s¹ Sidoine	14 J s¹ Odile
15 S s Donald	15 M ASSOMPTION	14 J La Sainte Croix	15 D s¹ Thér. d'Av.	15 M s Albert	15 V s Ninon
16 D ND Mt Carmel	16 M s Armel	15 V s Roland	Longueur du jour 10 h 48 mn	16 J s¹ Marguerite	16 S s¹ Alice
Longueur du jour 15 h 41 mn	17 J s Hyacinthe	16 S s¹ Edith	16 L s Edwige 42	17 V s¹ Elisabeth	17 D s Judicaël
17 L s¹ Charlotte 29	18 V s¹ Hélène	17 D s Renaud	17 M s Baudouin	18 S s¹ Aude	Longueur du jour 8 h 13 mn
18 M s Frédéric	19 S s Jean Eudes	Longueur du jour 12 h 27 mn	18 M s Luc	19 D s Tanguy	18 L s Gatien 51
19 M s Arsène	20 D s Bernard		19 J s René		19 M s Urbain
20 J s¹ Marina	Longueur du jour 14 h 03 mn	18 L s¹ Nadège 38	20 V s¹ Adeline	20 L s Edmond 47	20 M s Théophile QT
21 V s Victor	21 L s Christophe 34	19 M s¹ Émilie	21 S s¹ Céline	21 M Présent. N.-D.	21 J s Pierre Canis.
22 S s¹ Marie-Madel.	22 M s Fabrice	20 M s Davy QT	22 D s¹ Salomé	22 M s¹ Cécile	22 V s¹ Françoise-X.
23 D s Brigitte	23 M s Barthélemy	21 J s Matthieu	Longueur du jour 10 h 24 mn	23 J s Clément	23 S s Armand
Longueur du jour 15 h 26 mn	24 J s¹ Rose	22 V s Maurice	23 L s Jean de C. 43	24 V s¹ Flora	24 D s¹ Adèle
24 L s¹ Christine 30	25 V s Louis	23 S s Constant	24 M s¹ Florentin	25 S s¹ Cath. Lab.	Longueur du jour 8 h 12 mn
25 M s Jacques Maj.	26 S s¹ Natacha	24 D s¹ Thècle	25 M s Crépin	26 D Christ Roi	25 L NOËL 52
26 M s¹ Anne	27 D s¹ Monique	Longueur du jour 12 h 02 mn	26 J ss Côme/Dam.		26 M s Etienne
27 J s¹ Nathalie	Longueur du jour 13 h 41 mn	25 L s Hermann 39	27 V s¹ Emeline	27 L s Séverin 48	27 M s Jean Apôtre
28 V s Samson	28 L s Augustin 35	26 M ss Côme/Dam.	28 S ss Simon	28 M s Jacq. de la M.	28 J ss Innocents
29 S s¹ Marthe	29 M s¹ Sabine	27 M s Vincent de P.	29 D s Narcisse	29 M s Saturnin	29 V s David
30 D s¹ Juliette	30 M s Fiacre	28 J s Venceslas	Longueur du jour 10 h 00 mn	30 J s André	30 S s Roger
Longueur du jour 15 h 08 mn	31 J s Aristide	29 V s Michel	30 L s Bienvenue 44		31 D Sainte Famille
31 L s Ignace L. 31		30 S s Jérôme	31 M s Quentin	Hiver : 21 décembre à 21 h 22	Longueur du jour 8 h 16 mn
		Automne : 23 sept. à 1 h 20			

La date

Quelle est la date aujourd'hui?

C'est aujourd'hui
   Nous sommes } le dix-neuf août.
      C'est

Quelle est la date de la Toussaint?
C'est le premier novembre.

Les modes de transport

Est-ce que vous préférez voyager **en avion, en voiture°, en autobus,** car
ou **par le train?**
Je préfère aller à **pied°** ou à **vélo°.**　by foot; by bicycle

Les provinces

Ils demandent un billet pour **la Bretagne,** pour **la Normandie,** pour
la Provence.

Pratique et conversation

A. **Quelle est la date aujourd'hui?** Lisez les dates.

　MODÈLE　30/10
　　　　　C'est le trente octobre.

1.　12/3
2.　25/12
3.　4/8
4.　15/7
5.　6/11

B. **Fêtes.** Identifiez la fête américaine qui correspond à la fête française.

1.	le jour de l'an	a.	Pentecost
2.	Pâques	b.	New Year's Day
3.	la Pentecôte	c.	Veterans Day
4.	la Toussaint	d.	Easter
5.	l'Armistice	e.	All Saints' Day

C. **Encore des fêtes.** Your partner will ask you for the dates of the
following holidays. You respond, using a calendar.

　MODÈLE　Noël
　　　　　Votre partenaire: **Quelle est la date de Noël?**
　　　　　Vous: **Noël? C'est le vingt-cinq décembre.**

1.　Pâques
2.　la fête du travail
3.　l'Ascension
4.　la Pentecôte
5.　la fête nationale
6.　l'Assomption
7.　la Toussaint
8.　l'Armistice

D. **Interview.** Demandez à votre partenaire...

1. la date aujourd'hui
2. quel jour nous sommes aujourd'hui
3. s'il/elle a beaucoup d'ennuis
4. s'il/elle aime voyager
5. s'il/elle préfère le train ou l'avion

E. **Les provinces.** Using the map, identify the provinces where the following activities and products may be found.

	LA NORMANDIE	LA BRETAGNE	LA PICARDIE	L'ALSACE	LA PROVENCE	L'AUVERGNE	LA BOURGOGNE
fishing							
manufacturing							
steel							
grape growing							
apple production							
cheese production							
coal mining							
textiles							
high-tech							

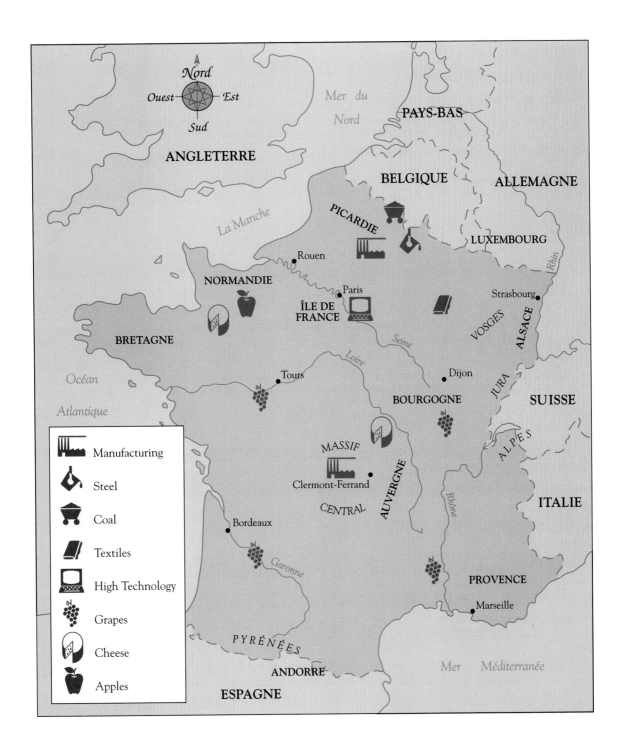

Structure IV
Expressing negative quantities
Noun markers after negated verbs

Il n'y a pas **de** places dans les trains, pas **de** places dans les avions...
Et on ne trouve pas **de** Parisiens à Paris!

a.   Following negated verbs, the indefinite noun markers become **de**.

Il a	**un**	stylo.	→	Je n'ai pas	**de**	stylo.
Je trouve	**une**	place.	→ Je ne trouve pas		**de**	place.
Tu as	**des**	livres.	→	Tu n'as pas	**de**	livres.
Il y a	**des**	livres sur la table.	→	Il n'y a pas	**de**	livres sur la table.

b.   The indefinite noun marker does not become **de** after a negated form of the verb **être.**

C'est **une** cassette: → Ce n'est pas **une** cassette.

c.   Note that the definite noun marker remains unchanged in negative expressions.

J'ai **le** livre. → Je n'ai pas **le** livre.

Pratique et conversation

A.   **Oui ou Non?** Mettez les phrases positives au négatif et vice versa.

1.   L'étudiant cherche un crayon.
2.   J'ai un examen demain.
3.   Elle n'a pas d'ennuis.
4.   C'est un étudiant.
5.   Tu as une place?
6.   Il y a des étudiants dans le couloir.
7.   Je trouve des amis.
8.   Il n'a pas de vidéos.

B.   **Dans mon sac à dos.** (*In my backpack.*) Each member of the group will name three things that are in the given location and one thing that can't possibly be there. The first member of the group to challenge a statement gets one point. The winner is the one who pays the most attention!

une salle de classe
Votre partenaire: **Dans une salle de classe, il y a des crayons, un stylo, un chien et un cahier.**
Vous: **Il n'y a pas de chien dans une salle de classe!**

1. une librairie
2. une agence de voyages
3. une salle de séjour
4. un lycée
5. un chambre

Structure V
Talking about the near future
Aller + infinitive

ALLER + INFINITIVE			
Demain, je	**vais**	**avoir**	des ennuis.
Ils	**vont**	**être**	crevés.

To express an event that will occur in the near future, use **aller** conjugated with the subject, followed by the infinitive.

Pratique et conversation

A. **Le week-end.** Demandez à votre partenaire...

1. s'il/elle va étudier samedi
2. s'il/elle va au cours de français
3. s'il/elle va à l'université
4. s'il/elle va danser
5. s'il/elle va regarder la télé
6. s'il/elle va travailler

B. **Demain.** Demandez à votre partenaire à quelle heure demain il/elle va faire (*do*) les activités suivantes.

1. étudier
2. arriver à l'université
3. déjeuner
4. dîner
5. rentrer

 # Lecture

LES FÊTES EN FRANCE

Avant de lire

A. Mots apparentés. Use your knowledge of English to predict the meaning of the following words.

1. traditionnel
2. le repas
3. la commémoration
4. le cimetière
5. le chrysanthème

B. Devinez. Use the surrounding context to guess the meaning of the italicized words.

1. À la Toussaint, on apporte des *fleurs* (d'habitude des chrysanthèmes) au cimetière.
2. Le quatorze juillet, il y a un grand *défilé* militaire à Paris.
3. À Noël, on offre des *cadeaux* à la famille et aux amis.
4. Le jour de l'an, on *souhaite* une bonne année à la famille et aux amis.
5. Au cimetière, on commémore les parents et les amis *perdus*.

Lisons

Les jours fériés°, on ne travaille pas. Quand ils tombent° un mardi ou un vendredi, on ne travaille pas le lundi ou le samedi. On «fait le pont».

Legal holidays; fall

Noël

Le soir du 24 décembre, on va à la messe de minuit. Après, il y a le réveillon, un repas traditionnel en famille. Le père Noël apporte° des cadeaux aux enfants.

brings

Le jour de l'an
Le 31 décembre à minuit, il y a un autre réveillon. On offre de petits cadeaux (étrennes) à la famille et aux amis, et on souhaite une bonne année° à tout le monde.

year

La fête nationale
La fête nationale est le quatorze juillet, le jour de la commémoration de la Révolution française. Il y a des feux d'artifice° et des défilés dans toutes° les villes de France. À Paris, il y a un grand défilé militaire sur les Champs-Élysées.° Il y a des drapeaux° tricolores partout.°

fireworks
all
major Parisian thoroughfare;
flags; everywhere

La journée des Bordier **69**

La Toussaint

C'est le premier novembre. On visite les cimetières et on porte des fleurs (surtout des chrysanthèmes) sur la tombe des° parents et des amis perdus.

of

Avez-vous suivi?

Identifiez la fête.

1. Tout est décoré du tricolore.
2. On offre des cadeaux.
3. On va à la messe.
4. On prépare le réveillon.
5. On visite les cimetières.
6. C'est le 14 juillet.
7. On souhaite une bonne année à tout le monde.
8. Il y a de grands défilés militaires.

Activités

A. **Je rentre tard.** You are complaining to your roommate about the busy day you are facing. Tell him/her all your activities, their times and what time you will be returning. Then, he/she will tell you about his/her schedule for today. You ask for the time and realize that you have an appointment, so you say good-bye.

B. **Encore des fêtes.** France has important Jewish and Moslem populations. What holidays do these groups celebrate? What do you know about their celebration?

C. **Mon emploi du temps.** To better organize yourself, you are making out a tentative schedule for next week. Tell one thing you will do each day next week and at what times you propose to begin your various activities.

D. **Mon jour de congé.** (*My day off.*) Tell what you will do and not do on your next holiday or day off.

Vocabulaire actif

à côté de	compared to	demander	to ask
à l'heure	on time	dimanche (m.)	Sunday
à pied	on foot	un dîner	dinner
à quelle heure	at what time	dîner	to have dinner
à vélo	on bicycle	une école maternelle	nursery school
une agence de voyages	travel agency	un emploi	job
un/e agent de voyage	travel agent	un emploi du temps	schedule
aller	to go	en avance	early
un/e ami/e	friend	en retard	late
une année	year	un examen	exam
août (m.)	August	un facteur	mailman
un autobus	bus	une famille	family
après	after	une fête	holiday
l' après-midi	afternoon	la fête du travail	May Day
un/e architecte	architect	la fête nationale	national holiday
l' Armistice (m.)	Veterans Day	février (m.)	February
l' Ascension (f.)	Ascension	une foule	crowd
l' Assomption (f.)	Assumption	une heure	hour, o'clock
aujourd'hui	today	une histoire	story
avant	before	un hôpital	hospital
un avion	airplane	ici	here
un/e avocat/e	lawyer	il y a	there is, there are
avoir	to have	un/e infirmier/	nurse
avril (m.)	April	infirmière	
un billet	ticket	un/e informaticien/ne	computer operator
un bureau	office	un/e ingénieur/femme	engineer
un cadeau	present	ingénieur	
un/e cadre	executive	un/e instituteur/	elementary school teacher
une caisse	register	institutrice	
un/e caissier/caissière	cashier	janvier (m.)	January
un/e client/e	client, customer	jeudi (m.)	Thursday
un cocktail	cocktail party	un jour	day
un/e coiffeur/coiffeuse	hairdresser	le jour de l'an	New Year's Day
combien de	how many	un/e journaliste	journalist
comment	how	juillet (m.)	July
décembre (m.)	December	juin (m.)	June
un déjeuner	lunch	jusqu'à	until
déjeuner	to have lunch	lundi (m.)	Monday

La journée des Bordier **71**

mai (m.)	May	pourquoi	why
maintenant	now	premier	first
mardi (m.)	Tuesday	un professeur	professor
mars (m.)	March	puis	then
un matin	morning	quand	when
un/e médecin/femme médecin	doctor	quelquefois	sometimes
le ménage	housework	un rendez-vous	appointment
mercredi (m.)	Wednesday	un repas	meal
midi (m.)	noon	un restaurant	restaurant
minuit (m.)	midnight	rester	to stay
un mois	month	une réunion	meeting
Noël (m.)	Christmas	samedi (m.)	Saturday
novembre (m.)	November	une semaine	week
occupé	busy	septembre (m.)	September
octobre (m.)	October	un/e serveur/serveuse	waiter/waitress
un/e ouvrier/ouvrière	worker	un soir	evening
parce que	because	tard	late
des parents (m.)	parents	la Toussaint	All Saints' Day
par exemple	for example	un train	train
Pâques (f.)	Easter	un travail (pl. des travaux)	work, job
un/e Parisien/ne	Parisian	trouver	to find
pendant	during	une université	university
la Pentecôte	Pentecost	une usine	factory
une place	seat	vendredi (m.)	Friday
plus tard	later	une voiture	car
la poste	post office	un week-end	weekend

Chapitre 4

Les voisins des Bordier

À droite

MME BORDIER:	Nos° voisins sont très sympathiques. À droite, il y a la famille Silvestri. Ils sont d'origine italienne.
M. BORDIER:	M. Silvestri est pharmacien. Il est très sociable. Mme Silvestri aussi est très gentille.
JEAN-PHILIPPE:	Ils ont deux filles. Marie est jolie, mais Christine...
MME BORDIER:	Jean-Philippe!

°our

Avez-vous suivi?

Que savez-vous des personnes suivantes? *(What do you know about the following people?)*

a. la famille Silvestri

b. M. Silvestri

c. Mme Silvestri

d. Marie

e. Christine

Autrement dit

Les relations familiales

Joseph est le grand-père de Marie et de Christine.
Anne est la grand-mère de Marie et de Christine.
Luigi est le père de Christine et de Marie.
Pierrette est la mère de Jean-François.
Jacques est le cousin de Marie.
Bernadette est la cousine de Marie.
Pierrette est la tante de Christine et Marie.
Louis est l'oncle de Christine et Marie.

Pour décrire

+	−
Nos voisins sont très sympathiques.	antipathiques
agréables	désagréables
aimables	
◇ sympa	
M. Silvestri est grand.	petit
mince	gros
Mme Silvestri aussi est très gentille.	
charmante	
intelligente	bête
Ils ont deux filles. Marie est jolie.	laide

Pour parler des yeux et des cheveux

Elle a les cheveux courts et
noirs.
Elle a les yeux noirs.

Elle a les cheveux longs et
roux.
Elle porte des lunettes.

Il a les cheveux blonds et
raides.
Il a les yeux verts comme son
pull°.

Il a les cheveux bruns et
frisés.
Il a les yeux marron.

Elle a les cheveux châtains et
ondulés.
Elle a les yeux bleus.

pullover

Pratique et conversation

A. **Chez le coiffeur.** You are a hair stylist. Describe the color and style of your clients' hair, played by the other members of your group.

B. **Que je suis étourdi!** *(How forgetful I am!)* You cannot remember the name of someone in your class so you give a description of this person to the others. They help you remember the person's name based on your description.

MODÈLE **Elle est jolie. Elle a les yeux bleus. Elle a les cheveux noirs et frisés.**

C. **La généalogie.** Regardez l'arbre généalogique (page 75) et identifiez les personnes suivantes.

1. Qui est le frère de Pierrette?
2. Qui est le père de Marie?
3. La sœur de Jacques est...
4. La mère de Christine est...
5. Qui est Pierette Mézil?
6. Qui est Joseph Adt?

Structure I
Describing
Adjectives

Nos voisins sont très **sympathiques.**
M. Silvestri est pharmacien. Il est très **sociable.**
Mme Silvestri aussi est très **gentille.**
Ils ont deux filles. Marie est **jolie,** mais Christine...

a. Adjectives change form depending on the gender and number of the persons or things being described.

b. Adjectives are classified according to the pronunciation and spelling of the masculine and the feminine singular forms.

Group I: Masculine and feminine forms sound alike and are spelled alike.

GROUP I: SAME PRONUNCIATION/ SAME SPELLING	
Masculine	**Feminine**
sympathique	sympathique

Similar to **sympathique** are: **sociable, mince, agréable, aimable, responsable, difficile, facile, timide, jeune, riche, bête.**

Group II: Masculine and feminine forms sound alike but have different spellings. The feminine is formed by adding an −**e** to the masculine.

GROUP II: SAME PRONUNCIATION/ DIFFERENT SPELLING	
Masculine	**Feminine**
joli	jolie

Similar to **joli** are **poli, impoli, fatigué.**

Group III: Masculine and feminine forms sound different and have different spellings. The feminine is formed by adding an −**e** to the masculine. The final written consonant is pronounced only in the feminine.

GROUP III: DIFFERENT PRONUNCIATION/ DIFFERENT SPELLING	
Masculine	**Feminine**
grand	grande
heureux	heureuse

Similar to **grand** are: **blond, laid, court, content, charmant, froid, patient, mécontent, intéressant, intelligent, gros** (*f.* **grosse**), **gentil** (*f.* **gentille**), **long** (*f.* **longue**).

Similar to **heureux** are: **curieux, mystérieux, généreux, malheureux.**

c. To form the plural of adjectives, add an – s to the singular, except where the singular already ends in an s or x. The plural – s is only pronounced in liaison.

| Group | SINGULAR | | PLURAL | |
	Masculine	Feminine	Masculine	Feminine
I	sympathique	sympathique	sympathiques	sympathiques
II	poli	polie	polis	polies
III	grand gros	grande grosse	grands gros	grandes grosses
	heureux	heureuse	heureux	heureuses

d. The adjectives **beau** and **bon** are unlike the adjectives above.

| SINGULAR | | PLURAL | |
Masculine	Feminine	Masculine	Feminine
beau bon	belle bonne	beaux bons	belles bonnes

e. The question **Comment est... ?/Comment sont... ?** asks for a description.

Comment est le professeur de français?
Elle est patiente, intelligente, belle...

f. Most adjectives follow the noun they describe. The exceptions are **bon, grand, petit, joli,** and **jeune,** which precede the noun.

C'est **une étudiante intelligente.**
C'est **un architecte français.**
Ce sont **de grands immeubles.**
Ce sont **de bonnes idées.**

Note that **des** becomes **de** when it precedes an adjective in the plural.

Pratique et conversation

A. **Qui est grand?** The drama instructor is casting a new production. He needs tall people for some roles, blonds for others, and responsible people as stage hands. Tell the instructor which of your classmates are tall, blond, or responsible.

MODÈLE **Nicole est grande. Elle n'est pas blonde. Elle est responsable.**

B. **Les amis.** You and a classmate are discussing acquaintances but you can't agree on what they are like. Whatever you say, your classmate says the exact opposite.

MODÈLE Jacqueline/grand
Vous: **Jacqueline est grande.**
Votre camarade: **Mais non, elle est petite.**

1. Jacques/beau
2. Christine/impoli
3. Hélène/joli
4. Thomas/petit
5. Roseline/laid
6. Robert/content
7. Anne-Françoise/petit
8. Jean/fort
9. Janine/malheureux

C. **Descriptions.** Comment sont les personnes suivantes?

1. le professeur de français
2. le professeur de [chimie]
3. le président des États-Unis (*United States*)
4. [Bernard]
5. [Nicole]

D. **Une recommandation.** You need to write a recommendation for a classmate. Ask him/her questions using the adjectives below.

1. généreux
2. sérieux
3. intelligent
4. heureux
5. patient
6. ???

E. **Petites annonces.** Complete the following personal ads by putting the adjective in the correct form and position.

1. Je cherche un homme. (intelligent)
2. Je cherche un étudiant. (timide)
3. Je cherche une femme. (sympathique, petit)
4. Je cherche une femme. (blond, joli)
5. Je cherche un poète. (aimable, jeune)

2 À gauche

M. BORDIER:	À gauche, il y a M. et Mme Ibn Hassam, des jeunes mariés. Ils sont algériens. Et en face, c'est l'appartement de M. Péreira. M. Péreira est portugais.
JEAN-PHILIPPE:	Tu vois°, Anne, tu habites... aux Nations Unies! C'est sympa, non?
MME BORDIER:	Oui, l'immeuble est très agréable, très tranquille...

You see

Avez-vous suivi?

1. Que savez-vous de *(What do you know about)* la famille Ibn Hassam? M. Péreira? l'immeuble?
2. Où est-ce que M. et Mme Ibn Hassam habitent? et M. Péreira?

Autrement dit
Les pays de l'Europe et de l'Afrique du Nord

La France est **au nord** de l'Espagne.
L'Italie est **au sud** de la Suisse.
L'Allemagne est **à l'est** de la France.
La France est **à l'ouest** de l'Allemagne.
La Suède est **entre** la Norvège et la Finlande.
Paris est **la capitale** de la France.

Pratique et conversation

A. **Où est-ce?** Identifiez le pays.

1. La capitale est Stockholm.
2. C'est le pays au sud de la France.
3. On parle français, allemand et italien dans ce *(this)* pays.
4. La capitale est Bruxelles.
5. C'est le pays à l'ouest de l'Espagne.
6. On parle français et arabe dans ce pays.
7. La capitale est La Haye.
8. C'est le pays au nord de la France.

B. **Mes vacances.** Select a country on the map in this chapter as your vacation spot. Let the others in the group ask yes/no questions, trying to guess where you are going. After four incorrect guesses, the others will pay your way.

MODÈLE   Vos camarades: **Est-ce que c'est un grand pays?**
Est-ce qu'il est entre l'Espagne et la Belgique?
Est-ce que la capitale est Paris?
Est-ce que c'est la France?
Vous: **Oui, c'est la France!**

Structure II
Describing
Adjectives of nationality

Ils sont **algériens.** M. Péreira est **portugais.**

a. Adjectives of nationality may also be classified according to their pronunciation and spelling in the masculine and feminine singular.

GROUP I: SAME PRONUNCIATION/ SAME SPELLING	
Masculine	Feminine
suisse	suisse

Similar to **suisse** are: **russe** and **belge.**

GROUP II: SAME PRONUNCIATION/ DIFFERENT SPELLING	
Masculine	Feminine
espagnol	espagnole

GROUP III: DIFFERENT PRONUNCIATION/ DIFFERENT SPELLING	
Masculine	Feminine
allemand	allemande
algérien	algérienne
portugais	portugaise

Similar to **algérien** are: **américain, canadien, italien, tunisien, parisien, vietnamien,** and **européen.** Note that **américain** does not double the final consonant in the feminine: **américain** → **américaine.** Similar to **portugais** are: **anglais, irlandais, français,** and **écossais.**

b. To form the plural of adjectives of nationality, follow the same rules as for other adjectives, add **– s** to the singular, except where the singular already ends in **s** or **x.**

Pratique et conversation

A. **Aux Nations Unies.** Identifiez la nationalité.

MODÈLE   Françoise/France
Françoise est française.

1. Antonio/Portugal
2. Nur/Algérie
3. Juan/Espagne
4. Charlotte/États-Unis
5. Marie et Charles/Suisse
6. Sophia/Italie
7. Mounir/Tunisie
8. Katia/Allemagne

B. **Mme Bordier aime bavarder.** Mme Bordier is chatting with the concierge, Mme Chevalley, about the tenants in the building. One student will take the role of Mme Bordier, another that of Mme Chevalley. Ask questions and answer them according to the model.

MODÈLE   Mme Silvestri/italien/oui
Mme Bordier: **Est-ce qu'elle est italienne?**
Mme Chevalley: **Oui, elle est italienne.**

1. M. Péreira/tunisien/non
2. Mme Ibn Hassam/algérien/oui
3. Christine Silvestri/espagnol/non
4. Mme Nguyen/algérien/non
5. M. Silvestri/portugais/non
6. Simone/français/oui
7. Mme Smith/anglais/oui
8. M. Raynouard/italien/non

Structure III

Expressing possession

Noun + *de* + noun

C'est l'appartement **de** M. Péreira.

- a. The phrase noun + **de** + noun expresses possession.
- b. Note the following contractions of **de** with the noun markers **le** and **les.**

  de + le = du: C'est la table **du** professeur.
  de + les = des: C'est l'appartement **des** Bordier.

- c. There is no contraction of **de** with **la** or **l'.**

  de + la = de la: C'est la table **de la** cuisine.
  de + l' = de l':   C'est le cahier **de l'**étudiante.

Pratique et conversation

A. **Objets trouvés.** (*Lost and found.*) Identifiez les objets trouvés dans la salle de classe.

> MODÈLE   crayon/Marie
> **C'est le crayon de Marie.**

1. magnétoscope/le professeur
2. radio/les étudiants
3. gomme/Françoise
4. photos/Charles
5. livres/les professeurs
6. disques/Susanne
7. crayons/Antoine
8. livres/la classe
9. lampe/le professeur
10. stylo/Lise

B. **La capitale.** Identifiez le pays qui a la capitale indiquée.

> MODÈLE   Paris
> **Paris est la capitale de la France.**

1. Rome	5. Bonn
2. Madrid	6. Lisbonne
3. La Haye	7. Berne
4. Stockholm	8. Londres

SITUATION

3

La mystérieuse Madame X

SYLVIE: Mais, il y a une femme mystérieuse dans notre immeuble! C'est Mme X, la dame qui habite au fond du° couloir! Ses volets° sont toujours fermés. Elle quitte son appartement très tôt et elle rentre toujours très tard. Qu'est-ce qu'elle fait? Qui est-elle? C'est un mystère!

at the end of; shutters

MME BORDIER: Oh! Je suis sûre que ce n'est pas un mystère pour notre concierge: Mme Chevalley sait TOUT°! Et puis, ce° nom «Mme X», c'est ridicule! Elle s'appelle°... elle s'appelle... au fait,° comment s'appelle-t-elle?

knows everything; that
Her name is; by the way

Avez-vous suivi?

1. Qui est Mme X?
2. Pourquoi est-elle mystérieuse?
3. Qui est Mme Chevalley?

Autrement dit

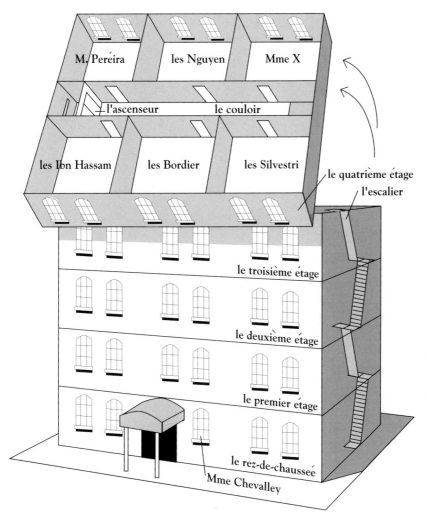

M. Péreira | les Nguyen | Mme X

l'ascenseur | le couloir

les Ibn Hassam | les Bordier | les Silvestri

le quatrième étage
l'escalier

le troisième étage

le deuxième étage

le premier étage

le rez-de-chaussée

Mme Chevalley

Les Bordier habitent au-dessus de Mme Chevalley.
Mme Chevalley habite en dessous des Bordier.
Mme X habite près de l'escalier.
Les Nguyen habitent en face des Bordier.
M. Péreira habite à côté des Nguyen.

Pour situer
Les appartements

M. Péreira a un studio. Il n'a pas de chambre. Les Ibn Hassam ont un deux-pièces. Ils ont une chambre, un coin salle à manger, et une salle de séjour. L'appartement des Bordier est très grand. Ils ont un six-pièces: quatre chambres, une salle à manger, et une salle de séjour.

Pratique et conversation

A. **Où est-ce qu'ils habitent?** Répondez aux questions en utilisant le dessin.

1. Où est-ce que M. Péreira habite?
2. Où est-ce que les Bordier habitent? et les Silvestri?
3. Où est-ce que les Nguyen habitent?
4. Où est-ce que Mme Chevalley habite?

B. **Mon appartement.** Complétez les phrases.

MODÈLE   Je n'aime pas habiter...
Je n'aime pas habiter près de l'ascenseur.

1. Je préfère un appartement...
2. Un grand appartement a...
3. Un studio n'a pas...
4. Dans un appartement,... est très pratique.
5. Je n'aime pas habiter...

C. **Une nouvelle maison.** Below you see the plans for a variety of houses. Select one and give a description of it to the others. From your description, the others should be able to guess which one you have selected.

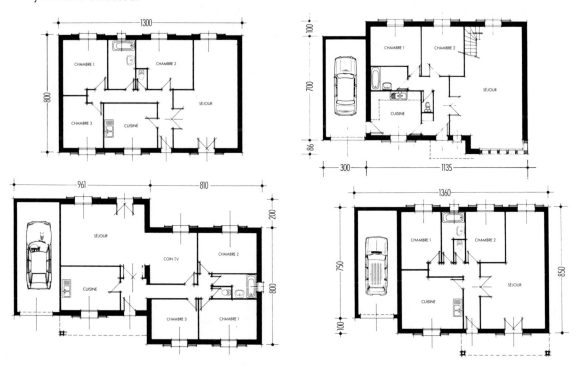

Structure IV

Expressing possession
The possessive adjectives *son* and *leur*

Ses volets sont toujours fermés.
Elle quitte **son** appartement très tôt et elle rentre toujours très tard.

POSSESSOR	POSSESSIVE ADJECTIVE + NOUN POSSESSED	
il, elle, on	son livre	*his/her book*
	sa table	*his/her table*
	ses livres	*his/her books*
	ses tables	*his/her tables*
ils, elles	leur livre	*their book*
	leur table	*their table*
	leurs livres	*their books*
	leurs tables	*their tables*

a. The possessive adjective refers to the owner/possessor. The particular form chosen will depend on the gender and number of the noun possessed. If the possessor is **il, elle,** or **on,** use **son** before a masculine singular noun, **sa** before a feminine singular noun, and **ses** before a plural noun. If the possessor is **ils** or **elles,** use **leur** before all singular nouns and **leurs** before all plural nouns.

b. The adjective **son/sa/ses** can mean *his, her,* or *its.* The context will clarify the meaning.

c. The form **son** is used instead of **sa** before a feminine singular noun which begins with a vowel sound: **son amie** *his/her friend.*

Pratique et conversation

A. **Anne est curieuse.** Anne pose des questions à Sylvie. Répondez à ses questions.

> MODÈLE   Est-ce que la femme de M. Silvestri est intéressante?
> (Oui)
> **Oui, sa femme est intéressante.**

1. Est-ce que le mari de Mme Silvestri est petit? (non)
2. Est-ce que la sœur de Marie est jolie? (oui)
3. Est-ce que la fille de Mme Silvestri est polie? (oui)
4. Est-ce que les filles de M. et Mme Silvestri sont blondes? (non)
5. Est-ce que la mère de Marie et Christine est sympathique? (oui)

B. **Christine est curieuse aussi.** Répondez aux questions de Christine Silvestri. Utilisez un adjectif possessif.

1. Est-ce que le père de Jean-Philippe est architecte? (oui)
2. Est-ce que la mère de Jean-Philippe est institutrice? (non)
3. Est-ce que les parents de Jean-Philippe sont riches? (non)
4. Est-ce que l'appartement des Bordier est grand? (oui)
5. Est-ce que la sœur de Jean-Philippe est jeune? (oui)
6. Est-ce que les amis de Jean-Philippe sont sympathiques? (oui)
7. Est-ce que les amis des Bordier sont italiens? (oui)

C. **Vieilles photos.** Anne regarde de vieilles photos de la famille Bordier. Elle pose des questions et Mme Bordier répond. Jouez les rôles.

> MODÈLE   frère/Jean
> Anne: **Est-ce que c'est le frère de Jean?**
> Mme Bordier: **Oui, c'est son frère.**

1. fille/tante Françoise
2. mère/M. Bordier
3. frères/oncle Henri
4. femme/M. Pelletier
5. enfants/Louise
6. filles/les Silvestri
7. mère/Marie et Christine
8. parents/Marie et Christine

Structure V
Expressing possession
The possessive adjectives *mon, ton, votre, notre*

Mais il y a une femme mystérieuse dans **notre** immeuble.
Je suis sûre que ce n'est pas un mystère pour **notre** concierge.

POSSESSOR	POSSESSIVE ADJECTIVE + NOUN POSSESSED	
je	mon livre	my book
	ma table	my table
	mes livres	my books
	mes tables	my tables
tu	ton livre	your book
	ta table	your table
	tes livres	your books
	tes tables	your tables
nous	notre livre	our book
	notre table	our table
	nos livres	our books
	nos tables	our tables
vous	votre livre	your book
	votre table	your table
	vos livres	your books
	vos tables	your tables

Once again, the possessive adjective refers to the owner/possessor. The particular form chosen will depend on the gender and number of the noun possessed. **Mon** and **ton** are used instead of **ma** and **ta** before a feminine singular noun beginning with a vowel: **mon amie/ton amie.**

Pratique et conversation

A. **Le téléphone.** Avec qui est-ce que vous parlez au téléphone? Répondez selon le modèle.

    MODÈLE   parents
                  Je parle avec mes parents.

    tante Émilie/cousins/grand-mère/grand-parents/voisins/amis

B. **Le cinéma.** Avec qui est-ce que vous allez au cinéma? Répondez selon le modèle.

    MODÈLE   frère
                  Je vais au cinéma avec mon frère.

    parents/tante Françoise/amie/cousins/oncle Henri/mère

C. **Notre immeuble.** Anne pose des questions aux Bordier. Donnez leurs réponses.

    MODÈLE   Comment est votre immeuble? (grand)
                  Notre immeuble est grand.

    1.   Comment sont vos voisins? (sympathique)
    2.   Comment est votre concierge? (responsable)
    3.   Comment est votre appartement? (confortable)
    4.   Comment est votre cuisine? (petit)
    5.   Comment sont vos amis, les Silvestri? (aimable)

D. **Interview.** Posez les questions suivantes à un/e camarade. Demandez-lui...

    1.   s'il/elle habite avec ses parents maintenant
    2.   comment est sa maison ou son appartement
    3.   comment sont ses classes à l'université
    4.   comment sont ses amis
    5.   s'il/elle parle beaucoup au téléphone avec ses amis

E. **Encore une interview.** Posez les questions suivantes à plusieurs (*several*) camarades. Demandez-leur...

    1.   s'ils aiment leur cours de français
    2.   si leur appartement/maison est grand/e
    3.   comment sont leurs professeurs
    4.   si leurs parents sont généreux
    5.   si leurs camarades de classe sont sympathiques

Structure VI
Talking about everyday activities
The verb *faire*

FAIRE *(TO MAKE, TO DO)*		
Qu'est-ce que je	**fais?**	
Tu	**fais**	le lit?
Elle	**fait**	ses devoirs.
Nous	**faisons**	notre travail.
Qu'est-ce que vous	**faites?**	
Deux et deux	**font**	quatre.

Faire means *to make* or *to do*. There are many verbal expressions with **faire.** Learn the ones below.

faire la vaisselle	*to do the dishes*
faire des courses	*to do errands*
faire les courses	*to go grocery shopping*
faire le lit	*to make the bed*
faire la lessive	*to do the laundry*
faire ses devoirs	*to do homework*
faire ses comptes	*to do one's finances*
faire le ménage	*to do housework*

Pratique et conversation

A. **Les Bordier à la maison.** Qu'est-ce que les Bordier font?

1. Mme Bordier et moi nous/faire/la vaisselle le matin.
2. Les Bordier/faire/leur lit.
3. Sylvie/faire/son lit.
4. Je/faire/les courses.
5. Jean-Philippe/faire/ses devoirs.
6. Après le dîner, Jean-Philippe et moi, nous/faire/la vaisselle.

B. **Chez moi.** Ask your partner who does the following activities at his/her house.

1. Who does the errands?
2. Who does the dishes?
3. Who does the laundry?
4. Who makes the beds?
5. Who prepares dinner?
6. Who does the finances?

Lecture I

DE VOUS À VOUS

Personal ads **(Les petites annonces),** found in many newspapers and magazines, are a popular way of meeting people for friendship and romance.

Avant de lire

A. **Les abbreviations.** Personal ads often contain abbreviations. In the examples below, use the abbreviations that are explained to predict the meaning of those that are not.

1. j.f. = jeune femme, fille
   j.h. = _____ _____
2. ch. = cherche
   dés. = désire
   aim. = _____
3. m. = mètre
   kg. = _____
4. cél. = célibataire ($\neq$ marié/–e)
   div. = _____
5. intell. = intelligent
   cult. = _____

B. **Devinez.** Use the context to guess the meaning of the italicized abbreviations.

1. cherche *relat.* stable
2. aime les *activ.* sportives

Lisons

Mannequin. Pharmacien. 25 a. Ravissante blde, yeux verts, look suédois, raffinée, sensuelle, sportive, souh. passion et raison avec Homme de goût.
EXCEPTION (1)
47-42-59-86/87

Sud-Ouest F div., 57 a. phy. agréable, chaleureuse aim. la vie, la nature renc. H libre de qualité, authentique, chaleureux, tolérant.
Ecrire journal, réf. 332 8N.

JF 29a. Cél., jolie, douce, équil. ch. H cultivé, tendre, stable pr relat. sincère, durable. Lettre détaillée + photo. Ecrire journal, réf. 332 8T.

H 48 a. Pas beau, pas grand, pas riche, pas PDG, un peu intello, aimant le temps qui passe, la poésie, la musique, la nature, la finesse de l'humour et aussi les activ. sportives. Ecrire journal, réf. 332 10P.

Ecrivain globe-trotter ch. partenaire intelligente aimant l'amour. (1)
45-79-67-03.

75 H 52 a. Cadre, grand, mince, humour 1 enft ch. Femme gaie, cult., sensible pr rel. stable. Ecrire journal, réf. 332 9I.

75 H 42 a. 1,80 m Div., sympa, tendre ch. JF bien phys., charme, sincère pr relation durable. Photo souhaitée. Ecrire journal, réf. 332 9S.

Avez-vous suivi?

1. Les annonces sont anonymes. Donnez un nom à ces personnes.°   these people
2. Qui est jeune? grand/e? mince? cultivé/e?
3. Be a matchmaker! Who would be a good match for these
   people?
   a. a thirty-year-old male who is intelligent and affectionate
   b. a fiftyish, down-to-earth male who likes the outdoors
   c. a sincere, middle-aged female
   d. a middle-aged female who likes to go to concerts and
       tennis matches

 # Lecture II
LE COURRIER DES ANIMAUX

Avant de lire

A. **Les chats el les chiens.** In the context of pets and pet care, can
   you guess the meaning of the following words?

   1. *chat* siamois
   2. *chaton* siamois, 6 mois
   3. très beau chat *tigré*
   4. chat *castré*, vacciné, *tatoué*
   5. un chat tricolore, *écaille* et blanc
   6. cherche maison pour mon petit chien: *chiot* 2 mois

Lisons

JOLI CHAT, 1 an, croisé siamois, affectueux, calme, cherche gentils maîtres. Tél.: 16 (7) 868-23-64.

DONNE SETTER irlandais de 4 ans, tatouée et vaccinée, robe fauve, belle, intelligente, débordante d'affection et de vitalité. Nécessaire vivre en pavillon. Tél.: 237-44-08. Urgent.

OFFRE à personnes sérieuses une petite chatte noire de 6 mois et une tricolore écaille et blanc de 3 mois. Tél.: 805-34-66.

DONNE CHIEN de petite taille, roux, âge approximatif 2 ans, très gentil. Tél.: 794-86-79.

CHIOT 2 MOIS, bâtard d'épagneul français (mère chasseuse !), cherche maîtres affectueux car je suis obligé de quitter ma maman ! S'adresser à Delacour P. et C., 46, rue Font-Chevalier, 07100 Annonay.

TRES BEAU CHAT tigré gris, 8 mois, opéré, tatoué, vacciné. Charactère enjoué, drôle et très câlin. Tel.: 567-85-55 (après 20 h).

S.O.S. TENDRESSE pour un abandonné : Félix, chat candide. Tél.: 567-85-55 ou 805-19-23.

Avez-vous suivi?

1. Which dogs/cats would be good with children? Why?
2. Which dog would make a good guard dog?
3. You are looking for a pet with a pedigree. Which would you choose?
4. Which dogs/cats would make good house pets? Why?

Activités

A. **Dans le café.** You and a friend are having a light snack in a café. A friend comes in and you introduce your friend to your classmate. You also give a brief description of your friend by explaining his or her nationality, what languages he or she speaks, and what he or she is studying at the university.

B. **Histoires sentimentales.** You have been selected to appear on the French TV show «Marions-les». Your prospective dates are hidden behind a screen. Since you cannot see them, ask them about their character and physical appearance. Make up five to seven questions. Three of your classmates will answer your questions.

C. **Vingt questions.** Your teacher will hand you a card with the name of a famous person on it. Your classmates must guess who you are. They will ask you questions about your profession, your physical appearance, your likes and dislikes, etc. They may only ask twenty questions which can be answered with **oui** or **non**.

Vocabulaire actif

à côté de	*next to*	**au fond de**	*at the end of*
à droite	*to the right*	**au nord de**	*to the north of*
à gauche	*to the left*	**au sud de**	*to the south of*
agréable	*pleasant*	**beau/belle**	*beautiful*
aimable	*friendly*	**belge**	*Belgian*
à l'est de	*to the east of*	la **Belgique**	*Belgium*
l' **Algérie** (f.)	*Algeria*	**bleu/e**	*blue*
algérien/ne	*Algerian*	**blond/e**	*blond*
l' **Allemagne** (f.)	*Germany*	**bon/ne**	*good*
allemand/e	*German*	**brun/e**	*brown*
à l'ouest de	*to the west of*	le **Canada**	*Canada*
l' **Angleterre** (f.)	*England*	**canadien/ne**	*Canadian*
antipathique	*unfriendly, unpleasant*	une **capitale**	*capital*
au dessus de	*above*	**charmant/e**	*charming*

châtain	brown	l' **Italie** (f.)	Italy
les **cheveux** (m.)	hair	**italien/ne**	Italian
un/e **concierge**	superintendent, janitor	**jeune**	young
content/e	happy	**joli/e**	pretty
un **couloir**	corridor	**laid/e**	ugly
court/e	short	**leur, leurs**	their
un/e **cousin/e**	cousin	**loin de**	far from
une **dame**	lady	**long/ue**	long
désagréable	unpleasant	des **lunettes** (f.)	glasses
deuxième	second	le **Luxembourg**	Luxembourg
un **deux-pièces**	one-bedroom apartment	**malheureux/**	unhappy
difficile	difficult	**malheureuse**	
écossais/e	Scottish	des **mariés** (m.)	married couple
l' **Écosse** (f.)	Scotland	le **Maroc**	Morocco
en dessous de	underneath	**mécontent/e**	unhappy
en face de	opposite	une **mère**	mother
un **escalier**	staircase	**mince**	thin
l' **Espagne** (f.)	Spain	**mon, ma, mes**	my
espagnol/e	Spanish	un **mystère**	mystery
un **étage**	floor	**mystérieux/**	mysterious
européen/ne	European	**mystérieuse**	
facile	easy	les **Nations Unies**	United Nations
faire	to make, to do	(f.)	
faire des achats	to go shopping	**noir/e**	black
faire la lessive	to do laundry	un **nom**	name
faire la vaisselle	to do dishes	**notre, nos**	our
faire le lit	to make the bed	un **œil** (pl. des **yeux**)	eye
faire les courses	to go grocery shopping	un **oncle**	uncle
faire ses comptes	to do the finances	**ondulé/e**	wavy
faire ses devoirs	to do homework	**parisien/ne**	Parisian
fatigué/e	tired	**patient/e**	patient
une **femme**	woman, wife	les **Pays-Bas** (m.)	Netherlands
une **fille**	girl, daughter	une **personne**	person
la **France**	France	**petit/e**	small, short
un **frère**	brother	un **père**	father
frisé/e	curly	une **pièce**	room
froid/e	cold	**poli/e**	polite
généreux/	generous	**porter**	to wear
généreuse		**portugais/e**	Portuguese
gentil/le	nice	le **Portugal**	Portugal
grand/e	tall	**premier/**	first
une **grand-mère**	grandmother	**première**	
un **grand-père**	grandfather	**près de**	near
gros/se	fat	**quatrième**	fourth
heureux/	happy	**raide**	straight
heureuse		**responsable**	responsible
impoli/e	impolite	le **rez-de-chaussée**	ground floor
intelligent/e	intelligent	**riche**	rich
intéressant/e	interesting	**ridicule**	ridiculous
irlandais/e	Irish	**roux/rousse**	red (hair)

russe	*Russian*	**timide**	*timid*
sociable	*friendly*	**ton, ta, tes**	*your*
une **sœur**	*sister*	**tôt**	*early*
son, sa, ses	*his, her, its*	**tranquille**	*calm, quiet*
un **studio**	*studio apartment*	**troisième**	*third*
la **Suisse**	*Switzerland*	la **Tunisie**	*Tunisia*
suisse	*Swiss*	**tunisien/ne**	*Tunisian*
sûr/e	*sure*	**vert/e**	*green*
sympathique	*nice*	**vietnamien/ne**	*vietnamese*
(sympa)		un/e **voisin/e**	*neighbor*
une **tante**	*aunt*	**votre, vos**	*your*

Chapitre 5
Les repas

SITUATION 1 Jean-Philippe a soif

JEAN-PHILIPPE: J'ai soif. Allons boire quelque chose!
MADELEINE: Moi, j'ai faim. Allons manger quelque chose!
JEAN-PHILIPPE: Voilà un café!
LE SERVEUR: Bonjour, Messieurs-Dames. Qu'est-ce que vous prenez?
JEAN-PHILIPPE: Moi, je voudrais un coca. Non, attendez!° Une menthe à l'eau. J'ai très soif. — wait!
HENRI: Moi, je vais prendre de l'eau minérale... une Évian, s'il vous plaît.
MADELEINE: Moi, un café crème, et quelque chose à manger, bien sûr.
HENRI: Bien sûr!
JEAN-PHILIPPE: Madeleine mange comme quatre.

Avez-vous suivi?

1. Qu'est-ce que Jean-Philippe commande?° Pourquoi? — order
2. Qu'est-ce qu'Henri commande? Pourquoi?
3. Et Madeleine? Qu'est-ce qu'elle commande? Pourquoi?

Autrement dit

Pour commander

Je voudrais un coca.
Je vais prendre

Un coca, s'il vous plaît.

Pour parler des conditions physiques

J'ai soif.	*I'm thirsty.*
faim	*hungry*
sommeil	*sleepy*
chaud	*hot*
froid	*cold*

Les boissons

Allons boire quelque chose.
prendre un verre.

Moi, je voudrais un coca. Non, attendez! Une menthe à l'eau.

un jus d'orange	
un café	
une bière	
un (vin) rouge/blanc	*white/red wine*
un Schweppes	*tonic water*
un Orangina	*orange soda*
un express	*espresso*
un thé (nature/au citron)	*tea (plain/with lemon)*
un chocolat	*hot chocolate*
une limonade	*lemon soda*
une Évian	
une Perrier	

Pratique et conversation

A. **Expliquez.** Complétez les phrases. Employez une expression avec **avoir.**

1. Je mange beaucoup quand...
2. J'aime boire de la limonade quand...
3. Je vais à la plage *(beach)* quand...
4. Je ne vais pas au cinéma parce que...
5. Je ne déjeune pas parce que...
6. Je vais boire du chocolat parce que...

B. **Interview.** Demandez à votre partenaire...

1. quand il/elle a faim d'habitude
2. s'il/elle mange beaucoup quand il/elle a faim
3. s'il/elle aime boire quand il/elle étudie
4. s'il/elle préfère le café, le thé, ou le chocolat quand il/elle a froid
5. s'il/elle préfère le coca, la limonade, ou le thé glacé quand il/elle a chaud
6. à quelle heure il/elle a sommeil

C. **Les boissons.** Classez les boissons suivantes. (*Group the drinks according to category.*)

	AVANT LE REPAS	AVEC LE REPAS	APRÈS LE REPAS	ALCOOLISÉE	NON-ALCOOLISÉE
un café					
une bière					
un Schweppes					
une Évian					
une menthe à l'eau					
une Perrier					
un cognac					
un chocolat					
un vin rouge					
un Orangina					
une limonade					

Structure I
Talking about food
The verb *prendre*

PRENDRE (TO TAKE, TO HAVE)			STEM + ENDING	
Je	**prends**	un cognac.	prend	s
Tu	**prends**	une bière.	prend	s
Elle	**prend**	du vin rouge.	prend	—
Nous	**prenons**	un coca.	pren	ons
Qu'est-ce que vous	**prenez?**		pren	ez
Ils	**prennent**	leur vin.	prenn	ent

Prendre, *to take,* may also be used in the sense of *to have* with the names of foods or drinks.

Je **prends** un café.
I'll have a coffee./I'm having a coffee.

Pratique et conversation

A. **Au café.** Composez des phrases.

1. Mes parents et moi, nous/prendre/un café ensemble.
2. Je/prendre/de l'eau.
3. Elles/prendre/un vin rouge.
4. Madeleine/prendre/un café crème avec Henri et Jean-Philippe.
5. Tu/prendre/aussi une eau minérale.
6. Vous/prendre/un coca.

B. **Interview.** Demandez à votre partenaire...

1. à quelle heure il/elle prend le petit déjeuner (*breakfast*)
2. s'il/elle prend des croissants au petit déjeuner
3. à quelle heure il/elle prend le déjeuner
4. où il/elle déjeune
5. s'il/elle prend un coca au déjeuner
6. s'il/elle dîne à la maison
7. s'il/elle prend un café après le dîner

Structure II
Talking about food
The verb *boire*

BOIRE (TO DRINK)			STEM + ENDING	
Je	**bois**	un thé.	boi	s
Tu	**bois**	un coca.	boi	s
Henri	**boit**	un café.	boi	t
Nous	**buvons**	une limonade.	buv	ons
	Buvez-	vous beaucoup?	buv	ez
Elles	**boivent**	un Orangina.	boiv	ent

A. **On boit, on mange.** Composez des phrases.

1. Nous/boire/un café au lait.
2. Henri et Jean-Philippe/boire/une bière avec leur déjeuner.
3. Et Madeleine? Elle/boire/un café crème.
4. Je/boire/un express.
5. Vous/boire/un thé.
6. Tu/boire/beaucoup.

B. **Au café.** You and a friend are thirsty and decide to go to a café. Discuss what you will have to drink, and then give your order to the waiter.

SITUATION

2   Madeleine a faim

MADELEINE:	Vous avez des sandwichs?
LE SERVEUR:	Oui, bien sûr, mademoiselle: au pâté, au jambon, au saucisson...
MADELEINE:	Mmmm! Un au jambon et un autre au saucisson.
HENRI:	Tu vas manger deux sandwichs?
MADELEINE:	Et alors? Je meurs de faim.°
HENRI:	Mais Madeleine, tu as toujours faim.
MADELEINE:	Tiens! Ils ont aussi du fromage et de la tarte aux pommes. Mmm...
LE SERVEUR:	Donc, pour l'instant, une menthe, une Évian, un chocolat, un sandwich au saucisson et un jambon-beurre.
MADELEINE:	Ah non, je vous en prie, je ne mange jamais de beurre! Je suis au régime.

I'm dying of hunger.

Avez-vous suivi?

1. Quelles sortes de sandwichs est-ce qu'ils ont au restaurant?
2. Qu'est-ce que Madeleine commande? Pourquoi?
3. Pourquoi est-ce que Madeleine ne veut pas de beurre?

Autrement dit

Le petit déjeuner au café

du pain

du café au lait

de la confiture

une tartine
de pain beurré

un croissant

une brioche

Le déjeuner au café

une omelette
une salade
du pâté
de la pizza
une quiche
un hot-dog

un croque-Monsieur — *grilled ham and cheese sandwich*
un steak frites — *steak and French fries*

Voici une recette pour une omelette

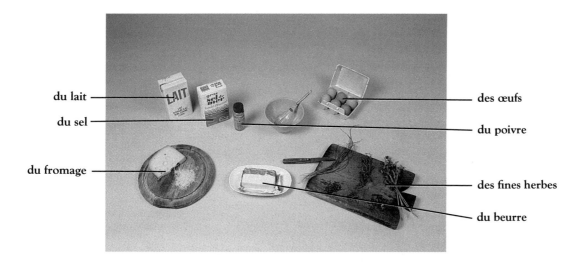

du lait — des œufs

du sel — du poivre

du fromage — des fines herbes

du beurre

Il faut° des œufs, du lait, du fromage râpé°, des fines herbes, du sel et du poivre.

You need; grated

Battez° les œufs. Ajoutez° le reste des ingrédients. Faites cuire° dans du beurre. Servez avec une salade.

Beat; Add; Cook

boissons chaudes

Café express	avant 14h	4,00	
	après 14h	5,50	
	week-end et jours fériés	5,50	
Café décaféiné	avant 14h	5,00	
	après 14h	6,00	
	week-end et jours fériés	6,00	
Crème - Chocolat - Lait		9,50	
Capuccino		13,00	
Café *ou* Chocolat viennois		13,00	
Infusion		10,00	
Viandox		10,00	
Viandox avec vin		15,00	
supplément lait		2,00	

buffet froid

Assiette charcutière	25,00
Assiette anglaise	25,00
Assiette américaine	25,00
épaule, œuf dur, gruyère, tomate	
Assiette rosbif *ou* rôti de porc	27,00
garnie au choix : chips, pommes à l'huile, tomates, salade verte, riz	
Toulouse	27,00
garnie au choix : chips, pommes à l'huile, tomates, salade verte, riz	
Assiette Luxembourg	30,00
viande froide, chou rouge, carottes râpées, pommes à l'huile, tomates	
Assiette Saint-Flour	35,00
jambon de pays, tomates, œuf dur, cantal	
Assiette du berger	35,00
jambon de pays, jambon de Paris, saucisson sec, camembert	
Assiette jambon d'Auvergne	32,00
Assiette jambon de Paris	20,00
Poulet froid, salade	25,00
Œuf dur mayonnaise	10,00
supplément mayonnaise	2,00

buffet chaud

Croque-Monsieur	13,00
Croque «Spécial Départ»	20,00
Croque-Madame	15,00
Hot-dog	15,00
Hot-dog (saucisse de Toulouse)	20,00
Saucisses chaudes	18,00
garnies au choix : chips, petits pois, pommes anglaises, épinards, salade verte	
Toulouse, garnie au choix	27,00
Jambon	25,00
pommes sautées ou chips chaudes	
Choucroute garnie	27,00
Cassoulet	24,00
Poulet, *garni au choix :*	26,00
chips, ratatouille, petits pois, épinards, haricots verts, riz, pommes à l'anglaise	
Rôti de porc, *garni au choix :*	27,00
chips, ratatouille, petits pois, épinards, haricots verts, riz, pommes à l'anglaise	
Pizza	17,00
Pizza Clara	19,00
Ravioli gratinés	17,00

Quiche	17,00
Quiche Clara	19,00
Œufs sur le plat (3)	11,00
Œufs sur le plat jambon	17,00
Œufs sur le plat bacon	20,00
Œufs basquaise	20,00
Omelette nature	11,00
Omelette fromage	17,00
Omelette jambon	17,00
Omelette Parmentier	20,00
Omelette champignons de Paris	22,00
Omelette aux oignons	18,00
Omelette oignons - pommes de terre	22,00
Omelette oignons-jambon fumé	24,00
Omelette complète	24,00
jambon, gruyère, pommes de terre	
Super-omelette	30,00
pommes de terre, gruyère, jambon, champignons	
Omelette printanière	30,00
pommes de terre, tomates, jambon, gruyère	

A. **Un régime.** Vous êtes au régime. Cochez (✓) les aliments qui sont permis. Mettez un **X** devant les aliments qui sont interdits (≠ permis).

1. _____ la pizza
2. _____ l'eau minérale
3. _____ la tarte aux pommes
4. _____ les sandwichs au jambon
5. _____ les salades

6. _____ les omelettes
7. _____ les frites
8. _____ le café
9. _____ le vin blanc
10. _____ les croissants

B. **J'ai faim!** Vous êtes au régime. Répondez aux questions de votre partenaire. Il/Elle vous demande...

1. si vous avez faim/soif
2. si vous allez commander un sandwich au jambon
3. si vous allez prendre une salade
4. si vous allez commander une tarte au citron
5. si vous allez prendre un café
6. si vous aimez votre régime

C. **On déjeune avec Madeleine.** Vous allez au café avec Madeleine. Vous avez très faim. Vous parlez de ce que *(what)* vous allez commander. Le serveur arrive et vous commandez.

Structure III

Expressing nonspecific quantities
The partitive noun marker

EXPRESSING NONSPECIFIC QUANTITIES		
count nouns	indefinite noun marker	Tu as **un** disque. Elle a **des** stylos.
non-count nouns	partitive noun marker	Vous prenez **du** café. Il prend **de la** pizza. Je prends **de l'**eau.
negative expressions	**de**	Tu n'as pas **de** disque. Elle n'a pas **de** stylos. Vous ne prenez pas **de** café. Je ne prends pas **d'**eau.
	(except after **être**)	Ce n'est pas **un** architecte. Ce ne sont pas **des** étudiants.

a. You have already used the indefinite noun markers **un, une,** and **des** to express nonspecific quantities. Indefinite noun markers are used before nouns that can be counted such as **disque: un disque, deux disques, trois disques....** **Chaise, table,** and **sandwich** are other examples of count nouns.

b. The partitive noun marker is used to express the idea of nonspecific quantity before nouns which cannot be counted using the cardinal numbers. The masculine form **du** and the feminine form **de la** are used before nouns beginning with a consonant. Use **de l'** before nouns beginning with a vowel.

Tiens! Ils ont aussi **du** fromage et **de la** tarte aux pommes. Mmm... Moi, je vais prendre **de** l'eau minérale... une Évian, s'il vous plaît.

c. Often, the partitive noun marker is not translated in English. Sometimes, it may be translated by *some* or *any.*

Tiens! Ils ont aussi **du** fromage et **de la** tarte aux pommes. Mmm... *Hey! They also have cheese and apple tart. Mmm . . .*

d. As with the indefinite noun marker, in a negative sentence, all forms of the partitive noun marker become **de.**

Ah, non, je vous en prie, je ne mange jamais **de** beurre.

e. When ordering in a restaurant, the indefinite noun marker is used when designating units.

At a restaurant: Un café, s'il vous plaît. (unit: **un café** = *a cup of coffee*)

But: Au pétit déjeuner, je prends du café. (**du café** = *some coffee*)

Pratique et conversation

A. **Au dîner.** Qu'est-ce que vous buvez au dîner? Répondez selon le modèle.

MODÈLE   vin
Au dîner, je prends du vin. (ou: Je ne prends pas de vin.)

1. coca
2. eau minérale
3. bière
4. limonade
5. thé
6. lait

B. **Je prépare un repas.** Dites à votre professeur comment préparer les deux plats suivants.

Une omelette:

MODÈLE   œufs   **Ajoutez des œufs!**
           vin   **N'ajoutez pas de vin!**

1. fromage   5. poivre
2. sel   6. pain
3. jambon   7. lait
4. eau

Une quiche lorraine:

MODÈLE   poivre   **Ajoutez du poivre.**
           pain   **N'ajoutez pas de pain.**

1. fromage   5. cognac (m.)
2. œufs   6. frites
3. jambon   7. lait
4. sel   8. eau

C. **Au café.** Qu'est-ce qu'on prend au petit déjeuner? Répondez selon le modèle.

MODÈLE   bière
          Vous: **Est-ce qu'on prend de la bière?**
          Votre ami/e: **Non, on ne prend pas de bière.**

1. vin rouge   6. œufs
2. eau minérale   7. fromage
3. café   8. salade
4. tartines   9. quiche
5. thé   10. croissants

Structure IV
Expressing how often an action is performed
Adverbs of frequency

Mais Madeleine, tu as **toujours** faim.
Ah non, je vous en prie, je **ne** mange **jamais** de beurre! Je suis au régime.

a. Adverbs of frequency tell how often an action is performed.

b. Some common adverbs of frequency are:

beaucoup	*a lot*
toujours	*always*
tout le temps	*all the time*
souvent	*often*
quelquefois	*sometimes*
de temps en temps	*from time to time*
rarement	*rarely*
ne... jamais	*never*

c. The adverbs **toujours, souvent,** and **rarement** usually follow the verb directly. The others usually are placed at the beginning or the end of a sentence.

Il arrive **toujours** à l'heure.
Elle travaille **rarement** le samedi.
Je vais **souvent** au café.
Quelquefois, il arrive en retard.

d. Like **ne... pas,** the negation **ne... jamais** surrounds the verb.

Je **ne** suis **jamais** au régime.

Pratique et conversation

A. **Comment sont les étudiants?** Posez des questions à votre partenaire. Il/Elle va répondre avec un adverbe. Après, calculez les résultats pour trouver le meilleur *(best)* étudiant.

MODÈLE   Demandez-lui s'il/elle étudie la leçon.
          Vous: **Est-ce que tu étudies la leçon?**
          Votre partenaire: **J'étudie toujours (souvent, rarement, etc.) la leçon.**

Demandez-lui s'il/elle...

1. fait ses devoirs
2. va au labo
3. parle français en classe
4. pose des questions
5. va à la bibliothèque

Résultats: Chaque réponse du premier groupe vaut *(is worth)* 1 point; du deuxième groupe, 2 points; du troisième, 3 points; et du quatrième, 4 points. Le meilleur étudiant a le plus de points.

Premier Groupe	**Deuxième Groupe**	**Troisième Groupe**	**Quatrième Groupe**
jamais	quelquefois	souvent	toujours
rarement	de temps en temps	beaucoup	tout le temps

B. **Le régime.** Posez une question à votre partenaire. Il/Elle va répondre en utilisant un adverbe. Après, calculez les résultats.

MODÈLE   Demandez-lui s'il/elle mange des légumes.
Vous: **Est-ce que tu manges des légumes?**
Votre partenaire: **Je mange souvent (toujours, rarement, etc.) des légumes.**

Demandez-lui s'il/elle...

1. prend le petit déjeuner
2. prend des vitamines
3. mange des salades
4. est au régime
5. mange du «fast food»
6. boit de la bière
7. prend un dessert

Résultats: Pour les quatre premières questions, calculez les points comme dans l'activité A. Pour les trois dernières, inversez les groupes: donnez 1 point pour les réponses *toujours* et *tout le temps*, 2 points pour *souvent* et *beaucoup*, 3 points pour *quelquefois* et *de temps en temps*, et 4 points pour *jamais* et *rarement*. L'étudiant avec le plus de points a les meilleures habitudes.

C. **Habitudes.** Répondez aux questions.

1. Qu'est-ce que vous ne faites jamais au restaurant?
2. Qu'est-ce que vous faites rarement à la maison?
3. Qu'est-ce que vous faites souvent en classe?
4. Qu'est-ce que vous faites toujours le soir?

SITUATION

3

Au restaurant

M. BORDIER:	Monsieur, s'il vous plaît, la carte.
UN SERVEUR:	Voici, Monsieur. Voici, Madame.
MME BORDIER:	Merci... Voyons°... hors d'œuvre... viande...
	légumes... Qu'est-ce qui te tente°?
M. BORDIER:	Il y a du poisson?
MME BORDIER:	Oui, ici.
SYLVIE:	Qu'est-ce qu'ils ont comme dessert?
M. BORDIER:	Légumes... salade... le poisson a l'air bon.
	Fromage... qu'est-ce que vous allez manger, les
	enfants?
SYLVIE:	Comme dessert, qu'est-ce qu'ils ont?
JEAN-PHILIPPE:	Dans ce° restaurant, Sylvie, ils n'ont PAS de
	dessert.
SYLVIE:	Maman!!!

Let's see

tempts you

this

Avez-vous suivi?

1. Selon (*According to*) vous, qu'est-ce que M. Bordier va commander? Et Sylvie?
2. Chez nous, quand est-ce qu'on prend la salade? le fromage? Et en France?
3. Est-ce que la réponse de Jean-Philippe est sérieuse?

Autrement dit

La table

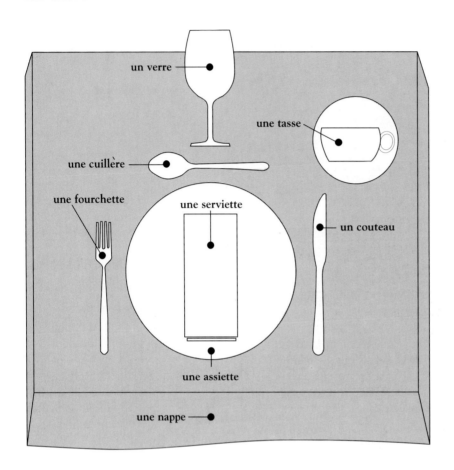

Pour parler des repas

La carte, s'il vous plaît.
Le menu à 90 francs.
La carte des vins. Prenons du chablis.
du beaujolais
du champagne

Voyons... **des hors d'œuvre...**

un œuf dur mayonnaise	*hard-boiled egg with mayonnaise*
du saucisson	*sausage*
des crudités	*raw vegetables*

…de la viande…

du poulet	*chicken*
du bœuf	*beef*
de l'agneau	*lamb*
du veau	*veal*
du rosbif	*roast beef*
un bifteck	*steak*

…des légumes…

des carottes	*carrots*
des pommes de terre	*potatoes*
des petits pois	*peas*
des haricots verts	*green beans*

Il y a… **du poisson…**

de la truite	*trout*
de la sole	*sole*
du thon	*tuna*
des crevettes	*shrimp*
des moules	*mussels*

…de la salade…

de la salade de tomates
de la salade verte

…du fromage…

du camembert
du brie
du roquefort

Le poisson a l'air bon.
　　　　　　délicieux
　　　　　　frais　　　　*fresh*

J'aime **les desserts.**

la tarte aux pommes	*apple tart*
la tarte au citron	*lemon tart*
la mousse au chocolat	*chocolate mousse*
les glaces	*ice cream*
la pâtisserie	*pastries*
les fruits	

Je voudrais **une orange.**

une pêche	*peach*
une poire	*pear*
une pomme	*apple*
des fraises	*strawberries*

L'addition, s'il vous plaît.	*Check, please.*
Est-ce que le **service est compris?**	*Is the tip included?*

Pratique et conversation

A. **Les plats.** Classez les plats selon les catégories données.

	LES HORS D'ŒUVRE	LES PLATS PRINCIPAUX	LES LÉGUMES	LES DESSERTS
le saucisson				
le veau				
les petits pois				
les œufs durs mayonnaise				
les oranges				
les crudités				
la truite				
le brie				
les pommes de terre				
le poulet				
les glaces				
le camembert				

B. **Français ou Américains?** Dites si les phrases suivantes décrivent les Français ou les Américains.

1. On prend le café avec le repas.
2. On prend la salade avant le plat principal.

3. On mange des fruits comme dessert.
4. On prend le repas principal le soir.
5. On mange des œufs au petit déjeuner.
6. On tient (hold) le couteau à la main droite et la fourchette à la main gauche.

C. **Au dîner.** D'habitude, à quelle heure est-ce que vous dînez chez vous? Décrivez un dîner typique. Qu'est-ce que vous prenez? Qu'est-ce que vous buvez? Qu'est-ce que vous adorez/détestez? Et les autres membres de votre famille... décrivez leurs préférences.

D. **Au restaurant.** Vous êtes au restaurant avec votre famille. Vous regardez la carte et faites votre choix. Jouez la scène.

Structure V
Making inquiries
The interrogative pronouns

Qu'est-ce qui te tente?
Qu'est-ce que vous prenez?
Qu'est-ce qu'ils ont comme dessert?

a. You have already learned the interrogative pronouns **qui** and **qu'est-ce que. Qui** refers to people and you have used it as the subject of a question. **Qu'est-ce que** refers to things and functions as the direct object in a question.

b. As you have noted, the choice of interrogative pronoun depends on its grammatical function in the question and whether it refers to a person or a thing.

c. The chart below presents the remaining forms and functions of the interrogative pronouns.

	PERSONS	THINGS
Subject	**Qui** va au restaurant?	**Qu'est-ce qui** est bon?
Direct Object	**Qui est-ce que** vous regardez? **Qui** regardez-vous?	**Qu'est-ce que** vous commandez? **Que** commandez-vous?
Object of a Preposition	**À qui est-ce que** vous parlez? **À qui** parlez-vous?	**Avec quoi est-ce que** vous travaillez? **Avec quoi** travaillez-vous?

d. For direct objects and for objects of a preposition, there are long and short forms of the interrogative pronoun. The long form contains **est-ce que.** The short form does not contain **est-ce que,** but the subject and verb that follow must be inverted.

Pratique et conversation

A. **Au restaurant.** Posez une question qui donne la réponse soulignée.

MODÈLE   Je vais prendre un café.
Qu'est-ce que vous allez prendre?

1. M. Bordier parle au serveur.
2. Mme Bordier regarde la carte.
3. Sylvie commande un dessert.
4. Jean-Philippe mange avec une fourchette et un couteau.
5. M. Bordier va prendre du poisson.
6. Le camembert a l'air délicieux.
7. Le serveur apporte la soupe.
8. M. Bordier demande l'addition.

B. **Sondage.** Find out about your partner's eating habits by asking...

1. what he/she likes for breakfast/lunch/dinner
2. who prepares breakfast/lunch/dinner at his/her house
3. with whom he/she eats
4. what he/she likes for dessert
5. what he/she likes to drink with cheese/dessert
6. what he/she drinks when he/she is thirsty/hot/cold/sleepy

C. **Je ne mange pas de tripes.** You are a very picky eater. Each time a selection is proposed to you, you first ask what is in it. The others will then list some of the main ingredients.

1. le coq au vin
2. le bœuf bourguignon
3. la quiche lorraine
4. l'omelette au jambon
5. la bouillabaisse

D. **Monsieur!** You are a waiter at a restaurant. The others in your group are the patrons at one of your tables. They first look at the menu and discuss what looks good and what they are considering. Then you take their order, asking them what they want as an hors d'œuvre, as a meat dish, as a vegetable, dessert, and drink.

Structure VI
Asking questions
Review

You have learned many different ways of asking questions. We summarize them below.

a. To form yes/no questions, use either rising intonation or **est-ce que.**

Vous allez à l'université? ↗
Est-ce que vous allez à l'université?

b. To form information questions, use the pattern below.

QUESTION WORD	+ EST-CE QUE +	SUBJECT +	VERB
Pourquoi	est-ce qu'	elle	rentre très tard?
À quelle heure	est-ce que	la classe	commence?
Combien de cours	est-ce que	vous	avez?

c. Some information questions more commonly use inversion.

QUESTION WORD +	VERB +	SUBJECT
Comment	allez-	vous?
Comment	est	M. Silvestri?
Comment	va-t-	il?

This is especially the case after **comment,** when asking about health or physical descriptions. Other common inversion questions are:

Quelle heure est-il?
Où est la concierge?

d. In addition to these types of questions, you have learned to form questions with interrogative pronouns.

Qui est devant la classe?
Qu'est-ce que tu vas commander?

Pratique et conversation

A. **Allons au cinéma.** Vous invitez un ami au cinéma. Composez les questions suivantes.

    1. Bonjour! Comment/tu/aller?
    2. Qu'est-ce que/tu/faire/?
    3. Tu/aimer/films/italiens?
    4. À quelle heure/le film/commencer?
    5. Comment/les films italiens/être?
    6. Avec qui/tu/aller/au cinéma?
    7. Qui/être/dans le film?
    8. Où/le cinéma/être?
    9. Combien de/cinémas/il y avoir/en ville?

B. **Interview.** Demandez à votre partenaire...

    1. comment il/elle va aujourd'hui
    2. la date
    3. à quelle heure il/elle va à l'université
    4. où il/elle va le samedi soir
    5. quand il/elle étudie
    6. pourquoi il/elle aime le français
    7. s'il/elle étudie la chimie
    8. où est son cahier

C. **Questions.** Your friend is going to the restaurant tonight. Try to find out as much as possible from him/her by asking questions with interrogative pronouns and other question words.

    MODÈLE **Avec qui est-ce que tu vas au restaurant?**

D. **Une star.** Your teacher will give you a card with the name of a famous star written on it, whose identity you will assume. Other students will try to guess your identity by asking you questions about your appearance, habits, and preferences.

 # Lecture I

RESTAURANTS À PARIS

Choosing a restaurant in Paris can be difficult, given the many possibilities! The chart below will help.

Avant de lire

A. **Symboles.** Look at the geometric symbols in the upper left-hand corner on page 124. Then look at the drawing above the second column. What information is contained in this column? From these symbols, what can you conclude about all the restaurants on this page?

B. **Encore des symboles.** Look at the symbols across the top of the chart and answer these questions.

1. Given the drawing of a crossed knife and fork, what do you think **nombre de couverts** means?
2. Given the drawing of bills and coins, what do you think the words **prix moyen** mean?
3. What does **carte de crédit** mean?

C. **Abbréviations.** Here are some abbreviations for credit cards. Can you figure out the others?

CB = *Carte Bleue (Visa)*
EC = *Eurocard (Mastercard)*
AE = ‗‗‗‗‗‗‗‗
DC = ‗‗‗‗‗‗‗‗

D. **L'heure.** The opening and closing times are given using the twenty-four-hour clock: **0h00** = midnight, **7h00** = 7:00 A.M., **12h00** = noon, **15h00** = 3:00 P.M., **18h30 (dix-huit heures trente)** = 6:30 P.M. To convert to the twelve-hour clock, simply subtract twelve from any hour after noon. Convert the following times to the twelve-hour clock.

1. 14h00 = ‗‗‗‗‗‗‗‗
2. 15h30 = ‗‗‗‗‗‗‗‗
3. 19h00 = ‗‗‗‗‗‗‗‗
4. 21h30 = ‗‗‗‗‗‗‗‗
5. 23h00 = ‗‗‗‗‗‗‗‗

Lisons

◆ plus de 300 F
■ de 200 à 300 F
● de 150 à 200 F
▲ de 100 à 150 F
▼ moins de 100 F

N° d'ORDRE		ADRESSES		CLASSEMENT TOURISME	TELEPHONE TELEX	NOMBRE de COUVERTS 	FERMETURE	HEURES de SERVICE	PRIX MENU	PRIX MOYEN à la CARTE	SPÉCIALITÉS	RENSEIGNEMENTS DIVERS	CARTE de CREDIT	
36	▼	**Dansk Pop** 184, rue de Rivoli	D 6		42 60 63 04	150 G		11h/21h	45 s.c.		Pâtisseries danoises	Self-service Terrasse découverte		
37	▼	**Flunch Forum des Halles** 5-7, rue Pierre Lescot	C 7		42 33 52 35	320 G	25 déc.-1er janv.	11h/15h 17h30/22h	39 à 70	45/100	Cuisine traditionnelle	Self-service service table grps Cocktails Banquets		
38	▼	**Front Page** 56-58, rue Saint-Denis	C 7		42 36 98 69 42 96 62 77	300 G		11h30/5h		80/100	Américaines et Françaises T.Bone Brownie	Décor 1930 américain Terrasse	AE CB DC EC	
39	▼	**Le Panorama** 14, quai du Louvre	C 6		42 33 32 37	200 G	Dimanche	12h/21h30	85/100 120	moins de 100	Cuisine traditionnelle	Vue Seine Pt-Neuf 3 salles indépendantes	AE CB	
40	▼	**Au Petit Bonheur** 9, rue St Germain l'Auxerrois	C 5		45 08 45 09	54	Lundi Noël-1er Janv.	20h/23h15	63,50 s.c.		Cuisine traditionnelle	Décor Cinéma	CB	
41	▼	**Le Pré Madeleine** 19, rue Duphot	B 5		42 60 13 40	60 G	Dimanche Février	12h/14h30 19h/23h	48,50 88	100	Régionales Fondue Raclette	Caves voûtées XVIIe s 3 salles ind.	AE CB DC EC	
42	▼	**La Sacoche d'Or** 43, rue Coquillière	C 7		42 36 70 43	70 G	Dimanche	12h/15h30 19h/23h		100	Grillades	Bistrot Lyonnais	CB	
43	▼	**Self Service Tuileries** 206, rue de Rivoli	C 5		42 60 68 74	500 G		11h30/21h30		30 à 80	Self Service Cuisine française	Verrière Plantes vertes		
		RESTAURANTS DU FORUM DES HALLES												
44	▼	**Le Café du Forum** 311, porte Berger - Niveau 3			42 97 43 73	150 G	Dimanche	9h/20h	48	40/80	Cuisine française	Climatisé Brasserie		
45		**Caffe Italia** 1, rue des Bons-Vivants - Niv - 3			42 33 68 16	150 G	Dimanche	9h/20h		40/80	Italiennes	Climatisé Cadre agréable		
46	▼	**La Calypso** Nouveau Forum 1, Place de la Rotonde Niv-3			40 26 59 05	100		8h30 21h30	50	100	Cuisine traditionnelle	Brasserie Air conditionne	CB	
47	▼	**La Chope des Halles** 23, balcon St-Eustache - Niv 2			40 28 46 69	100/ 200 G	Dimanche	9h/20h	33	moins de 100	Petit déjeuner-Salades - Croque-chope	Terrasse découverte	CB EC	
48	▼	**La Croissanterie** 8, rue Basse - Niveau - 3			42 97 48 77	G		9h-21h Dim 10h/19h		15/20	Croissants chauds Menus express	Restauration rapide Viennoiserie		
49	▼	**La Pizza** 306 Porte Rambuteau - Niveau 3			42 97 59 54	110 G	Dimanche	11h30 23h		40/80	Italiennes	Climatisé Cadre agréable		

Avez-vous suivi?

1. Lisez l'adresse de: *La Sacoche d'Or, La Croissanterie, Le Panorama.*
2. Les restaurants... et... sont très grands.
3. Les restaurants fermés pour Noël sont....
4. Les restaurants qui sont ouverts très tôt sont....
5. Les restaurants qui sont ouverts très tard sont....
6. Les restaurants traditionnels/éthniques/fast-food sont....

 # Lecture II

SI VOUS ALLEZ AU CAFÉ
OU AU RESTAURANT...

In this text, you will learn about certain regulations which help inform and protect patrons in French cafés and restaurants.

Avant de lire

A. **Mots apparentés.** Use your knowledge of English to predict the meaning of the following words.

1. nombreux
2. propriétaire
3. établissement
4. extérieur
5. pourcentage

B. **Devinez.** Using the hints in parentheses, guess the meaning of the underlined words.

1. Les propriétaires de ces *(these)* établissements sont **soumis** à certaines règles. (How might restaurant owners have to respond to rules that govern their businesses?)
2. Les **prestations les plus servies** sont: la tasse de café noir, un jus de fruit, une eau minérale.... (The list following the colon explains the word **prestation;** what do the words in this list have in common? What then might **prestation** mean? Based on your knowledge of English, what does the rest of the underlined expression mean?)
3. la tasse de café, **un demi** de bière, **un flacon** de bière... (Based on the relationship of **tasse** to **café,** what might the underlined words mean?)
4. une eau minérale **plate** ou gazeuse... (Based on your knowledge of English, what does **gazeuse** mean? The word **ou** indicates a choice; if a drink is not _____, it must be
_____.
5. C'est maintenant une obligation dans les restaurants et **débits** de boissons. (**Restaurants** serve food; **débits** serve _____; what might **débit** mean?)
6. boissons ou **denrées.** (**Ou** indicates a choice; in the context of a restaurant, if we are not referring to drinks, we are probably referring to _____.

Lisons

■ En vacances, vous êtes nombreux à vous rendre° dans une ‹bonne table› de la région ou au café. Sachez° que les propriétaires de ces établissements sont soumis à certaines règles, notamment en ce qui concerne° les prix, leur affichage à l'extérieur comme à l'intérieur, la carte des vins...

Avant d'entrer, regardez les prix, ils doivent° être affichés à l'extérieur.

— Au restaurant, les menus et cartes doivent être affichés à l'extérieur pendant toute la durée du service et au moins à partir de° 11 h 30 pour le déjeuner, de 18 h pour le dîner.

— Au café, les prix des prestations les plus couramment servies doivent être affichés à l'extérieur; ce sont: la tasse de café noir, un demi de bière à la pression,° un flacon de bière, un jus de fruit, un soda, une eau minérale plate ou gazeuse, un apéritif anisé (pour ces° cinq boissons, la contenance doit être indiquée), un plat du jour, un sandwich.

A l'intérieur des restaurants, des cartes et menus identiques à ceux affichés à l'extérieur vous seront remis;° à l'intérieur des cafés, un affichage complet des prix des boissons et denrées offertes vous permet de vous informer avant de choisir.

Dans tous les cas, les prix doivent s'entendre° ‹service compris›. C'est maintenant une obligation dans les restaurants et débits de boissons. Toutefois,° le pourcentage du service perçu° doit figurer sur les affiches et cartes.

aller

Be aware that

in the matter of

must

from

draft

those

will be given to you

should be understood to mean

In any case
charged

Avez-vous suivi?

1. Qu'est-ce qui doit être affiché à l'extérieur des restaurants/des cafés?
2. Quand est-ce que les menus et cartes doivent être affichés?
3. Qu'est-ce qui doit être affiché à l'intérieur des cafés?
4. À l'intérieur, qu'est-ce que le serveur est obligé de donner au client?
5. Donnez un exemple d'une bière française; d'un jus de fruit; d'un soda; d'une eau minérale plate/gazeuse; d'un apéritif.
6. Si le service est compris, est-il nécessaire de laisser un pourboire?° Est-ce que le service est toujours compris?

gratuity

Activités

A. **Une invitation.** You are inviting your boyfriend/girlfriend over to dinner and you want to be sure to impress him/her by preparing his/her favorite foods. Ask him/her what kind of meat/vegetables/desserts/drinks he/she likes. He/She responds.

MODÈLE   Vous: **Est-ce tu aimes les tripes?**
Votre ami/e: **Non, je n'aime pas (je déteste) les tripes.**

B. **Au régime.** You are inviting another friend over for dinner, but he/she is a picky eater. Ask him/her what kind of meat/vegetables/desserts/drinks he/she eats.

MODÈLE   Vous: **Est-ce que tu manges du poulet?**
Votre ami/e: **Non, je ne mange pas de poulet. (ou: Oui, je mange du poulet.)**

C. **Au restaurant.** You are at a high-class restaurant, but the kitchen has run out of everything you want! After several tries, you are finally able to order a complete meal.

D. **Dans le frigo.** *(In the refrigerator.)* In groups of two, try to guess what is in your partner's refrigerator. Score one point for each correct guess. After ten guesses, designate the winner.

Vocabulaire actif

une **addition**	check	du **chocolat**	hot chocolate
de l' **agneau** (m.)	lamb	un **citron**	lemon
ajouter	to add	du **coca**	cola
une **assiette**	dish	du **cognac**	cognac
avoir chaud	to be hot	**commander**	to order
avoir faim	to be hungry	**compris**	included
avoir froid	to be cold	de la **confiture**	jam
avoir l'air bon	to look good	un **couteau**	knife
avoir soif	to be thirsty	une **crevette**	shrimp
avoir sommeil	to be sleepy	un **croissant**	croissant
beaucoup	a lot	un **croque-Monsieur**	grilled ham and cheese sandwich
du **beaujolais**	beaujolais (type of red wine)	des **crudités** (f.)	raw vegetables
du **beurre**	butter	une **cuillère**	spoon
de la **bière**	beer	**délicieux/ délicieuse**	delicious
du **bifteck**	steak	un **dessert**	dessert
blanc/he	white	**de temps en temps**	from time to time
du **bœuf**	beef	**donc**	so
boire	to drink	**du, de la, de l'**	some, any (may not be translated)
du **brie**	brie (type of cheese)		
une **brioche**	brioche (type of bread)	de l' **eau minérale** (f.)	mineral water
un **café**	café	**être au régime**	to be on a diet
un **café (crème)**	coffee (with steamed milk)	une **Évian**	Évian (brand of mineral water)
du **camembert**	camembert (type of cheese)	un **express**	espresso
une **carotte**	carrot	des **fines herbes** (f.)	herb mixture
une **carte**	menu	une **fourchette**	fork
du **chablis**	chablis (type of white wine)	**frais/fraîche**	fresh
du **champagne**	champagne	une **fraise**	strawberry

du **fromage**	cheese	du **poulet**	chicken
du **fruit**	fruit	**pour l'instant**	for now
de la **glace**	ice cream	**prendre**	to take, to have (a meal, food)
des **haricots verts** (m.)	green beans		
un **hors d'œuvre**	appetizer	**prendre un verre**	to have a drink
un **hot-dog**	hot dog	**quelque chose**	something
un **jambon**	ham	**quelquefois**	sometimes
je vous en prie	please	une **quiche**	quiche (type of savory tart)
du **jus d'orange**	orange juice	**rarement**	rarely
du **lait**	milk	un **repas**	meal
un **légume**	vegetable	du **roquefort**	roquefort (type of cheese)
de la **limonade**	lemon soda	du **rosbif**	roast beef
de la **mayonnaise**	mayonnaise	**rouge**	red
une **menthe à l'eau**	mint syrup with mineral water	une **salade**	salad
		un **sandwich**	sandwich
un **menu**	fixed price meal	du **saucisson**	sausage
Messieurs-Dames	ladies and gentlemen	un **Schweppes**	Schweppes (brand of tonic water)
des **moules** (f.)	mussels		
de la **mousse au chocolat**	chocolate mousse	du **sel**	salt
		le **service**	tip, service charge
une **nappe**	tablecloth	une **serviette**	napkin
nature	black (tea, coffee)	**s'il vous plaît**	please
ne... jamais	never	de la **sole**	sole
un **œuf**	egg	**souvent**	often
un **œuf dur**	hard-boiled egg	un **steak frites**	steak with French fries
une **omelette**	omelet	une **tarte au citron**	lemon tart
un **Orangina**	orange soda	une **tarte aux pommes**	apple tart
une **orange**	orange	une **tartine**	slice of bread with butter or jam
du **pain**	bread		
du **pâté**	pâté	une **tasse**	cup
de la **pâtisserie**	pastry	du **thé**	tea
une **pêche**	peach	du **thon**	tuna
une **Perrier**	Perrier (brand of mineral water)	une **tomate**	tomato
		toujours	always
un **petit déjeuner**	breakfast	**tout le temps**	all the time
des **petits pois** (m.)	peas	de la **truite**	trout
une **pizza**	pizza	du **veau**	veal
une **poire**	pear	un **verre**	glass
du **poisson**	fish	de la **viande**	meat
du **poivre**	pepper	du **vin**	wine
une **pomme**	apple	**voici**	here is
une **pomme de terre**	potato		

Chapitre 6

Les courses

SITUATION

Dans une librairie

ANNE:	Pardon, monsieur... c'est combien, ce livre sur la peinture, s'il vous plaît?
LE VENDEUR:	Il est beau, n'est-ce pas? Il a trente-cinq illustrations en couleur.
ANNE:	Oui. C'est combien?
LE VENDEUR:	J'ai reçu le même livre en cadeau, l'année dernière. Vous aimez les impressionnistes?
ANNE:	Monsieur, s'il vous plaît... quel est le prix?
LE VENDEUR:	Je ne sais pas°, je ne travaille pas ici. Je suis vendeur de chaussures dans le magasin d'à côté.

I don't know

Avez-vous suivi?

1. Où est Anne?
2. Qu'est-ce qu'elle demande?
3. Pourquoi est-ce que le livre sur la peinture est exceptionnel?
4. Où est-ce que le vendeur travaille?
5. Nommez deux artistes impressionnistes.

Autrement dit

Les nombres au-dessus de 30

trente et un	31	quatre-vingt-deux	82
trente-deux	32	quatre-vingt-dix	90
rente-neuf	39	quatre-vingt-onze	91
quarante	40	quatre-vingt-douze	92
quarante et un	41	cent	100
quarante-deux	42	cent un	101
cinquante	50	cent soixante-dix-huit	178
cinquante et un	51	deux cents	200
cinquante-cinq	55	deux cent un	201
soixante	60	trois cents	300
soixante et un	61	trois cent quatre-vingt-deux	382
soixante-sept	67	neuf cents	900
soixante-dix	70	mille	1.000
soixante et onze	71	mille neuf cent cinquante-quatre	1.954
soixante-douze	72	deux mille un	2.001
soixante-dix-neuf	79	neuf mille cinq cent trente-quatre	9.534
quatre-vingts	80	dix mille	10.000
quatre-vingt-un	81		

Au magasin

Bonjour, Madame. Vous désirez?	*May I help you?*
Un petit renseignement?	*May I help you?*
Je peux vous renseigner?	*Are you being helped?*
Je voudrais voir...	*I would like to see . . .*
essayer	*try on*
acheter	*buy*
Montrez-moi...	*Show me . . .*
J'ai besoin de...	*I need . . .*
C'est combien?	*How much is it?*
Ça fait combien?	*How much is it?*
Ça coûte combien?	*How much does it cost?*
C'est trop cher!	*It's too expensive.*
Ils sont en solde?	*Are they on sale?*
C'est vraiment bon marché.	*That/It is really cheap.*
C'est une affaire!	*It's a bargain!*
Quelle affaire!	*What a bargain!*

Vous payez comment?	How are you paying?
Vous réglez comment?	How are you paying?
En espèces, par chèque, ou par carte de crédit?	Cash, check, or credit card?
Carte Bleue/EuroCard	Visa/MasterCard
American Express/Diners Club	
C'est pour offrir?	Is it a gift?
Je vous donne une pochette?	Would you like a gift package?
Je vous donne un paquet-cadeau?	Would you like a gift package?

Merci, Madame! Au revoir, Madame!

Un formulaire à remplir

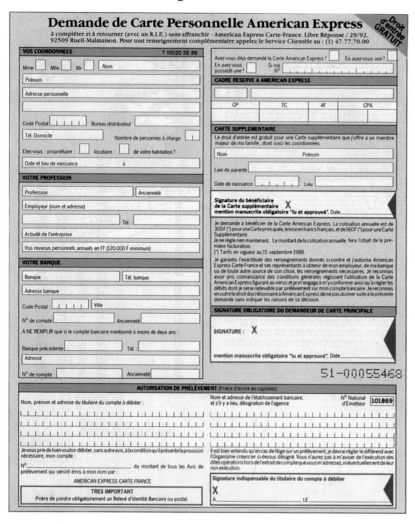

Pratique et conversation

A. **C'est combien?** Vous désirez acheter les objets suivants. Donnez leur prix.

   MODÈLE **La lampe coûte cent quatre-vingt-quatre francs.**

   1. le disque/66 francs
   2. le magnétoscope/2400 francs
   3. la bicyclette/375 francs
   4. le téléphone/490 francs
   5. le stylo/189 francs

B. **Échanges.** Complétez le dialogue.

   1. Bonjour, Monsieur. _____?
      C'est combien ce stylo?

      _____
      C'est trop cher!
   2. _____
      Je voudrais acheter ce livre.

      _____
      Par carte de crédit.

   3. _____
      C'est combien, ce cartable?

      _____
      C'est une affaire! _____?
      Oui, c'est la «semaine fantastique». Tout (*Everything*) est en solde.

C. **Vous payez comment?** Vous faites des achats (*purchases*) pour la maison et vous achetez les objets sur les photos. Votre partenaire indique le prix de vos choix et demande comment vous allez payer. Vous répondez.

PARTENAIRE:	Bonjour, Monsieur. Vous désirez?
VOUS:	Je voudrais voir cette télévision.
PARTENAIRE:	Voilà, Monsieur.
VOUS:	C'est combien?
PARTENAIRE:	C'est 4.790 francs. Vous payez comment?
VOUS:	Par carte de crédit.

D. **L'inventaire.** Vous travaillez dans une grande librairie et vous faites l'inventaire. Lisez la liste au patron.

1. 8.688 crayons
2. 13.920 livres
3. 5.365 stylos
4. 1.555 cahiers
5. 476 affiches
6. 7.244 gommes

Structure I
Identifying
The demonstrative adjective *ce*

C'est combien,	**ce**	livre sur la peinture?
C'est combien,	**cet**	album de photos?
C'est combien,	**cette**	cassette?
C'est combien,	**ces**	disques?

a. The demonstrative adjective may be translated *this* or *that*, depending on the context.

b. There are two masculine singular forms. Use **ce** before nouns beginning with a consonant and **cet** before nouns beginning with a vowel. Use **cette** with all feminine singular nouns and **ces** with all plurals.

Pratique et conversation

A. **Des achats.** Vous êtes dans une librairie avec un/e camarade. Qu'est-ce que vous allez acheter?

MODÈLE   livre
        Je vais acheter ce livre.

1. crayon
2. affiche
3. cahiers
4. table
5. peinture
6. cassette

B. **Une affaire!** Complétez le dialogue. Donnez la forme correcte de l'adjectif démonstratif.

—Bonjour, Madame. Vous désirez?
—Bonjour, Monsieur. Combien coûte _____ album?
—Soixante francs. Il est beau, hein?
—Il est beau, mais c'est un peu cher. Et _____ disque?
—Soixante-quinze francs.
—Hmmm... Et _____ cassette?
—Quatre-vingts francs.
—Cher aussi... _____ radio?
—Cent dix francs.
— Ce n'est pas possible. Et _____ stylos?
—Ah, les stylos sont en solde. Ils coûtent quarante francs.
 C'est une affaire!

C. **Le prix.** Vous êtes vendeur/vendeuse. Donnez le prix des objets suivants.

MODÈLE   table/315f
         Cette table coûte trois cent quinze francs.

1. album/42 francs
2. magnétoscope/1859 francs
3. lampe/775 francs
4. radio/284 francs
5. disques/70 francs
6. buffet/3000 francs
7. chaîne stéréo/4200 francs
8. livres/598 francs
9. télévision/2400 francs

Structure II
Asking questions
The interrogative adjective *quel*

Quel	est le prix?
Quelle	est la couleur?
De **quels**	livres parles-tu?
Quelles	couleurs est-ce que vous préférez?

a. A question with **quel** asks for one item selected from a larger group of similar items.

b. Since **quel** is an adjective, it must agree in gender and number with the noun it modifies.

c. Questions with **quel** follow the same patterns as other questions you have learned. You may use **est-ce que.**

QUEL + NOUN + EST-CE QUE + SUBJECT + VERB				
Quels	cours	est-ce que	vous	aimez?
Quelles	affiches	est-ce que	tu	préfères?

You may also use inversion.

QUEL + NOUN + VERB + SUBJECT			
Quels	livres	regardes-	tu?
Quelle	heure	est-	il?
Quel	âge	as-	tu?

The answer to this last question is: **J'ai [dix-huit] ans.**

d. **Quel/s est/sont...?** corresponds to the English question *What is/are . . . ?*

Quel est votre nom?	*What is your name?*
Quelle est votre adresse?	*What is your address?*
Quelle est votre profession?	*What is your profession?*
Quels sont vos passe-temps?	*What are your hobbies?*

Note that **quel** agrees in gender and number with the noun following **être.**

e. Some verbs are followed by a preposition which introduces an object.

Je parle **à** mes amis.
Le vendeur parle **du** livre.
Jean-Philippe travaille **avec** ses amis.

This preposition will begin a question with **quel.**

PREPOSITION + QUEL + NOUN + EST-CE QUE + SUBJECT + VERB					
De	quel	livre	est-ce qu'	il	parle?
Avec	quels	amis	est-ce que	vous	travaillez?

or

PREPOSITION + QUEL + NOUN +		VERB	+ SUBJECT
À	quels amis	parles-	tu?
Pour	quelle agence	travaille-t-	elle?

Pratique et conversation

A. **Les achats.** Votre nouveau voisin vous pose des questions sur le quartier (*neighborhood*). Composez ses questions.

1. Quel/magasins/être/près de l'immeuble?
2. À quel/magasin/trouver/on/disques?
3. Quel/être/adresse/d'un bon restaurant?
4. Quel/être/numéro de téléphone du restaurant?
5. À quel/agence de voyage/aller/vous?
6. À quel/coiffeur/aller/vous?

B. **Interview.** Interviewez un/e camarade. Demandez-lui...

1. son âge
2. sa nationalité
3. son adresse
4. la profession de son père/de sa mère
5. sa classe préférée
6. ses deux livres préférés

C. **Un nouveau locataire.** You are talking to M. or Mme Silvestri about the new tenants, a young married couple, whom they have not met yet. They ask you questions about the tenants' nationality, appearance, age, and profession. You answer.

D. **Une carte de crédit.** You are working in a department store and are helping a customer (played by your partner) open a charge account. What questions might you ask him/her? Role-play the situation.

Le lendemain°, dans un magasin de chaussures

The next day

LE VENDEUR: Vous désirez, mademoiselle? Ah! Mais c'est vous! Bonjour! Vous avez acheté ce livre sur la peinture hier?

ANNE: Non, j'ai décidé d'attendre° un peu. Et puis, ce matin, j'ai vu ces petites chaussures blanches dans la vitrine, pour porter avec ma nouvelle robe.

wait

LE VENDEUR: Ah oui! Elles sont jolies, hein? Et c'est une bonne affaire!

ANNE: Vous avez ma pointure? Je fais du trente-six.

LE VENDEUR: Allons voir...

Avez-vous suivi?

1. Où est Anne?
2. Est-ce qu'elle a acheté le livre sur la peinture?
3. Qu'est-ce qu'elle désire acheter?
4. Quelle est sa pointure?

Autrement dit

Des achats

Vous avez ma pointure?   *Do you have my shoe/glove size?*
      ma taille   *clothing size*
Quelle est votre pointure?   *What is your shoe/glove size?*
      votre taille   *clothing size*
Du combien faites-vous?   *What size do you take?*
Je fais du trente-six.   *I take a thirty-six.*
Je prends un trente-six.

FEMMES							HOMMES						
Manteaux, robes, pantalons, chemisiers, etc.							Manteaux, blousons, costumes, pantalons, etc.						
USA	3	5	7	9	11	13	26	28	30	32	34	36	38
France	34	36	38	40	42	44	36	38	40	42	44	46	48
Chaussettes, chaussures, bottes							Chaussettes, chaussures, bottes						
USA	5-5½	6-6½	7-7½	8	8½	9	6½-7	7½	8	8½	9-9½	10-10½	
France	36	37	38	38½	39	40	39	40	41	42	43	44	
Collants							Chemises						
USA	8	8½	9	9½	10	10½	14	14½	15	15½	16	16½	17
France	0	1	2	3	4	5	36	37	38	39	40	41	42

Où faites-vous vos achats?
Au centre commercial?   *At the shopping center*
À l'hypermarché?   *At the large discount store*
En ville, dans un grand magasin?   *Downtown, in a department store*

Au grand magasin

L'employée parle à un client.
Pour trouver...

des chaussettes

une cravate

un costume

un imperméable

un chapeau

une veste

un pantalon

une chemise

... allez au rayon mode homme.

Pour trouver...

un manteau

un chemisier

une jupe

une robe

des gants

un pull

... allez au rayon mode femme.

Pour trouver...

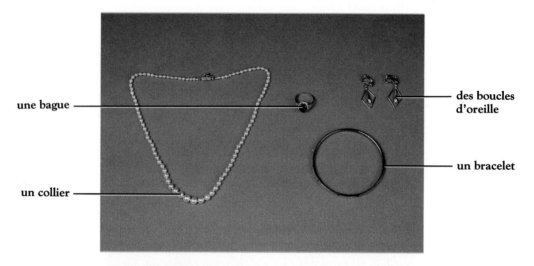

une bague

des boucles
d'oreille

un bracelet

un collier

... allez au rayon bijouterie.

Pour trouver...

des bottes

des chaussures
à talons hauts

des mocassins

des chaussures
de tennis

des sandales

des baskets

... allez au rayon chaussures dames/hommes.

Les tissus, les couleurs, les motifs

Et puis, j'ai vu ces petites chaussures dans la vitrine

vertes
blanches
rouges
roses
grises
jaunes

Pour la fête des Pères, j'ai reçu...

un pantalon
à carreaux
une chemise
à pois
une cravate
rayée

... en coton.
laine
polyester
soie

Est-ce que cette cravate rouge va bien avec cette chemise orange?
Oui, elle va très bien avec.
Non, elle ne va pas du tout avec.

Pratique et conversation

A. **Dans quel rayon?** Vous travaillez à l'accueil d'un grand magasin. Répondez aux questions des clients.

> MODÈLE   jupes
> Client: **Où sont les jupes?**
> Vous: **Allez au rayon mode femme au troisième étage.**

1. cravates
2. sandales
3. boucles d'oreille
4. manteaux
5. chapeaux
6. bracelets
7. chaussures à talons hauts

B. **Qu'est-ce que vous allez porter?** You are going to meet someone for the first time at a restaurant in town. Over the telephone you ask this person to give you a detailed description of what he/she is going to be wearing. Your partner responds by giving an accurate description of what he/she is wearing in class. Then you describe what you are wearing.

C. **Encore une cravate!** You decide to buy your father a shirt and tie for Father's Day. You pick out a white and blue striped shirt and ask the salesperson for suggestions for a tie. He/She offers several possibilities. Select one, ask the price and pay.

Structure III
Talking about past events
The *passé composé*

PASSÉ COMPOSÉ			
Subject	Auxiliary	Past Participle	
J'	ai	décidé	d'attendre un peu.
Tu	as	parlé	avec Mme Chevalley?
On	a	déjeuné	au restaurant?
Nous	avons	travaillé	aujourd'hui.
Vous	avez	trouvé	une chemise?
Elles	ont	déjeuné	à midi.

a. The **passé composé** has two parts: an auxiliary verb and a past participle.

b. For most verbs, the auxiliary is the present tense of the verb **avoir.**

c. To form the past participle of −**er** verbs, drop the infinitive ending −**er** and add **é.**

INFINITIVE		PAST PARTICIPLE
manger	→	mangé
donner	→	donné

d. **Ne... pas** surrounds the auxiliary in the passé composé.

SUBJECT	NE	AUX.	PAS	PAST PARTICIPLE	
Mme Bordier	**n'**	a	**pas**	travaillé	hier.
Tu	**n'**	as	**pas**	écouté	la cassette.

e. Here are some irregular past participles.

être → été
avoir → eu
faire → fait
prendre → pris
boire → bu

f. The **passé composé** may be translated in English in three different ways.

J'ai pris. $\begin{cases} \textit{I have taken.} \\ \textit{I took.} \\ \textit{I did take.} \end{cases}$

g. Adverbs of frequency such as **beaucoup, souvent,** and **toujours** follow the auxiliary. Adverbs of time may come at the beginning or at the end of the sentence.

Elle a **beaucoup** travaillé.
Hier, j'ai trouvé des chaussures.
J'ai essayé les chaussures **ce matin.**

Since adverb placement varies, the best way of learning the position of adverbs is to follow your teacher's model.

Pratique et conversation

A. **Qu'est-ce que vous avez acheté?** Répondez selon le modèle.

MODÈLE Anne/des chaussures blanches
Anne a acheté des chaussures blanches.

1. Solange Bordier/du pain
2. Jean-Philippe et son ami/deux cravates
3. tu/de la glace
4. Les Silvestri/des oranges
5. nous/une chaîne stéréo
6. je/une nouvelle cassette
7. vous/des livres

B. **Au centre commercial.** Mettez les phrases suivantes au passé composé.

1. Paul et Pierre travaillent dans une pâtisserie.
2. Mme Chevalley fait des achats.
3. Je prends souvent l'autobus.
4. Les voisins sont dans la charcuterie.
5. Tu ne prends pas de café.
6. Vous mangez au restaurant.
7. Nous avons de l'argent pour le cinéma.
8. Elle ne commande pas de vin.

C. **Interview.** Find out from another person if he/she...

1. went shopping yesterday
2. took the bus
3. paid in cash or by check
4. tried on clothes
5. bought some ties/dresses
6. ate at a restaurant afterward

D. **J'accuse... pas moi!** You are accused of a crime. A detective (played by your partner) questions you about your movements yesterday, the day of the crime: what time you had breakfast, what time you left your house/apartment, what you did yesterday afternoon and evening. Answer the detective's questions.

Structure IV
Talking about everyday events
The verb *voir*

	VOIR (TO SEE)			STEM + ENDING	
Present	Je	**vois**	Mme Chevalley.	voi	s
	Tu	**vois**	les petites chaussures blanches?	voi	s
	Il	**voit**	son professeur.	voi	t
	Nous	**voyons**	nos amis.	voy	ons
	Vous	**voyez**	le vendeur?	voy	ez
	Elles	**voient**	une jolie robe.	voi	ent
Passé Composé	J'	**ai vu**	ces petites chaussures blanches dans la vitrine.		

Pratique et conversation

A. **Qui est-ce qu'on voit?** Complétez les phrases avec la forme correcte de **voir** au présent.

   MODÈLE   Mme Chevalley/Mme X sur l'escalier
   Mme Chevalley voit Mme X sur l'escalier.

   1. Les Bordier/Pataud sur le sofa
   2. Sylvie/Anne dans le salon
   3. nous/M. Pereira dans l'ascenseur
   4. je/les Silvestri dans leur salle à manger
   5. Marie et Christine/leurs parents devant l'immeuble
   6. vous/M. Ibn Hassam dans sa cuisine

B. **Et hier?** Refaites les phrases de l'activité A en employant **hier** + le passé composé.

Structure V

Talking about everyday events
The verb *recevoir*

	RECEVOIR (TO RECEIVE)			STEM + ENDING	
Present	Je	**reçois**	des cadeaux.	reçoi	s
	Tu	**reçois**	une cravate à pois.	reçoi	s
	Elle	**reçoit**	une lettre.	reçoi	t
	Nous	**recevons**	des vidéos.	recev	ons
	Vous	**recevez**	une blouse.	recev	ez
	Ils	**reçoivent**	un disque.	reçoiv	ent
Passé Composé	J'	**ai reçu**	le même livre en cadeau, l'année dernière.		

Pratique et conversation

A. **Cadeaux d'anniversaire.** Dites quels cadeaux ces personnes reçoivent.

    MODÈLE   Charles Bordier/une cravate en soie
                      Charles Bordier reçoit une cravate en soie.

1. Sylvie/une robe à pois
2. Marie et Christine/des boucles d'oreille
3. nous/des pantoufles roses
4. je/un pantalon en laine
5. vous/un costume
6. Jean-Philippe/des mocassins

B. **Et l'année dernière?** Refaites les phrases de l'activité A en employant **l'année dernière** + le passé composé.

C. **Interview.** Demandez à votre partenaire...

1. quels cadeaux il/elle a reçus pour Noël/pour son anniversaire
2. quels cadeaux ses parents ont reçus pour Noël/leur anniversaire
3. qui il/elle voit souvent
4. qui il/elle a vu dans la bibliothèque hier/au centre commercial le week-end dernier
5. s'il/elle va voir ses amis ce week-end. Pour faire quoi?

3   Au supermarché

MME BORDIER: Oh, là là! J'ai oublié ma liste! Il faut retourner à
la maison!

ANNE: Ce n'est pas nécessaire, Madame. J'ai fait une
liste aussi: il faut acheter du pain, du lait, des
légumes, du savon, et du papier hygiénique. Et
nous avons besoin de pâtée pour Pataud aussi!

MME BORDIER: Ah, bon! Très bien. Tenez,° Anne! Allez
chercher tout ça° et moi, je vais faire la queue à
la caisse pour gagner du temps. Il y a tellement
de monde!

(À la caisse)

MME BORDIER: Ce n'est pas possible!

ANNE: Qu'est-ce qu'il y a, madame?

MME BORDIER: J'ai oublié mon portefeuille. Vous avez de
l'argent pour payer?

ANNE: Euh... Non.... Moi, j'ai oublié mon sac!

Wait a minute
all that

Avez-vous suivi?

1. Qu'est-ce que Mme Bordier a oublié?
2. Qu'est-ce qu'il faut acheter?
3. Qui va faire la queue? Pourquoi?
4. Est-ce que Mme Bordier a assez d'argent pour payer?

Autrement dit

Expressions de quantité

Il y a tellement de monde!
     beaucoup de
     très peu de
     trop de   *too many*
     assez de   *enough*

Les mesures

Donnez-moi 250 grammes de jambon, s'il vous plaît.
        1 kilo

Il faut acheter une boîte de lait.
        un litre

Ajoutez une cuillerée à café de sel.
      une cuillerée à soupe

Les magasins

| Au marché... | ... on achète... | ... des fruits, des légumes frais. |
| À la charcuterie... | ... on achète... | ... des saucisses, du saucisson, du jambon, du pâté. |

À la boulangerie...   ... on achète...   ... du pain.
À la pâtisserie...   ... on achète...   ... des tartes, de la pâtisserie.
À la boucherie...   ... on achète...   ... du bœuf, du veau, du poulet.
Chez le marchand de vin... ... on achète...   ... du vin.
À la poissonnerie...   ... on achète...   ... du poisson.

À l'épicerie...   ... il y a...   ... un peu de tout: des légumes, des fruits
                                                   frais ou en boîtes, des viandes, du sel,
                                                   du poivre, de la moutarde, du lait, du
                                                   beurre.

Au supermarché...	... il y a...	... une grande sélection d'aliments frais et surgelés *(frozen)*.
À la papeterie...	... on achète...	... du papier à lettres, des crayons, des stylos.
À la librairie...	... on achète...	... des livres.

Pratique et conversation

A. **Les recettes.** Here are the ingredients for some well-known French specialties. Where would you go to buy the ingredients? Fill in the grid.

PLAT	INGRÉDIENT	ÉTABLISSEMENT OU MAGASIN
coq au vin	un poulet	
	du vin	
quiche	du lait	
	du fromage	
	du jambon	
bœuf bourguignon	du bœuf	
	des oignons	
	des carottes	
	du vin rouge	

B. **Fabriqué en France.** Here are some well-known French products. Tell where you would go to buy these items.

MODÈLE *L'Étranger*
On achète *L'Étranger* à la librairie.

1. des croissants, des baguettes
2. un beaujolais
3. une tarte aux pommes
4. du pâté
5. *Les Misérables*
6. un stylo Waterman

C. **La classe de français.** Répondez aux questions en employant une de ces expressions de quantité: **trop de, peu de, assez de, beaucoup de, tellement de.**

1. Est-ce que les étudiants ont du travail? et le professeur?
2. Combien de devoirs est-ce que le professeur donne aux étudiants?
3. Est-ce que les étudiants étudient la grammaire?
4. Est-ce qu'ils ont des questions?
5. Est-ce que le professeur a de la patience?

D. **Êtes-vous égoïste?** Répondez aux questions en employant une expression de quantité. Ensuite, calculez les résultats selon les indications qui suivent et lisez le profil de votre personnalité qui correspond à votre score.

1. Avez-vous confiance en vous?
2. Avez-vous de l'énergie?
3. Avez-vous de la patience?
4. Avez-vous de l'imagination?
5. Avez-vous du talent?
6. Avez-vous de l'intelligence?

Résultats
Chaque réponse avec **beaucoup de, trop de** ou **tellement de**
vaut° 3 points.   is worth
Chaque réponse avec **assez de** vaut 2 points.
Chaque réponse avec **peu de** vaut 1 point.

Profil

15 – 18 points:	Vous êtes très égoïste. Personne n'est parfait (*No one is perfect*). Vous exagérez.
12 – 14 points:	Tout le monde a ses défauts (*faults*); vous en avez moins que les autres. Est-ce que vos réponses sont honnêtes?
8 – 11 points:	Vous êtes normal.
6 – 7 points:	Un peu plus de confiance! Vos jugements sont trop sévères.

E. **Mesures.** Match the French metric units in column A with their equivalents in column B.

	A		B
1. _____	un litre	a.	a yard
2. _____	250 grammes	b.	.6 mile
3. _____	un mètre	c.	2 pounds
4. _____	un kilomètre	d.	1 quart
5. _____	un kilogramme	e.	a half pound

F. **Quelle taille?** Combien est-ce que vous mesurez et pesez?

MODÈLE   **Je mesure un mètre soixante-quatre et je pèse cinquante-six kilos.**

G. **Une recette.** De quoi avez-vous besoin pour préparer votre recette favorite? Indiquez l'ingrédient et la quantité.

MODÈLE   **Pour préparer un bœuf bourguignon, j'ai besoin de 250 grammes d'oignons, 1 kilo de bœuf, etc.**

Structure VI
Buying and paying
The verbs *acheter* and *payer*

The – **er** verbs **acheter** and **payer** have spelling changes in their stem.

	ACHETER (TO BUY)			STEM + ENDING	
Present	J'	**achète**	des tomates.	achèt	e
	Tu	**achètes**	des pommes.	achèt	es
	Mme Bordier	**achète**	une baguette.	achèt	e
	Nous	**achetons**	des pâtisseries.	achet	ons
	Vous	**achetez**	du vin.	achet	ez
	Ils	**achètent**	des oignons.	achèt	ent
Passé Composé	J'	**ai acheté**	du pâté.		

	PAYER (TO PAY FOR)			STEM + ENDING	
Present	Je	**paie**	en espèces.	pai	e
	Tu	**paies**	en dollars.	pai	es
	Anne	**paie**	avec une carte de crédit.	pai	e
	Nous	**payons**	à la caisse.	pay	ons
	Vous	**payez**	trop!	pay	ez
	Ils ne	**paient**	pas.	pai	ent
Passé Composé	Qui	**a payé**	par chèque?		

Pratique et conversation

A. **Qu'est-ce qu'on achète?** Dites quels objets on achète et où.

MODÈLE   les garçons/des tartes
Les garçons achètent des tartes à la pâtisserie.

1. Nicole/du pain
2. nous/du papier à lettres
3. je/des vêtements
4. Monique et Jeanne/des colliers
5. vous/des saucisses
6. Jean-Paul/du poulet

B. **Comment est-ce qu'on paie?** Dites comment ces personnes paient leurs achats.

> MODÈLE   Jean-Philippe/chèque
> **Jean-Philippe paie par chèque.**

1. Pierre/espèces
2. nous/carte de crédit
3. je/chèque
4. Les Bordier/carte de crédit
5. vous/espèces
6. Stéphanie et Christiane/chèque

Structure VII
Expressing necessity and obligation
Il faut

IL FAUT	INFINITIVE	
Il faut	retourner	à la maison!
Il faut	acheter	du pain et du lait.

a. **Il faut** means *it is necessary*. It is followed by an infinitive.

b. In the negative, **il ne faut pas** means *one should not*.

Il ne faut pas parler en classe. *One should not talk in class.*

Use the negative of **avoir besoin de** or **il est necessaire de** to express *it is not necessary*.

On n'a pas besoin d'aller à l'université aujourd'hui.
Il n'est pas nécessaire d'aller à l'université aujourd'hui.
It is not necessary to go to the university today.

Pratique et conversation

A. **Les règles.** Take the role of the persons below and state rules they might make using **il faut**.

> MODÈLE   Un professeur parle à ses étudiants.
>   **Il faut étudier!**

1. Un patron parle à un employé.
2. M. Bordier parle à Jean-Philippe.
3. Jean-Philippe parle à Sylvie.
4. Sylvie parle à Pataud.
5. Vous parlez à votre petit/e ami/e.

B. **Situations.** Dites ce qu'il faut faire et ce qu'il ne faut pas faire dans les endroits (*places*) suivants.

1. au restaurant
2. dans un magasin
3. dans la salle de classe
4. chez un/e ami/e

Lecture I

LE CATALOGUE *TROIS SUISSES*

Catalogs and advertisements present many details in a very concise fashion. Since this style often lacks textual cues that allow you to predict meaning, you are often more dependent on knowledge of a specialized vocabulary. Fortunately, catalogs and advertisements contain many pictures as well as cognates and borrowings from English, since French culture is highly influenced by American popular culture. As you read, look for words that you recognize from English.

Avant de lire

A. **Les vêtements.** Look at the pictures of the clothing and give a brief description of each.

B. **Descriptions.** In French, the structure *adjective* + *à* + *infinitive* corresponds to the English structure *adjective* + *infinitive* **prêt-à-porter** (*ready-to-wear*). Look at the following expressions which describe clothing in the catalog and try to determine their meanings.

facile à porter   agréable à porter
facile à entretenir (*care for*)   facile à vivre

Ce jogging, toute la famille l'aime ! Maman, parce qu'il est facile à entretenir. Papa, parce qu'il est agréable à porter, et moi pour ses couleurs magiques ! Et puis le jogging, à ce prix... C'EST SYMPA !

Depuis
79^F
LE JOGGING ENFANT

détente et...

SPORT

depuis
129^F
le jogging adulte

✂ molleton vendu au mètre
✂ bord-côte vendu au mètre

rose pastel

bleu pastel

jaune

gris chiné

3 SUISSES 407

A LA CHEMISE RAYÉE COL GRAND-PÈRE.

Aux rayures sympa et en 100% coton, elle est tellement facile à vivre. Coloris gris/bleu à choisir dominante claire ou foncée. 1 poche poitrine raccordée. Poignets à patte indéchirable. Pans arrondis.
Fond clair°: 271.7053.
Fond foncé°: 271.7056.
6 encolures:

light; dark

36, 37-38	119,00 F
39-40, 41-42	129,00 F
43-44, 45-46	139,00 F

B LA CHEMISE FLANELLE EN PROMOTION.

Flanelle chaleur et carreaux douceur: une chemise en pur coton d'un confort absolu à un prix exceptionnel. Col classique. 1 poche poitrine. Poignets a patte indéchirable. Empiècement dos doublé.
Beige: 271.1624.
Bleu: 271.1627.
5 encolures:

37-38	99,00 F
39-40, 41-42	109,00 F
43-44, 45-46	119,00 F

Bravo!
129^F
LA JUPE AMPLE

En jersey souple et fluide l'élégance c'est simple.

Facile à porter, lavable en machine, (100% polyester) c'est la
bonne jupe ample° indispen-
sable dans votre garde-robe°
de l'hiver°. Elle vous est propo-
sée dans une belle gamme° de
tons classiques tout à fait dans la
tendance de l'hiver. Jupe 4 pan-
neaux, montée sur petite ceinture. Fendue au côté. Longueur
78 cm environ.
Bleu foncé: 141.3746.
Vert foncé: 141.3749.
Noir: 141.3740.
Camel: 141.3742.
Écru: 141.3743.
Bordeaux: 141.3745.
7 tailles:
36, 38, 40, 42, 44, 46, 48
129,00 F

full;
wardrobe;
winter;
range

64

depuis 175^F

Avez-vous suivi?

A. **La publicité.** Choose the correct answer to the following questions according to the catalog text.

1. Pourquoi est-ce que Maman aime le jogging?
   a. Elle aime les couleurs.
   b. Le jogging est pratique.
   c. Le jogging est confortable.
2. Et Papa, pourquoi est-ce qu'il aime le jogging?
   a. Il aime le tissu.
   b. Le jogging est confortable.
   c. Il aime le motif.
3. Donnez deux raisons pour acheter les chemises.
4. Lisez la description de la jupe. Quelles expressions indiquent que la jupe est...
   a. pratique?
   b. nécessaire?
   c. jolie?
   d. traditionnelle?
   e. une affaire?

B. **Au grand magasin.** You are in a department store and are thinking about buying one of the items above. Ask the salesperson for more information about the item: colors, patterns, and price. He/She will answer based on the information contained in the catalog. Make your decision and if you choose not to buy the item, explain why to the salesperson.

 Lecture II

KARINA: 168, 85, 60, 85, 74

You are going to read a short interview with a fashion model. In this interview, the interviewer's questions are not given. Try to formulate the questions as you read the model's answers.

Avant de lire

A. **Famille du verbe** *porter.* Study these words and expressions.

porter	*to wear, to carry*
apporter	*to bring*
prêt-à-porter	*ready-to-wear*

Now, fill in the blank with the correct expression or verb form.

1. M. Bordier _____ une cravate aujourd'hui.
2. Elle _____ son livre et son cahier d'exercices au labo.
3. Préférez-vous la haute couture ou le _____?
4. Elle _____ une jupe hier.
5. Je vais _____ une pomme au professeur.

B. **Famille du verbe** *prendre.* Study the following words and expressions.

prendre	*to take*
prendre un repas	*to eat a meal*
prendre des cours	*to take lessons* (dance, music, etc.)
prendre des mensurations	*to take measurements*
apprendre	*to learn*
comprendre	*to understand*

Apprendre and **comprendre** are conjugated like **prendre.** Now, fill in the blank with the correct expression or verb form.

1. Je _____ des cours de musique.
2. À quelle heure est-ce que tu _____ le petit déjeuner?
3. Quelle est votre taille? Je vais _____.
4. Les Français _____ des croissants au petit déjeuner.
5. Quelles langues est-ce que vous _____?

C. **Famille du verbe *faire*.** Study the following words and expressions.

faire	*to make, to do*
faire du français	*to study French*
faire du 36	*to be a size 36*
faire partie de	*to be a part of, to be member of*
faire des études	*to do studies, to go to school*
faire 1.60 mètres	*to be 1 meter 60 centimeters in height (ap-proximately 5'2")*

Now, replace the words below in italics with an expression from the list above.

1. Pierre *est étudiant* à l'université.
2. Est-ce que vous *êtes membre du* club français?
3. Je ne suis pas grand. Je *mesure* 1.75 mètres.
4. Ma taille? Je *prends* un 40.
5. Est-ce que *tu étudies* la chimie?

D. **Mots empruntés.** Many words were borrowed from French into English, with a slight change of meaning. Try to guess the meaning of the boldfaced words below based on their meaning in English and their context.

1. **Mode**-Service cherche **mannequin débutante** ou professionnelle.
2. Je porte des **modèles** juniors.

— Ma famille vient du Maroc, mais je suis française. Je suis née° à Marseille. J'ai vingt ans. J'ai fait mes études secondaires à Marseille jusqu'au bac°, mais je n'ai pas passé° mon bac.

— ...

— Après? Bon, ben. J'ai voulu° travailler, dans une boutique de prêt-à-porter, comme vendeuse.

— ...

— Non! Ça ne m'a rien apporté!° Rien, sauf beaucoup de fatigue, c'est tout. Alors j'ai décidé de monter° à Paris. J'ai cherché du travail un peu partout°... Et puis, un jour, j'ai vu dans un journal: "Mode-Service cherche mannequin débutante ou professionnelle". Je me suis dit°: "Pourquoi pas toi?" Je me suis présentée.° On m'a bien regardée, de la tête aux pieds°. On a pris mes mensurations. On m'a offert de prendre des cours pour apprendre à marcher, à porter un manteau, à me déshabiller°. Ça m'a paru° un peu cher, mais sérieux: j'ai dit oui.

— ...

— Je fais 1.68 m avec 85 de tour de poitrine°, 60 de tour de taille°, 85 de tour de hanches°. Je pèse 47 kilos. Je fais partie plutôt des petites femmes. Je porte des modèles juniors.

— ...

— Après? Bon. J'ai eu de la chance.° J'ai tout de suite été d'accord° pour entrer dans une petite maison qui ne paie pas beaucoup, mais je me suis lancée.° J'ai fait le Salon d'octobre qui prépare la mode d'été° et celui° d'avril où se décide° la mode d'hiver°.

— ...

— Comme toutes les autres, ma maison fabrique sa collection entièrement: dessine ses tissus, aussi bien que° ses modèles, et les présente au Salon...

— ...

— Oh! Vingt fois, trente fois par jour! C'est fatigant. Et j'ai l'impression de me vendre,° moi. Mais quand même,° le métier° de mannequin, j'aime: c'est un métier d'artiste!

	was born
	baccalauréat (exam at the end of the lycée); did not take
	wanted
	It did not bring me anything!
	go up
	everywhere
	I said to myself
	I presented myself.
	from head to toe
	to undress
	seemed to me
	chest
	waist; hips
	I was lucky.
	I immediately agreed
	I was on my way.
	summer; the one
	is decided; winter
	as well as
	sell myself
	all the same; profession

Avez-vous suivi?

A. **Un C.V.** (*A resumé.*) Complete Karina's resumé based on the text.

Nom: AQBAR, Karina.

Date de naissance: le 12 mars _____

Lieu de naissance: _____

Nationalité: _____

Expérience: 1987: vendeuse dans _____

                        1988 jusqu'à présent: _____

B. **Interview.** Vous interviewez Karina, jouée par votre partenaire. Demandez-lui...

1. si elle a aimé son travail dans la boutique
2. pourquoi elle a décidé d'aller à Paris
3. quels cours elle a pris
4. quelle est sa taille
5. si elle aime le métier de mannequin

C. **Les questions.** Number the paragraphs in the reading. Then tell which paragraph answers the following questions.

1. Est-ce que votre maison fabrique ses vêtements?
2. Est-ce que vous avez aimé votre travail dans la boutique?
3. Quelles sont vos mensurations?
4. Qu'est-ce que vous avez fait après vos études?
5. Après votre formation à Mode-Service, qu'est-ce que vous avez fait?
6. Combien de fois par jour est-ce que vous présentez la mode?

Activités

A. **Au magasin.** Vous cherchez un cadeau pour un/e ami/e à un grand magasin. Décrivez votre ami/e au vendeur/à la vendeuse. Il/Elle va vous suggérer des possibilités. Vous choisissez (*choose*) quelque chose et vous payez.

B. **Un appartement à Paris.** Vous êtes un/e étudiant/e américain/e qui va passer l'année à Paris. Vous avez besoin de beaucoup de choses. Demandez à votre voisin/e/(joué/e par votre partenaire) où on achète...

1. des provisions (*food*)
2. des vêtements
3. des livres
4. ???

C. **Une nouvelle chemise.** Vous êtes vendeur/vendeuse dans le rayon mode hommes. Un/e camarade désire acheter une chemise, mais il/elle est très indécis/e. Il/Elle demande de voir de différents tissus et motifs et il/elle a beaucoup de questions. Vous répondez à ses questions et finalement il/elle prend une décision.

D. **Un défilé de mode.** (*A fashion show.*) Décrivez les vêtements de vos camarades de classe.

Vocabulaire actif

à carreaux	checkered	une cuillerée à café	teaspoonful
un achat	purchase	une cuillerée à soupe	tablespoonful
acheter	to buy	une dame	woman
une adresse	address	décider	to decide
une affaire	bargain	dernier/	last
un âge	age	dernière	
aller bien	to go well	un/e employé/e	employee
à pois	polka-dotted	en plein air	outdoor
de l' argent (m.)	money	en solde	on sale
assez (de)	enough	une épicerie	grocery store
avoir besoin de	to need	les espèces (f.)	cash
une bague	ring	l' EuroCard (m.)	Mastercard
une basket	basketball shoe	faire des achats	to go shopping
une bijouterie	jewelry store	faire la queue	to wait in line
bon marché	cheap	une femme	woman
une botte	boot	un formulaire	form
une boucherie	butcher's shop	gagner	save, win
une boucle d'oreille	earring	un gant	gloves
une boulangerie	bakery	un grand magasin	department store
un bracelet	bracelet	gris/e	gray
Ça coûte combien?	How much is it?	hier	yesterday
		un homme	man
Ça fait combien?	How much is it?	un hypermarché	large discount store
la Carte Bleue	Visa	il faut	it is necessary
une carte de crédit	credit card	une illustration	picture
ce, cet, cette (ces)	this, that (these, those)	un imperméable	raincoat
cent	one hundred	les impressionnistes (m.)	impressionists
un centre commercial	shopping center	jaune	yellow
C'est combien?	How much is it?	la laine	wool
un chapeau	hat	une librairie	bookstore
une charcuterie	delicatessen	une liste	list
une chaussette	sock	un magasin	store
une chaussure	shoe	un manteau	overcoat
une chaussure à talons hauts	high-heel shoe	un marchand de vin	wine merchant
		un marché	market
une chaussure de tennis	tennis shoe	mille	one thousand
		un mocassin	loafer
une chemise	shirt	la mode	fashion
un chemisier	blouse	du monde	crowd
un chèque	check	nécessaire	necessary
cher/chère	expensive	n'est-ce pas?	isn't it?
un collier	necklace	un nom	name
un costume	suit	nouveau/	new
le coton	cotton	nouvelle	
une couleur	color	un numéro de téléphone	telephone number
une cravate	tie		

oublier	to forget	rayé/e	striped
un pantalon	pants	un rayon	department
une papeterie	stationery store	recevoir	to receive
du papier hygiénique	toilet paper	régler	to pay
		retourner	to go back
un paquet-cadeau	gift package	une robe	dress
pardon	excuse me	rose	pink
un passe-temps	hobby, pastime	rouge	red
de la pâtée	dog food	un sac	purse
une pâtisserie	pastry shop	une sandale	sandal
payer	to pay	du savon	soap
une peinture	painting	la soie	silk
une pochette	gift package	un supermarché	supermarket
une pointure	shoe size, glove size	une taille	size (except for shoes or gloves)
une poissonnerie	fish dealer		
le polyester	polyester	une tasse	cup
un portefeuille	wallet	tellement (de)	so much, so many
porter	to wear	trop (de)	too much, too many
un prix	price	une veste	sports jacket
une profession	profession	une vitrine	store window
un pull	sweater, pullover	voir	to see
quel/le	which, what	vraiment	really
Qu'est-ce qu'il y a?	What's the matter?		

Chapitre 7

Les loisirs

Quel sportif!

JEAN-PHILIPPE:	Qu'est-ce que tu fais ce week-end, Anne?
ANNE:	Demain soir, je vais au ciné-club avec des amis. Et dimanche après-midi, je vais aux puces. Et toi? Qu'est-ce que tu fais?
JEAN-PHILIPPE:	D'abord, je finis mes devoirs. Et ensuite, s'il fait beau, je vais jouer au foot avec les copains.
ANNE:	Et s'il ne fait pas beau?
JEAN-PHILIPPE:	S'il fait vraiment mauvais, je ne sors pas, parce que jouer au foot sous la pluie, non merci. Je préfère encore° dormir toute° la journée!
ANNE:	Vraiment! Quelle énergie pour un sportif!

more; all

Avez-vous suivi?

1. Qu'est-ce qu'Anne fait ce week-end?
2. Et Jean-Philippe, qu'est-ce qu'il va faire? s'il fait beau? s'il fait mauvais?
3. Qu'est-ce que Jean-Philippe préfère faire s'il pleut?
4. Qu'est-ce que vous faites ce week-end? Aimez-vous jouer au foot? aller au ciné-club? dormir toute la journée?

Autrement dit

Pour demander le temps

Quel temps fait-il?

Le temps, les distractions et les passe-temps

Qu'est-ce que tu fais ce week-end?

S'il fait beau...   *If it's nice . . .*
    du soleil   *sunny*
    chaud   *hot*

       ... je vais jouer au foot (football)/faire du foot.
          jouer au tennis/faire du tennis
          jouer au volley (volley-ball)/faire du volley
          jouer au basket (basket-ball)/faire du basket
          jouer au rugby/faire du rugby
          faire du ski
          faire du camping
          faire de la bicyclette/du vélo/du cyclisme
          faire du jogging/de la course à pied
          nager/faire de la natation
          faire une promenade

S'il fait mauvais...   *If it's bad . . .*
    gris   *overcast*
    frais   *cool*
    froid   *cold*
    du vent   *windy . . .*

      ... ou s'il pleut...   *. . . or if it rains . . .*
        neige   *snows*

       ... je préfère encore dormir toute la journée.

Quand je reste à la maison,...
... j'aime jouer aux cartes.   *to play cards.*
      au bridge
      au poker
    jouer aux échecs   *to play chess*
    jouer du piano   *to play the piano*
      du violon   *to play the violin*
      de la guitare   *to play the guitar*
   bricoler   *to do handiwork*
   jardiner   *to garden*
   tricoter   *to knit*

Les saisons

En été, j'aime faire de la natation; **en automne,** j'aime faire des promenades; **en hiver,** j'aime faire du ski et **au printemps,** j'aime jardiner.

Pratique et conversation

A. **Quel temps fait-il?** Décrivez le temps qu'il fait dans votre région en...

1. été   5. mai
2. septembre   6. automne
3. décembre   7. juillet
4. mars   8. hiver

B. **Mes photos.** Vous regardez des photos de vacances avec un/e ami/e. Décrivez-lui la scène.

1.   2.   3.

C. **Le week-end.** Qu'est-ce que vous aimez faire...

1. quand il fait beau
2. quand il pleut
3. quand vous n'avez pas d'argent
4. quand vous n'avez pas de devoirs
5. quand il neige

D. **Interview.** Demandez à votre partenaire...

1. s'il/elle aime les sports
2. quel/s sport/s il/elle aime
3. quel/s sport/s il/elle fait en hiver/en été
4. s'il/elle aime jouer aux cartes
5. quel/s jeu/x de cartes il/elle préfère

E. **Les événements sportifs.** Quel/s sport/s est-ce que vous associez aux événements suivants?

1. Wimbledon
2. le Mundial
3. le Tour de France
4. le Marathon de New York
5. les jeux Olympiques

Structure I
Talking about everyday activities
Verbs like *finir*

		FINIR (TO FINISH)		STEM + ENDING	
Present	Je	**finis**	mes devoirs.	fini	s
	Tu	**finis**	ton travail à onze heures.	fini	s
	Il	**finit**	son travail.	fini	t
	Nous	**finissons**	la leçon.	finiss	ons
	Vous	**finissez**	votre leçon?	finiss	ez
	Elles	**finissent**	leurs devoirs maintenant.	finiss	ent
Passé Composé	Nous	**avons fini**	les devoirs hier soir.		

a. Verbs ending in –**ir** conjugated like **finir** have a short stem (**fini**–) in the singular and a long stem (**finiss**–) in the plural.

b. The past participle of verbs like **finir** is formed by dropping the infinitive ending –**ir** and adding **i**.

INFINITIVE	PAST PARTICIPLE
finir →	fini
choisir →	choisi

c. Other verbs like **finir** are:

choisir	*to choose*
réussir à	*to succeed in*
	to pass (a course, a test)
obéir à	*to obey*
maigrir	*to grow thin, to lose weight*
grossir	*to put on weight*

Pratique et conversation

A. **Activités.** Composez des phrases.

1. Nous/choisir/de bons films.
2. Tu/grossir/parce que tu/manger/beaucoup de pop-corn au cinéma.
3. Au contraire! Je/manger/peu et je/maigrir!
4. Le film/finir/à trois heures.
5. Vous/choisir/des sports difficiles.
6. Les étudiants/réussir à/leurs examens.

B. **Au passé.** Mettez les phrases ci-dessus au passé.

C. **Interview.** Demandez à votre partenaire...

1. à quelle heure il/elle finit son travail aujourd'hui
2. à quelle heure il/elle a fini son travail hier
3. s'il/elle obéit toujours à ses parents/au professeur
4. s'il/elle réussit au cours de français
5. s'il/elle a toujours réussi au lycée
6. s'il est difficile de maigrir
7. pourquoi il/elle a choisi cette classe
8. s'il/elle a grossi ou maigri pendant les vacances

D. **Conseils.** Qu'est-ce qu'il faut manger pour maigrir? Qu'est-ce qu'il ne faut pas manger? Suivez le modèle.

> MODÈLE   légumes
> **Si tu manges des légumes, tu vas maigrir.**
> glace
> **Attention! Tu vas grossir!**

1. croissants au beurre
2. oranges
3. steak frites
4. poulet
5. gâteau

E. **Encore des conseils.** Pour réussir au cours de français, qu'est-ce qu'il faut faire? Qu'est-ce qu'il ne faut pas faire?

Structure II
Talking about everyday activities
Verbs like *dormir*

	DORMIR (TO SLEEP)			STEM + ENDING	
Present	Je	**dors**	toute la journée.	dor	s
	Tu	**dors**	dans la classe de français.	dor	s
	Le bébé	**dort.**		dor	t
	Nous	**dormons**	très tard le samedi matin.	dorm	ons
	Vous	**dormez**	encore?	dorm	ez
	Elles	**dorment**	maintenant.	dorm	ent
Passé Composé	Ce matin j'	**ai dormi**	jusqu'à onze heures.		

a. Some verbs ending in − **ir** are conjugated like **dormir.** These verbs also have two stems. The singular stem is derived by dropping the infinitive ending − **ir** and the consonant that precedes it: **dormir → dor −.** The plural stem is obtained by dropping the infinitive ending − **ir: dormir → dorm −.**

b. Other verbs like **dormir** are listed below, with their first-person singular and plural forms.

servir	je sers, nous servons	*to serve*
mentir	je mens, nous mentons	*to lie*
sortir	je sors, nous sortons	*to go out*
partir	je pars, nous partons	*to leave*

c. The past participle of these verbs is formed by dropping the infinitive ending and adding **i**.

INFINITIVE	PAST PARTICIPLE
dormir →	dormi
servir →	servi

Pratique et conversation

A. **Activités.** Composez des phrases.

1. Je/servir/un grand dîner à mes amis.
2. Nous/sortir/pour faire du ski.
3. Tu/mentir! Il n'y a pas de neige!
4. Ils/partir/pour la Suisse.
5. Vous/dormir/très tard le matin.

B. **Interview.** Demandez à votre partenaire...

1. s'il/elle sort très souvent
2. avec qui il/elle sort
3. à quelle heure il/elle part le matin pour l'université
4. s'il/elle dort très tard le matin
5. s'il/elle dort pendant ses cours

C. **Le sommelier.** *(Wine steward.)* Aimez-vous les vins? Quel vin sert-on avec les plats suivants?

1. le poulet
2. le poisson
3. le rosbif
4. un rôti de porc
5. la mousse au chocolat

D. **Mon week-end.** Décrivez un week-end typique. Est-ce que vous sortez? Où est-ce que vous allez? À quelle heure est-ce que vous partez? rentrez? Est-ce que vous dormez beaucoup? Décrivez vos autres activités.

E. **Les jours de fête.** Qu'est-ce que vous faites à Thanksgiving? Est-ce que vous partez ou restez à la maison? Quel repas est-ce que vous servez? Décrivez votre fête à la classe.

Une invitation

ANNE:	Écoute! Tu veux aller au ciné-club avec nous?	
JEAN-PHILIPPE:	Je ne peux pas... je sors avec Monique demain soir.	
ANNE:	Mais, vous pouvez nous accompagner!	
JEAN-PHILIPPE:	Très bonne idée! J'ai envie de voir un bon film d'aventure, plein° d'action, de passion, de violence...	full
ANNE:	Pas de chance,° mon vieux.° On va voir un nouveau film espagnol d'Almodóvar.	You're out of luck; my friend
JEAN-PHILIPPE:	Bof! Moi, je n'aime pas les films étrangers. Ils sont longs, ennuyeux, sentimentaux... et puis les sous-titres, c'est énervant.	
ANNE:	Un sportif... et un intellectuel! Pas croyable!° Comment est-ce que Monique peut résister!	Unbelievable!

1. Avec qui est-ce que Jean-Philippe sort demain soir?
2. Qu'est-ce qu'Anne propose?
3. Quel genre de film est-ce que Jean-Philippe préfère?
4. Quel film est-ce qu'on va voir?
5. Pourquoi est-ce que Jean-Philippe n'aime pas les films étrangers?

Autrement dit

Les films

Écoute! Tu veux aller au ciné-club avec nous?
À la séance de 14 heures?

J'ai envie de voir un bon film d'aventures.
                          d'amour
                          de science-fiction
          Je préfère les films policiers.
                          historiques
                          sous-titrés
                          en version originale (v.o.)
                          en version française (v.f.)
                  J'adore les drames.
                          les comédies
                          les dessins animés

Pour inviter

Qu'est-ce que tu fais samedi soir?
Tu es libre° samedi soir?   free
Tu veux aller au cinéma/au restaurant?

Pour accepter

Oui, avec plaisir!
Oui, je veux bien!
D'accord.
C'est une bonne idée.

Pour refuser

C'est gentil, mais je ne suis pas libre.
Je suis désolé/e,° mais j'ai trop de travail.   sorry
Je regrette, mais ce n'est pas possible.
Merci, mais je ne peux pas.

Pratique et conversation

A. **Invitations.** Invitez votre partenaire (1) au restaurant; (2) au cinéma; (3) à la discothèque. Il/Elle va accepter ou refuser.

B. **Interview.** Demandez à votre partenaire...

   1. s'il/elle aime aller au cinéma
   2. quelle sorte de film il/elle aime
   3. s'il/elle va souvent au cinéma
   4. quels acteurs ou quelles actrices il/elle aime
   5. s'il/elle est occupé/e ce week-end
   6. s'il/elle va partir en voyage ce week-end

C. **Invitation au cinéma.** Vous parlez avec un/e ami/e de vos projets de week-end. Vous décidez d'aller au cinéma ensemble *(together)* et vous essayez de choisir un film. Votre ami/e parle de ses préférences et vous parlez des films que vous avez envie de voir. Vous prenez une décision; ensuite, vous choisissez une séance, et vous parlez d'une activité avant ou après le film.

Structure III
Expressing wants and desires
The verb *vouloir*

	VOULOIR (TO WANT)			STEM + ENDING	
Present	Je	**veux**	faire du ski.	veu	x
	Tu	**veux**	aller au ciné-club?	veu	x
	Elle	**veut**	jouer au basket.	veu	t
	Nous	**voulons**	aller avec vous.	voul	ons
	Vous	**voulez**	sortir avec moi?	voul	ez
	Ils	**veulent**	rester à la maison.	veul	ent
Passé Composé	Qui	**a voulu**	prendre ma place?		

a. Remember that the form which follows a conjugated verb in French is always the infinitive: **Je veux aller au ciné-club.**

b. To make polite requests, the form **Je voudrais** is used: **Je voudrais voir cette chemise.**

Structure IV
Expressing capability
The verb *pouvoir*

	POUVOIR (CAN, TO BE ABLE TO)			STEM + ENDING	
Present	Je ne	**peux**	pas aller au cinéma.	peu	x
	Tu	**peux**	faire du ski?	peu	x
	Il	**peut**	travailler ce soir.	peu	t
	Nous	**pouvons**	parler français.	pouv	ons
	Vous	**pouvez**	aller au cinéma.	pouv	ez
	Elles	**peuvent**	sortir.	peuv	ent
Passé Composé	Vous	**avez pu**	trouver des places.		

Pratique et conversation

A. **Vouloir, c'est pouvoir.** Qui veut faire et qui peut faire les activités suivantes?

MODÈLE   Monique/sortir ce soir
Monique veut sortir ce soir et Monique peut sortir ce soir.

1. Jean-Philippe/voir un film d'aventure
2. Nous/faire du vélo samedi
3. Je/faire du jogging maintenant
4. Les copains/jouer au foot en automne
5. Tu/partir pour la France cet été
6. Vous/faire de la natation toute la journée

B. **Interview.** Demandez à votre partenaire...

1. quelles distractions il/elle préfère
2. quels sports il/elle aime et quels sports il/elle peut faire souvent
3. s'il/elle veut sortir ce soir
4. où il/elle veut aller
5. s'il/elle peut finir ses devoirs et sortir ce soir

C. **Mais tu mens!** How well do your classmates know you? Compose five statements about your accomplishments. If the others do not believe you, they will challenge you with: **Mais tu mens! Tu ne peux pas.**

MODÈLE   **Je peux faire mille kilomètres en trois heures.**
Je peux passer le week-end en France.

D. **Je ne peux pas... et je ne veux pas.** A person whom you don't particularly like continues to ask you out. The first couple of times, you politely tell him/her you can't, giving an excuse. Finally, you confess that you just don't want to!

SITUATION

3 | Lundi matin

PATRICK: Salut, Anne. Il a plu° toute° la journée samedi. Tu es
           quand même° sortie?

participe passé du verbe
pleuvoir; all; anyhow

ANNE: Oui, samedi après-midi, je suis allée au marché aux puces.

PATRICK: Tu as trouvé quelque chose?

ANNE: Non... mais Pataud a ramené° des puces!

brought back

PATRICK: Et Jean-Philippe, est-ce qu'il a joué au foot sous la
           pluie ou est-ce qu'il est resté à la maison?

ANNE: Il a finalement décidé de jouer avec les copains. Mais il
          regrette sa décision maintenant. Il est à la maison avec
          un rhume.°

cold

Avez-vous suivi?

1. Est-ce qu'Anne est sortie samedi?
2. Est-ce qu'elle a trouvé quelque chose? et Pataud?
3. Jean-Philippe, qu'est-ce qu'il a fait samedi?
4. Où est Jean-Philippe maintenant? Pourquoi?

Autrement dit

Le week-end

Ce week-end...
je suis allé(e) au marché aux puces.   *to the flea market*
           à une soirée   *to an evening party*
           à une boum ◇   *to a party*
           à une surprise-partie
           à un bal   *to a dance*
           au théâtre   *to the theatre*
           à une discothèque   *to a disco*
           au musée   *to the museum*
           au restaurant
           à un concert de rock
                       de jazz
                       de musique classique
           au match de foot.
J'ai fait la grasse matinée.   *I slept in.*
◇ J'ai bouquiné.   *I read.*

Pratique et conversation

A. **Où sommes-nous?** Where might you overhear the following conversations?

   1. Ce film est excellent!
   2. Je n'aime pas le poisson.
   3. J'adore Degas!
   4. Je n'aime pas la musique nouvelle vague.
   5. Ah! J'ai oublié mon cadeau!
   6. Tu veux danser?

B. **Activités.** Quand est-ce que vous faites les activités suivantes? **aller au musée, jouer au tennis, aller à une discothèque, jouer aux cartes, jardiner, aller au cinéma, aller au restaurant, jouer au foot**

   MODÈLE   **Je vais au musée quand il pleut et quand je n'ai pas d'argent.**

C. **Vingt questions.** Qu'est-ce que votre partenaire a fait ce week-end? Posez-lui des questions! Votre partenaire peut répondre seulement par **oui** ou **non**.

D. **Un ami malheureux.** You have a friend who is always complaining that he/she has nothing to do. But each time you suggest something, he/she has an objection. Role-play the situation, and try to convince him/her to do something!

MODÈLE   Vous: **Pourquoi est-ce que tu ne vas pas au musée de l'Art Contemporain?**
                Votre ami/e: **Je n'aime pas les musées. C'est ennuyeux.**

Structure V
Talking about past events
The *passé composé* with *être*

	AUXILIARY	PAST PARTICIPLE	
Je	suis	allé(e)	au marché aux puces.
Tu	es	allé(e)	au cinéma.
Il	est	allé	chez les Bordier.
Elle	est	allée	à la discothèque.
Nous	sommes	allé(e)s	au match de foot.
Vous	êtes	allé(e)(s)	à la boum.
Ils	sont	allés	au cours de français.
Elles	sont	allées	au grand magasin.

a. A small group of verbs use **être** as their auxiliary in the **passé composé.** As the examples above illustrate, the past participle of these verbs acts like an adjective and agrees in gender and number with the subject.

b. Among the verbs which you have learned, the following use **être** as an auxiliary in the **passé composé.** Note that many of these verbs indicate motion or change of state.

aller	partir	retourner
arriver	rentrer	sortir
entrer	rester	tomber

Pratique et conversation

A. **Mme Chevalley regarde tout le monde.** Voici les observations de Mme Chevalley. Dites ce qu'on a fait hier.

1. M. Péreira/aller/à la charcuterie.
2. Anne/partir/pour le marché aux puces.
3. Les Silvestri/rentrer/très tard.
4. Vous/arriver/avec Pataud.
5. Nous/rester/dans l'appartement.
6. Mme X/arriver/à une heure du matin.
7. Je/sortir/pour aller à la boulangerie.

B. **Interview.** Demandez à un/e camarade...

1. s'il/elle est sorti/e ce week-end
2. où il/elle est allé/e
3. à quelle heure il/elle est arrivé/e et à quelle heure il/elle est rentré/e
4. s'il/elle est resté/e à la maison hier soir

C. **Des excuses.** Essayez d'imaginer pourquoi certains de vos camarades sont fatigués/contents/nerveux/etc. auourd'hui. Ensuite, vérifiez vos hypothèses en leur demandant *(by asking them)*.

MODÈLE Pourquoi est-ce que [Françoise] est fatiguée ce matin?
Vous: **[Françoise] est fatiguée ce matin parce qu'elle est sortie hier soir. C'est ça, [Françoise]?**
[Françoise]: **Non, c'est parce que j'ai travaillé jusqu'à minuit.**

1. Pourquoi est-ce que [Charles] est fatigué?
2. Pourquoi est-ce que [Marie] est heureuse?
3. Pourquoi est-ce que [Nicole] est nerveuse?
4. Pourquoi est-ce que [Jean] est malheureux aujourd'hui?
5. Pourquoi est-ce que [le professeur] ne va pas bien aujourd'hui?

D. **Je suis sorti ce week-end.** Parlez de votre week-end. Racontez vos activités: à quelle heure votre ami/e est arrivé/e chez vous, à quelle heure vous êtes parti/e/s, où vous êtes allé/e/s, etc.

 # Lecture I

EXTRAIT DE *L'OFFICIEL DES SPECTACLES*

If you travel or live in French-speaking countries, it is important to be able to read schedules and announcements that give opening and closing times for museums, concerts, movies, and sporting events.

Avant de lire

A. **Au cinéma.** You are about to read a series of movie schedules. Name five items that you would expect to find in these schedules.

B. **Les abréviations.** You will find many abbreviations in the readings. Some of these are given below, along with their translation:

M°: métro	*the métro (subway) stop*
Pl.: places	*seats*
F: francs	*francs*
TR: tarif réduit	*reduced admission*
chôm.: chômeurs	*unemployed people*
CF: carte de fidelité	*After a designated number of paid admissions, the holder of the* **carte de fidélité** *is given a free admission.*
CV: carte vermeille	*Senior citizens may obtain the* **carte vermeille** *which entitles them to reduced admission.*
grat.: gratuit/e	*free*
△: films interdits au moins de treize ans	*under 13 not admitted*
□: films interdits au moins de 18 ans	*under 18 not admitted*

Can you guess what the following abbreviations mean?

Film 5 mn après:
vo:
jeu., sam., lun.:

Lisons

SAINT-ANDRÉ-DES-ARTS bis, 12, rue Gît-le-Cœur, 43-26-80-25. M° Saint-Michel. Pl. : 33 F. TR : 23 F : lundi et chôm. — de 25 ans, étud. et C.V. (sauf sam., dim. et fêtes).

3) *Séances : 14h20, 16h15, 18h10, 20h05, 22h :*
HIROSHIMA MON AMOUR

SAINT-GERMAIN-DES-PRÉS, place et M° St-Germain-des-Prés, 42.22.87.23. Pl. : 32 F. TR 22 F : lundi et étud. chôm. et moins de 15 ans. Groupes : 20 F. CF : 7ᵉ entrée grat.

Séances : 12h, 14h, 16h05, 18h10, 20h15, 22h20. Film 5 mn après :
SOUDAIN L'ÉTÉ DERNIER (vo)

3 LUXEMBOURG, 67, rue Monsieur-le-Prince, 46.33-97-77, M° Luxembourg. Pl. : 32 F. *A 12h :*
△ **LA LOI DU DÉSIR** (vo)

Jeu., sam., lun. 12h, 14h, 16h05, mer., ven., dim., mar. 18h10, 20h15, 22h20 :
△ **MACADAM COW-BOY** (vo)

Mer., ven., dim., mar. 12h, 14h, 16h05, jeu., sam., lun. 18h10, 20h15, 22h20 :
□ **TAXI DRIVER** (vo)

Séances : 14h, 16h, 18h, 20h, 22h :
À BOUT DE SOUFFLE

FRANÇOIS TRUFFAUT :
les films de sa vie :
Mer. 12h, 14h15, 16h30, 19h, 21h30h : **Les 2 anglaises et le Continent.** — *Jeu.* 12h, 14h, 16h, 18h, 20h, 22h : **Vivement dimanche.** — *Ven.* 12h, 14h15, 16h30, 19h, 21h30 : **Le dernier métro.** — *Sam.* 12h, 14h, 16h05, 18h10, 20h15, 22h20 : **Fahrenheit 451.** — *Dim.* 12h, 14h, 16h, 18h, 20h, 22h : **L'amour en fuite.** — *Lun.* 12h, 14h, 16h, 18h, 20h, 22h : **Jules et Jim.** — *Mar.* 12h, 14h, 16h, 18h, 20h, 22h : **Domicile conjugal.***

Avez-vous suivi?

1. Quelle est l'adresse du cinéma Luxembourg?
2. Quel est le numéro de téléphone du cinéma Saint-Germain-des-Prés?
3. Au cinéma Saint-Germain-des-Prés, quel est le tarif normal des places? Quel est le tarif réduit? Quel soir est-ce qu'il y a un tarif réduit? Pour qui est-ce qu'il y a un tarif réduit?
4. Combien de séances du film *Macadam Cow-Boy* est-ce qu'il y a le jeudi? Combien de séances est-ce qu'il y a le vendredi soir?
5. À quelle heure est la première séance du film *À bout de souffle*? et la dernière séance?
6. Quel film de Truffaut joue-t-on le mardi? À quelle/s heure/s?

Lecture II
EXTRAIT DE *PARISCOPE*

Avant de lire

Quel est le titre? What is the English translation for these films? Have you seen any of them? Briefly describe them to your partner.

1. *Les Chariots de feu*
2. *2001: L'Odyssée de l'espace*
3. *Easy Rider*
4. *Et Dieu créa la femme*
5. *L'Exorciste*

LES CHARIOTS DE FEU. Chariots of fire. 1981. 2h05. Comédie dramatique anglaise en couleurs de Hugh Hudson avec Ben Cross, Ian Charleson, Nigel Havers, Cheryl Campbell, Alice Krige.
Les destins contrastés de deux grandes figures de l'athlétisme anglais : Abrahams et Liddell, héros des Jeux Olympiques de 1924, l'un motivé par la rancœur des humiliations subies°en raison de son origine modeste, l'autre mû°par une foi°absolue. Une évocation de l'âge d'or°de l'olympisme moderne. ♦**La Boite à films 216** v.o.

experienced
moved; faith
gold

2001 : L'ODYSSEE DE L'ESPACE. 2001 : A Space Odyssey. 1968. 2h15. Film de science-fiction américain en couleurs de Stanley Kubrick avec Keir Dullea, Gary Lockwood, William Sylvester.
Une chronique des temps futurs qui emmène°les téléspectateurs à bord d'un vaisseau spatial pour une expédition vers l'inconnu : découverte d'un monde surprenant, étrange et beau sur la lune, les planètes et parmi°les étoiles. ♦**Gaumont Les Halles 4** v.o. ♦**Saint Michel 44** v.o. ♦**Gaumont Ambassade 90** v.o.

takes

among

EASY RIDER. 1968. 1h30. Drame psychologique américain en couleurs de Dennis Hopper avec Peter Fonda, Dennis Hopper, Jack Nicholson.
Une excursion à motocyclette de Los Angeles à la Nouvelle Orléans, à la recherche de l'Amérique d'aujourd'hui. Int — 13 ans. ♦**Les Templiers 25** v.o.

ET DIEU CREA LA FEMME. 1956. 1h30. Drame psychologique français en couleurs de Roger Vadim avec Brigitte Bardot, Jean-Louis Trintignant, Christian Marquant, Curd Jurgens.
Trois hommes se disputent à St-Tropez une jeune fille de 18 ans. Le film qui lança B.B.°♦**Les Templiers 25**

started the career of Brigitte Bardot

☐ **L'EXORCISTE. The exorcist.** 1974. 2h. Film d'horreur américain en couleurs de William Friedkin. avec Linda Blair, Ellen Burstyn, Max von Sydow, Kitty Winn.
Le récit passionné et terrifiant de la guérison°d'une enfant par le processus de l'exorcisme. Possédée du démon, la fillette est sauvée par la pratique rituelle de la religion. Int — 18 ans. ♦**Ciné Beaubourg Les Halles 23** v.o.

healing

Avez-vous suivi?

A. **Quel film?** Give the name of the film/s which correspond to the descriptions below.

1. une aventure extra-terrestre
2. un voyage d'exploration
3. l'exorcisme du diable
4. l'exploration des États-Unis
5. une compétition sportive
6. une histoire de jalousie
7. une histoire de persécution

B. **Quel genre de film?** Fill in the grid according to the text.

FILM	NATIONALITÉ	GENRE	VERSION	RESTRICTIONS?
Les Chariots de feu			originale	non
2001	américaine			
Easy Rider		drame psychologique		
Et Dieu créa la femme				non
L'Exorciste	américaine			

C. **Aimez-vous le cinéma?** What films have you seen recently? Briefly describe them to your partner; give the title, the nationality, the genre, and the type of audience for which the films are suited.

 Lecture III

LA MÉTÉO

In order to plan your activities, you will need to be able to read and understand weather maps.

Avant de lire

A. **Les symboles.** Look at the symbols to the right of the map. Try to guess what each one means. Your teacher will correct you when necessary.

B. **Les températures.** The chart below the map gives a list of French cities. The name of each city is followed by three columns. What is indicated in each column? (Hint: Be sure to look also at the letters under the list of cities.)

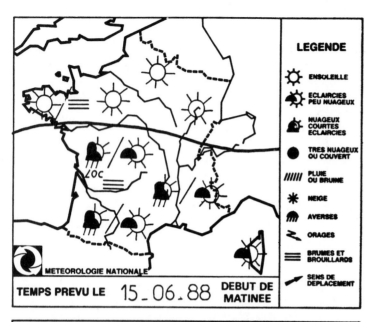

LEGENDE

- ☼ ENSOLEILLE
- ⛅ ECLAIRCIES PEU NUAGEUX
- ☁ NUAGEUX COURTES ECLAIRCIES
- ● TRES NUAGEUX OU COUVERT
- ///// PLUIE OU BRUINE
- ✳ NEIGE
- ⚞ AVERSES
- ⚡ ORAGES
- ≡ BRUMES ET BROUILLARDS
- ↘ SENS DE DEPLACEMENT

TEMPS PREVU LE 15_06_88 DEBUT DE MATINEE

METEOROLOGIE NATIONALE

TEMPÉRATURES maxima - minima et temps observé

Valeurs extrêmes relevées entre le 14-6-1988

le 13-6-1988 à 6 heures TU et le 14-6-1988 à 6 heures TU

FRANCE

Ville	Max	Min	Temps
AJACCIO	24	13	N
BIARRITZ	22	15	P
BORDEAUX	23	14	P
BOURGES	24	14	N
BREST	20	12	B
CAEN	20	11	D
CHERBOURG	17	12	D
CLERMONT-FERR.	23	12	C
DIJON	24	12	D
GRENOBLE St-M-H	27	12	N
LILLE	24	13	D
LIMOGES	22	14	C
LYON	25	14	N
MARSEILLE-MAR.	24	18	C
NANCY	24	12	D
NANTES	23	15	D
NICE	23	18	D
PARIS-MONTS.	25	16	N
PAU	21	14	C
PERPIGNAN	23	15	C
RENNES	23	14	D
ST-ETIENNE	24	12	O
STRASBOURG	24	13	D
TOURS	23	14	D
TOULOUSE	24	15	C
POINTE-A-PITRE	32	23	A

ÉTRANGER

Ville	Max	Min	Temps
ALGER	27	16	D
AMSTERDAM	24	8	D
ATHÈNES	30	22	N
BANGKOK	31	25	C
BARCELONE	24	16	O
BELGRADE	21	14	D
BERLIN	24	8	C
BRUXELLES	23	10	D
LE CAIRE	35	22	D
COPENHAGUE	22	13	D
DAKAR	29	24	D
DELHI	45	29	D
DJERBA	36	20	N
GENÈVE	25	14	C
HONGKONG	33	28	A
ISTANBUL	29	18	O
JÉRUSALEM	27	17	N
LISBONNE	21	15	A
LONDRES	23	10	C
LOS ANGELES	20	13	N
LUXEMBOURG	22	12	D
MADRID	18	11	P
MARRAKECH	26	17	N
MEXICO	24	13	B
MILAN	27	16	O
MONTRÉAL	30	17	D
MOSCOU	19	11	D
NAIROBI	21	16	C
NEW-YORK	33	22	D
OSLO	26	12	D
PALMA-DE-MAJ.	26	14	D
PÉKIN	37	23	N
RIO-DE-JANEIRO	30	18	D
ROME	25	15	D
SINGAPOUR	33	24	C
STOCKHOLM	21	10	N
SYDNEY	18	8	C
TOKYO	25	21	N
TUNIS	32	22	C
VARSOVIE	19	9	D
VENISE	25	16	C
VIENNE	21	12	D

A	**B**	**C**	**D**	**N**	**O**	**P**	**T**	**✳**
averse	brume	ciel couvert	ciel dégagé	ciel nuageux	orage	pluie	tempête	neige

★ TU = temps universel, c'est-à-dire pour la France : heure légale moins 2 heures en été ; heure légale moins 1 heure en hiver.

(Document établi avec le support technique spécial de la Météorologie nationale.)

Avez-vous suivi?

A. **Vrai ou faux?** *(True or false?)* Indiquez si les phrases suivantes sont vraies on fausses.

1. _____ Il va pleuvoir dans l'est de la France.
2. _____ Il va faire beau dans le nord.
3. _____ Le sud-ouest de la France va être nuageux.
4. _____ Il va y avoir des brumes dans l'ouest de la France.
5. _____ Il va neiger à Bordeaux.
6. _____ Il va faire chaud à Pointe-à-Pitre.

B. **Prévisions.** *(Forecasts.)* Give a forecast for the following regions.

MODÈLE   Lyon
          À Lyon, il va faire nuageux. Maximum de 25. Minimum de 14.

1. le nord de la France
2. Biarritz
3. Toulouse
4. le sud de la France
5. Marseille

Activités

A. **Quel film?** Vous invitez votre ami/e au cinéma et il/elle accepte. Vous lui suggérez un des films de l'extrait de *Pariscope* mais il/elle l'a déjà vu. Il/Elle vous propose un autre. Vous acceptez. Ensuite, votre ami/e vous invite au restaurant après. Faites vos projets.°   plans

B. **Vacances de printemps.** Parlez de vos vacances de printemps à la classe. Qu'est-ce que vous aimez faire quand vous êtes en vacances? Où est-ce que vous aimez aller? Quel climat est-ce que vous préférez? Quelles activités préférez-vous? Est-ce que vous partez en vacances seul/e *(alone)* ou avec vos amis/parents?

C. **Des vacances désastreuses.** Est-ce que vous avez jamais eu des vacances désastreuses? Où êtes-vous allé/e? Qu'est-ce qui est arrivé? *(happened)* Qu'est-ce que vous avez fait? Racontez vos expériences à la classe.

D. **Un couple bizarre.** Vous êtes sportif/sportive, mais votre ami/e est intellectuel/le. Vous faites des projets de week-end. Essayez de trouver une activité que vous pouvez faire ensemble.

Vocabulaire actif

accepter	to accept	faire mauvais	to be bad (weather)
accompagner	to accompany	un film	film
une action	action	un film d'amour	love story
l' automne (m.)	autumn	un film d'aventure	adventure film
avoir envie de	to want, to desire	un film de science-	science fiction film
un bal	dance	fiction	
le basket-ball (basket)	basketball	un film historique	historical film
une bicyclette	bicycle	un film policier	detective film
une boum ◇	party	finalement	finally
bouquiner ◇	to read	finir	to finish
bricoler	to do handiwork	le football (foot)	soccer
le bridge	bridge	grossir	to put on weight
le camping	camping	une guitare	guitar
les cartes (f.)	cards	l' hiver (m.)	winter
choisir	to choose	une idée	idea
un ciné-club	film series	une invitation	invitation
une comédie	comedy	jardiner	to garden
un concert	concert	le jogging	jogging
un/e copain/copine	pal, friend	jouer à	to play (a sport)
la course à pied	track	jouer de	to play (an instrument)
le cyclisme	cycling	une journée	day(time)
d'abord	first of all	libre	free
d'accord	OK	maigrir	to grow thin, to lose weight
une décision	decision	un marché aux puces	flea market
désolé/e	sorry	un match	match (sports)
un dessin animé	cartoon	mentir	to lie
une discothèque	discotheque	la météo	weather report
dormir	to sleep	un musée	museum
un drame	drama	nager	to swim
ennuyeux/	boring	la natation	swimming
ennuyeuse		neiger	to snow
ensuite	next	obéir à	to obey
les échecs (m.)	chess	partir	to leave
l' énergie (f.)	energy	la passion	passion
énervant/e	annoying, aggravating	un piano	piano
l' été (m.)	summer	le plaisir	pleasure
étranger/étran-	foreign	pleuvoir	to rain
gère		la pluie	rain
faire beau	to be nice (weather)	le poker	poker
faire chaud	to be hot	possible	possible
faire du soleil	to be sunny	pouvoir	can, to be able
faire du vent	to be windy	le printemps	spring
faire frais	to be cool	une promenade	walk
faire froid	to be cold	refuser	to refuse
faire gris	to be overcast, to be cloudy	regretter	to be sorry
faire la grasse	to sleep in	résister	to resist
matinée		rester	to stay

réussir à	to succeed, to pass (a course, a test)	**sportif/sportive**	athletic
le **rugby**	rugby	une **surprise-partie**	party
une **saison**	season	le **tennis**	tennis
une **séance**	showing	un **théâtre**	theater
sentimental/e (m. pl. **sentimentaux**)	sentimental	**tricoter**	to knit
		tomber	to fall
		la **version française**	French version (dubbed)
servir	to serve	la **version originale**	original version (not dubbed)
le **ski**	skiing, ski		
une **soirée**	evening party	un **vélo**	bicycle
sortir	to go out	la **violence**	violence
des **sous-titres** (m.)	subtitles	un **violon**	violin
un **sport**	sport	le **volley-ball** (volley)	volleyball
un **sportif**	sportsman	**vouloir**	to want

Chapitre 8

Bon anniversaire

1

Avant la boum

JEAN-PHILIPPE:	Dis,° maman, je peux inviter tous° mes amis à mon anniversaire?	Say, Tell me; all
MME BORDIER:	Oui. Enfin° pas des centaines, tout de même.°	Well; all the same
JEAN-PHILIPPE:	Non, bien, sûr. Une dizaine. Juste une dizaine.	
MME BORDIER:	C'est déjà pas mal.	
JEAN-PHILIPPE:	Mais... ils ne viennent pas seuls, ils viennent avec leurs amis, c'est normal. Je ne peux pas dire non! «Les amis de mes amis...	
MME BORDIER:	... sont mes amis,» je sais. Hmm... Tu veux dire° qu'il faut compter au moins le double, c'est ça? J'espère que tu sais passer l'aspirateur!	mean
JEAN-PHILIPPE:	Moi?	

Avez-vous suivi?

1. Qui a un anniversaire?
2. Avec qui est-ce que les amis de Jean-Philippe viennent?
3. Combien de personnes est-ce que Jean-Philippe peut inviter?
4. Est-ce que Jean-Philippe sait passer l'aspirateur?

Autrement dit

Les quantités indéfinies

Juste une dizaine.   *around ten*
    une douzaine
    une quinzaine
    une vingtaine
    une centaine

Les proverbes

Les amis de mes amis sont mes amis.	*Love me, love my dog.*
Vouloir c'est pouvoir.	*Where there's a will, there's a way.*
L'habit ne fait pas le moine.	*You can't judge a book by its cover.*
Loin des yeux, loin du cœur.	*Out of sight, out of mind.*
Pas de nouvelles, bonnes nouvelles.	*No news is good news.*
Tout est bien qui finit bien.	*All's well that ends well.*
Qui ne risque rien n'a rien.	*Nothing ventured, nothing gained.*
Aussitôt dit aussitôt fait.	*No sooner said than done.*

Les travaux ménagers

J'espère que tu sais passer l'aspirateur.	*run the vacuum*
débarrasser la table	*clear the table*
arroser les plantes	*water the plants*
ranger ta chambre	*clean up your room*
balayer	*sweep*
nettoyer les vitres	*clean the windows*
faire les lits	*make the beds*
faire la cuisine	*cook*
faire la vaisselle	*do the dishes*
laver la voiture	*wash the car*
faire la lessive	*do the laundry*
repasser tes chemises	*iron your shirts*

Les appareils ménagers

la cuisinière	*the stove*
le frigo	*the refrigerator*
le lave-vaisselle	*the dishwasher*
la machine à laver	*the washing machine*
le séchoir	*the dryer*
le balai	*the broom*
le fer à repasser	*the iron*

Pratique et conversation

A. **Quel proverbe?** Quel proverbe peut-on utiliser dans ces situations?

1. Mme Bordier wants Jean-Philippe to help her with some household tasks if he is going to have many guests at his party. He is eager to please her when she asks him to run the vacuum.
2. Mme Bordier is not sure how twenty-five guests will fit in the apartment, but she will try just the same.
3. Anne hasn't received a letter from her family in over two weeks but decides not to worry.
4. Monique invites Anne to go skiing with her next weekend. Anne doesn't know how to ski but is willing to try.

B. **Les appareils ménagers.** Quel appareil dans la colonne B correspond à quel travail ménager dans la colonne A?

	A		B
1. _____	faire la vaisselle	a.	la cuisinière
2. _____	faire la lessive	b.	le fer à repasser
3. _____	faire la cuisine	c.	le balai
4. _____	nettoyer	d.	le lave-vaisselle
5. _____	repasser	e.	la machine à laver

C. **Les travaux domestiques.** Qui fait les travaux domestiques chez vous? Posez des questions à votre partenaire.

MODÈLE   Vous: **Qui fait les lits chez toi?**
Votre partenaire: **Moi, je fais les lits.** (ou: **C'est ma mère qui fait les lits.**)

D. **Trop de travail!** You've decided that you need to find a housekeeper. Interview your partner to see what skills he/she can bring to this position.

Structure I
Expressing everyday activities
The verb *venir*

	VENIR (TO COME)			STEM	+	ENDING
Present	Je	viens	dans un instant.	vien		s
	Tu	viens,	Sylvie?	vien		s
	Elle	vient	tout de suite.	vien		t
	Nous	venons	à l'université.	ven		ons
	Vous	venez	maintenant?	ven		ez
	Ils	viennent	avec leurs amis.	vienn		ent
Passé Composé	Je	suis venu	à l'heure.			
	Elles	sont venues	en retard.			

A. **Les invités.** Qui vient célébrer l'anniversaire de Jean-Philippe?
Faites des phrases avec le verbe **venir.**

1. Monique/avec Paul
2. ses copains/avec leurs amis
3. nous/avec nos cadeaux
4. vous/avec Susanne
5. je/avec le professeur
6. Anne et Sylvie/avec Pataud

B. **Le lendemain.** (*The next day.*) Jean-Philippe parle de son anniversaire à son oncle. Mettez les phrases de l'activité A au passé composé.

C. **Interview.** Demandez à votre partenaire...

1. à quelle heure il/elle est venu/e à l'université
2. qui est venu en retard au cours de français
3. qui est venu à sa fête d'anniversaire l'année dernière
4. qui est venu chez lui/elle le week-end dernier
5. s'il va venir au cours demain

Structure II
Reporting and identifying
The verb *dire*

	DIRE (TO SAY; TO TELL)			STEM	+	ENDING
Present	Je	**dis**	non.	di		s
	Tu	**dis**	la vérité?	di		s
	On	**dit**	au revoir.	di		t
	Nous	**disons**	qu'il est beau.	dis		ons
	Vous	**dites**	que c'est faux.		dites	
	Ils	**disent**	leurs opinions.	dis		ent
Passé Composé	Ils	**ont dit**	bonjour.			

a. The verb **dire** may be followed by a noun or by a clause intro-
    duced by **que.** In French, **que** must always be used to introduce a
    clause after the verb **dire.** This is not always the case in English.

    Jean-Philippe dit que Mme X est mystérieuse.
    Jean-Philippe says [that] Mrs. X is mysterious.

b. The expression **vouloir dire** is the equivalent of *to mean.*

    Tu veux dire qu'il faut compter au moins le double, c'est ça?
    You mean that we'll have to count on at least twice as many, right?
    Qu'est-ce que le mot *aspirateur* veut dire?
    *What does the word **aspirateur** mean?*

Pratique et conversation

A. **On parle beaucoup.** Qu'est-ce que ces personnes disent? Com-
    posez des phrases.

    1. Mme Chevalley/dire/bonjour/à M. Ibn Hassam.
    2. Nous/dire/au revoir/à nos parents.
    3. Vous/dire/que sa réponse est correcte.
    4. Tu/dire/ton opinion.
    5. Qu'est-ce que je/dire?
    6. Elles/dire/toujours la vérité.

B. **Hier.** Composez des phrases au passé. Hier...

1. Je/dire/au revoir à mon ami.
2. Mes parents/dire/de rentrer à l'heure.
3. Sylvie/ne... pas/dire/bonjour à Mme X dans le couloir.
4. Nous/dire/nos opinions.
5. Tu/ne... pas/dire la vérité.

C. **Que dites-vous?** Qu'est-ce qu'on dit dans les situations suivantes?

MODÈLE   Quand vous voyez un copain, vous dites *Salut.*

1. Quand je ne sais pas le nom d'un étudiant, je...
2. Quand mon ami/e ne sait pas s'il pleut, il/elle...
3. Quand nous ne savons pas l'heure, nous...
4. Quand le prof ne sait pas mon numéro de téléphone, il/elle...
5. Quand tu ne sais pas le titre d'un film au cinéma, tu...

D. **Que veut dire... ?** Your teacher will give you a card with five vocabulary words on it. Quiz your partner about their meanings.

MODÈLE   aspirateur
Vous: **Que veut dire le mot *balai*?**
Votre partenaire: **Le mot *balai* veut dire *broom*.**

E. **Les proverbes.** Parfois, les proverbes remplacent toute une pensée. Qu'est-ce que les proverbes suivants veulent dire? Expliquez en français.

1. Vouloir c'est pouvoir.
2. L'habit ne fait pas le moine.
3. Loin des yeux, loin du cœur.
4. Pas de nouvelles, bonnes nouvelles.

Structure III
Expressing knowledge and ability
The verb *savoir*

	SAVOIR *(TO KNOW)*			STEM	+ ENDING
Present	Je	**sais**	la réponse.	sai	s
	Tu	**sais**	passer l'aspirateur.	sai	s
	Il	**sait**	la leçon.	sai	t
	Nous	**savons**	le français.	sav	ons
	Vous	**savez**	que je suis américain.	sav	ez
	Elles	**savent**	nager.	sav	ent
Passé Composé	Nous	**avons su**	la vérité.		

a. The verb **savoir** means *to know* (a fact). It may be followed by a noun or by a clause introduced by **que.**

Je sais la réponse.
I know the answer.
Je sais que c'est l'anniversaire de Jean-Philippe.
I know that it is Jean-Philippe's birthday.

b. When followed by an infinitive, **savoir** means *to know how to.*

J'espère que tu sais passer l'aspirateur.
I hope that you know how to run the vacuum.

c. In the **passé composé, savoir** may mean *to find out.*

Elle a su la réponse.
She found out the answer.

Pratique et conversation

A. **Dans l'immeuble.** Composez des phrases.

1. Mme Chevalley/savoir/beaucoup de choses sur les autres locataires.
2. Nous/savoir/que Mme X n'est pas une espionne *(spy)*.
3. Les Silvestri/savoir/faire la cuisine italienne.
4. Tu/savoir/que les Ibn Hassam sont algériens?
5. Je/ne... pas/savoir/qui est M. Péreira.
6. Vous/savoir/parler arabe?

B. **Qu'est-ce que vous savez faire?** Demandez à votre partenaire s'il/elle sait...

1. parler russe
2. préparer une omelette
3. faire la cuisine mexicaine
4. beaucoup de choses sur la France
5. jouer du piano

C. **Qualifications.** Qu'est-ce qu'il faut savoir pour exercer les professions ou les métiers suivants?

1. interprète
2. caissier
3. musicien
4. serveur
5. athlète

Pendant la boum

HENRI:	Bon anniversaire! Ce cadeau, Jean-Philippe, c'est de ma part.°
JEAN-PHILIPPE:	Un autre cadeau? Vraiment, tu me gâtes! Oh! Une cassette de jazz! C'est chic de ta part, Henri. Merci beaucoup! Allez, on la met tout de suite! Et pendant ce temps, Madeleine, tu peux couper le gâteau?
MADELEINE:	Mmm! Très volontiers!° Je vais le couper et me servir, euh... je veux dire le servir!
JEAN-PHILIPPE:	Mais ne le renverse pas comme Sylvie a fait l'année dernière.
SYLVIE:	Tu n'oublies rien,° Jean-Philippe!

from me

Very gladly!

You don't forget anything

Avez-vous suivi?

1. Qu'est-ce qu'Henri donne à Jean-Philippe?
2. Qu'est-ce qu'on va faire tout de suite?
3. Qui va couper le gâteau?
4. Qui a renversé le gâteau l'année dernière?
5. Qui n'oublie rien?

Autrement dit

Pour remercier

Merci beaucoup (Monsieur, Madame, Mademoiselle, Henri).
      mille fois
    □ infiniment
□ Je ne sais pas comment vous remercier.
  C'est (vraiment) très gentil de ta/votre part.
           très aimable
        ◇ chic

Pour répondre au remerciement

[Il n'y a] pas de quoi.
De rien.
◇ Je t'en prie.
□ Je vous en prie.

Pour fêter un anniversaire

  Bon anniversaire!
Joyeux

Pour exprimer la chance

+	−

J'ai de la chance.
    de la veine.
 	
 Quelle chance!
    veine
 	
 Veinard!
	Je n'ai pas de chance.
	    de veine
	
	 Quelle déveine.

Pour célébrer une fête

Joyeux Noël!
Bonne année!
Bonne fête!

Pour féliciter

Félicitations!
Toutes mes félicitations!
Je te/vous félicite!
Bravo!
◇ Chapeau!
Je suis content/e pour toi/vous.

Des amuse-gueules

des chips	*potato chips*
du punch	*punch*
des cacahuètes	*peanuts*
des olives	*olives*
des petits biscuits secs	*cookies*
des boissons alcoolisées	
non-alcoolisées	
gazeuses	
des jus de fruit	*fruit juices*
du gâteau	*cake*

Quand vous êtes invités, apportez un petit cadeau.
des chocolats
des fleurs
une bouteille de vin
une plante

Pratique et conversation

A. **Célébrations.** Que dites-vous dans les situations suivantes?

1. C'est l'anniversaire de votre ami/e.
2. C'est le 25 décembre.
3. Votre ami/e a réussi à un examen difficile.
4. Vos parents vous achètent une nouvelle chemise.
5. C'est le premier janvier.
6. Un/e ami/e a bien joué au tennis.

B. **Un anniversaire de plus!** It's your birthday and several of your classmates surprise you with a nice gift. What would be an appropriate conversational exchange?

C. **Votre anniversaire.** Qu'est-ce que vous allez servir à votre anniversaire? Faites le menu.

D. **Des amuse-gueules.** Classez les amuse-gueules suivants.

	SUCRÉS (SWEET)	SALÉS (SALTY)
des olives		
des petits biscuits secs		
des chocolats		
des cacahuètes		
des chips		
du gâteau		

Structure IV
Talking about everyday activities
The verb *mettre*

	METTRE (TO PUT, TO PLACE)			STEM +	ENDING
	Je	**mets**	la table.	met	s
	Tu	**mets**	une cravate.	met	s
	On	**met**	la cassette.	met	
Present	Nous	**mettons**	le disque.	mett	ons
	Vous	**mettez**	un manteau.	mett	ez
	Elles	**mettent**	le livre sur la table.	mett	ent
Passé Composé	Hier, j'	**ai mis**	ma cravate bleue.		

a. The verb **mettre** means *to put* or *to place*.

Sylvie met le gâteau sur la table.
Sylvie is putting the cake on the table.

b. It can mean *to put on* when used with clothing, records, cassettes, or music.

M. Bordier met une cravate pour aller au bureau.
Mr. Bordier puts on a tie when he goes to the office.
Mettons un disque tout de suite.
Let's put on a record right away.

Pratique et conversation

A. **Qu'est-ce qu'on met?** What does each of these people put on in the following circumstances?

MODÈLE   M. Bordier... pour aller au bureau.
           M. Bordier met une cravate pour aller au bureau.

1. Nous... pour faire du ski.
2. Nicole et Jeanne... pour aller au bal.
3. Mes parents... pour aller au théâtre.
4. Nous... pour aller à un concert de jazz.
5. Je... pour aller en classe.
6. Tu... pour dîner au restaurant.

B. **L'espion.** Someone is spying on the people in the apartment building. Play the role of the spy and say what they are doing.

C. **Interview.** Demandez à votre partenaire...

1. s'il/elle a mis une cravate/une jupe hier
2. quand il/elle met une cravate/une jupe d'habitude
3. quand il/elle met un chapeau/des gants d'habitude
4. s'il/elle met une cassette quand il/elle étudie
5. qui met la table chez lui/elle

Structure V
Referring to someone already mentioned
Object pronouns *me, te, nous, vous*

a. In French, a verb may be followed by a direct object or by an indirect object.

SUBJECT	VERB	DIRECT OBJECT
Je	regarde	la télévision.
Nous	écoutons	le professeur.

SUBJECT	VERB	INDIRECT OBJECT
Il	téléphone	à Madeleine.
Vous	parlez	aux étudiants.

Generally, French verbs are followed by the same type of object as English verbs with several important exceptions.

Verbs that take a direct object in French but not in English:
regarder (quelque chose)
écouter (quelque chose)
chercher (quelque chose)
payer (quelque chose)

Verbs that take an indirect object in French but not in English:
obéir à (quelqu'un)
téléphoner à (quelqu'un)

b. Object pronouns are used to refer to or replace the direct or indirect object. The first-person and second-person forms of the direct and indirect object pronouns are identical.

DIRECT OBJECT PRONOUNS

Subject	Direct object	Verb
Tu	me	gâtes.
Je	te	félicite.
Il	nous	regarde.
Je	vous	remercie.

INDIRECT OBJECT PRONOUNS

Subject	Indirect object	Verb
Tu	me	parles.
Je	te	téléphone.
Il	nous	parle.
Je	vous	dis la vérité.

c. In most cases, direct and indirect object pronouns are positioned before the verb of which they are objects.

Il me parle.
Il va me parler.

d. In the **passé composé,** the object pronouns precede the auxiliary.

SUBJECT	OBJECT	AUX.	PAST PARTICIPLE	
Jean-Philippe	**m'**	a	invité	à sa boum.
Je	**vous**	ai	dit	la vérité.

e. When negating a verb preceded by an object pronoun, the object pronoun is placed between **ne** and the verb.

SUBJECT	NE	OBJECT PRONOUN	VERB	PAS
Il	ne	**me**	parle	pas.
Vous	ne	**nous**	regardez	pas.

f. In the **passé composé,** the negation surrounds the object pronoun and auxiliary.

SUBJECT	NE	OBJECT PRONOUN	AUX.	PAS	PAST PARTICIPLE	
Il	ne	**nous**	a	pas	parlé	de son voyage.
Tu	ne	**m'**	as	jamais	dit	au revoir.

Pratique et conversation

A. **Quelle générosité!** Your friend cannot believe that you are going for a year abroad and are leaving so much for his/her use.

MODÈLE   chaîne stéréo
Votre camarade: **Tu me laisses** *(leave)* **ta chaîne stéréo?**
Vous: **Oui, je te laisse ma chaîne stéréo.**

1. télévision   4. magnétoscope
2. vêtements   5. radio
3. disques

B. **Encore des généreux.** Your parents are leaving for a cruise and permit you and your sisters and brothers to use the following. (One student can speak for the parents.)

MODÈLE   la maison
          Vous: **Vous nous laissez la maison?**
          Vos parents: **Oui, nous vous laissons la maison.**

1. les cartes de crédit   4. le magnétoscope
2. la voiture   5. le bateau *(boat)*
3. la télévision   6. les vêtements

C. **Interview.** Demandez à votre partenaire s'il/elle...

1. va vous inviter à sa boum
2. va vous parler après le cours
3. va vous téléphoner ce soir
4. vous a acheté un cadeau
5. vous a dit la vérité

Structure VI

Referring to someone or something already mentioned
The direct object pronouns *le, la, les*

a. In the third person, there are different forms for direct and indirect object pronouns. In this chapter, you will learn the forms of third-person *direct* object pronouns. The placement rules for third-person pronouns are the same as those you learned for **me, te, nous,** and **vous.**

b. The third-person direct object pronouns look like the definite noun marker. In the singular, **le** replaces a masculine noun and **la** replaces a feminine noun. Both **le** and **la** become **l'** before verbs beginning with vowels. All plural nouns are replaced by **les.**

Madeleine, tu peux couper **le gâteau?**
Je vais **le** couper.
Une cassette de jazz! On **la** met tout de suite!
Tu aimes **tes cadeaux,** Jean-Philippe?
Oui, je **les** aime beaucoup!

c. In the **passé composé,** the past participle agrees in gender and number with any direct object that precedes the verb. This direct object may be an object pronoun or a phrase with **quel.**

Les cassettes? Je les ai mises sur la table.
        f.pl.   f.pl.

Quelle cassette est-ce que tu as mise?
        f.s.   f.s.

Pratique et conversation

A. **Vous êtes végétarien.** Qu'est-ce que vous mangez? Qu'est-ce que vous ne mangez pas?

MODÈLE   les carottes
          Votre camarade: **Est-ce que tu manges les carottes?**
          Vous: **Oui, je les mange.**
                Non, je ne les mange pas.

1. le jambon   6. la glace
2. les gâteaux   7. le poulet
3. les chips   8. la pizza
4. les olives   9. les saucisses
5. le bœuf   10. le pâté

B. **Qu'est-ce que vous aimez?** Vous faites des achats avec votre mère. Elle veut vous acheter quelque chose, mais parfois vous n'aimez pas ses choix. Répondez honnêtement à ses suggestions.

MODÈLE   ces cravates à pois
          Votre camarade: **Est-ce que tu aimes ces cravates à
                          pois?**
          Vous: **Non, je ne les aime pas.**

1. ce costume orange et vert
2. ces boucles d'oreille
3. ces chaussures à talons hauts
4. cette jupe rayée
5. cette chemise à motif
6. ce bracelet
7. ces pantoufles
8. ce chapeau rouge

C. **Interview.** Posez ces questions à votre partenaire. Il/Elle va employer des pronoms dans sa réponse. Demandez à votre partenaire s'il/elle...

1. va repasser ses chemises ce soir.
2. fait ses devoirs régulièrement.
3. regarde souvent la télé.
4. écoute toujours son professeur.
5. aime les films français.
6. va voir ses amis ce soir.

D. **Partir en vacances.** Vous partez en vacances et vous avez beaucoup de choses à faire. Vos parents vous posent des questions. Répondez selon le modèle.

MODÈLE   Tu as repassé tes chemises? (oui)
          Oui, je les ai repassées.

1. Tu as vu tes amis? (oui)
2. Tu as fait la lessive? (non)
3. Tu as fait tes réservations? (oui)
4. Tu as acheté ton maillot de bain? (non)
5. Tu as acheté tes guides? (non)
6. Tu as réservé ton hôtel? (oui)
7. Tu as fait ta valise *(suitcase)*? (non)

SITUATION

3 — Après la boum

JEAN-PHILIPPE:	Mais regarde! Quel désordre!
ANNE-MARIE:	Ta mère ne va pas être contente. Quand elle va voir ça, elle va faire une de ces têtes.
SYLVIE:	Tu vois, Jean-Philippe, les grands sont plus cochon que les petits.
JEAN-PHILIPPE:	Tu as peut-être raison, mais les grands sont moins ennuyeux que les petits. *[Aux invités]* Vous pouvez m'aider à nettoyer?
ANNE-MARIE:	Bien sûr! Tiens, on va commencer par mettre toutes les ordures° ici, et les bouteilles vides là-bas.
SYLVIE:	Tu as vu ça, Jean-Philippe?
JEAN-PHILIPPE:	Quoi?
SYLVIE:	Là sur le tapis.°
JEAN-PHILIPPE:	Eh bien, qu'est-ce qu'il y a sur le... Oh! Non! J'ai bien dit à Patrick de *ne pas* amener son chien!

waste, garbage

rug

Avez-vous suivi?

1. Pourquoi est-ce que la mère de Jean-Philippe ne va pas être contente?
2. Qui est plus cochon, les grands ou les petits?
3. Qui est plus ennuyeux, les grands ou les petits?
4. Qui va nettoyer?
5. Qui a amené son chien?

Autrement dit

Pour exprimer sa colère

Quand elle va voir ça, elle va faire une de ces têtes.

    être furieuse, *FURIEUX*
    être en colère

Tout ce désordre!	Ça m'agace!	*It annoys/aggravates*
	◇ m'embête!	*me.*
	C'est agaçant.	*It is annoying/*
	◇ embêtant	*aggravating.*
	énervant	

Sylvie est pénible!   *Sylvie is annoying/*
                                 difficult.

Elle m'agace.
    m'embête
    m'énerve

Pour dire qu'on est content

Je suis content/e.
    heureux/heureuse
    ravi/e   *delighted*   ◇ = *SLANG TERM*
C'est très bien!
    parfait   *perfect*
  ◇ chouette   *neat*
Formidable!   *Great!*

Pratique et conversation

A. **Reactions.** Complétez les phrases.

1. Je suis content/e quand...
2. Je suis furieux/furieuse quand...
3. Quand je réussis à un examen, je suis...
4. Quand on me ment, je suis...
5. ... m'agace.
6. ... est embêtant.

B. **Que dites-vous?** Qu'est-ce que vous dites dans ces situations?

1. Vous arrivez en retard au cours de français et vous avez oublié vos livres à la maison.
2. Vous avez gagné un million de francs à la loterie.
3. Vos petits frères et sœurs ont cassé *(broke)* votre chaîne stéréo.
4. Votre camarade vous fait une boum.
5. Quelqu'un a volé *(stole)* votre voiture.
6. Vous avez reçu une bonne note *(grade)* dans la classe de français.

Structure VII
Expressing quantities
The adjective *tout*

Madeleine a fini **tout** le gâteau!
Et elle a mangé **toute** la glace!
Maman, je peux inviter **tous** mes amis à mon anniversaire?
On va commencer par mettre **toutes** les ordures ici.

a. The adjective **tout** means *all*. Notice its forms in the examples above. The masculine plural **tous** is irregular.

b. **Tout le monde** means *everyone*. When **tout le monde** is the subject of a sentence, the verb is always in the third-person singular.

Tout le monde a dit «bon anniversaire» à Jean-Philippe.
Everyone said "happy birthday" to Jean-Philippe.

Pratique et conversation

A. **Complétez la phrase.** Mettez la forme correcte de l'adjectif **tout**.

1. _____ les amis de Jean-Philippe sont à sa boum.
2. Jean-Philippe regarde _____ les cadeaux.
3. Jean-Philippe aime _____ les cassettes qu'il a reçues.
4. Anne-Marie met _____ les assiettes sur la table. Elle va servir le gâteau. Mais...
5. ... est-il possible? Madeleine a mangé _____ le gâteau!

B. **Quel cochon!** You are starving, but your roommate got home before you and emptied the refrigerator. Express your anger and disbelief.

MODÈLE   finir la bouteille de limonade
        Votre camarade: **J'ai fini la bouteille de limonade.**
        Vous: **Tu as fini toute la bouteille de limonade?**

1. manger le fromage
2. finir les gâteaux
3. manger la salade
4. finir le bifteck
5. manger la tarte aux pommes
6. finir le pain
7. manger une douzaine d'œufs

C. **Qu'est-ce que je vais acheter?** You are trying to decide what to buy your friend for his/her birthday. Using expressions of quantity such as **beaucoup de, trop de,** and **assez de,** try to figure out his/her needs.

MODÈLE   Vous: **As-tu assez de cravates?**
        Votre ami/e: **Oui, j'ai beaucoup (trop) de cravates.**
             (ou: **Non, je n'ai pas assez de cravates.**)

D. **Quel est le problème?** Décrivez le problème des personnes ci-dessous en utilisant une expression de quantité.

Structure VIII
Describing
The comparative

THE COMPARATIVE						
Les grands	sont	**plus**	cochon	**que**	les petits.	
Les grands	sont	**moins**	ennuyeux	**que**	les petits.	
Les grands	sont	**aussi**	intéressants	**que**	les petits.	

a. For comparisons of superiority, use **plus** *(more)* before the adjective and **que** *(than)* before the person or object to which the comparison is being made. For comparisons of inferiority, use **moins... que** *(less . . . than)*. **Aussi... que** *(as . . . as)* is used for comparisons of equality.

b. The adjective **bon** has an irregular comparative of superiority, **meilleur.**

   La cassette de jazz est **meilleure que** la cassette de rock.

c. After **que,** the following transformations take place in comparisons.

   je → moi   te → toi   il → lui   ils → eux

   Je suis plus intelligent que **toi.**
   Nous sommes plus heureux qu'**eux.**

d. To indicate the superlative, add the definite noun marker to the comparative. Note that the group or context which you are using as your framework for comparison is introduced by the preposition **de.**

THE SUPERLATIVE					
Les grands	sont	**les**	**plus**	cochon	**de** tous les invités.
Ces exercices	sont	**les**	**moins**	difficiles	**du** livre.
Cette cassette	est	**la**	**meilleure**		**de** la collection.

e. In the superlative, the adjective maintains its normal position before or after the noun.

   C'est l'étudiant le plus intelligent de la classe.
   C'est la meilleure étudiante de la classe.

Pratique et conversation

A. **Sondage.** Donnez votre opinion de ces catégories, puis comparez vos réponses avec les autres.

> MODÈLE le cours de français/le cours de russe/facile
> **Le cours de français est plus facile que le cours de russe.**

1. je/mon partenaire/intelligent/e
2. les devoirs de mon partenaire/mes devoirs/bons
3. le livre de français/le livre d'histoire/intéressant
4. la classe de philosophie/la classe d'histoire/ennuyeuse
5. le joueur de hockey/le joueur de basket/grand
6. le président des États-Unis/le président du club français/ important
7. le Fantôme de l'Opéra/le Prince Charmant/beau
8. Cendrillon/ses sœurs/belle/s

B. **Interview.** Demandez à un/e camarade s'il/elle est...

1. plus grand/e que son père
2. plus âgé/e que son frère ou sa sœur
3. plus beau/belle que son frère ou sa sœur
4. plus intelligent/e que son frère ou sa sœur
5. plus cochon que son frère ou sa sœur

C. **Listes.** What can you say about the following people/places using the comparative and the superlative? You may wish to use the adjectives in parentheses, but be sure to add some of your own!

1. les États-Unis, la France, le Japon, le Luxembourg (grand, petit, riche, important, ???)
2. le français, l'espagnol, la chimie, la sociologie (facile, difficile, utile, ???)
3. le lait, la bière, le vin, le coca (nutritif, élégant, sucré, délicieux, ???)
4. les chats, les chiens, les oiseaux (birds), les rats (gentil, intelligent, rapide, ???)
5. la tour Eiffel, Notre-Dame, la tour Maine-Montparnasse, le Louvre (impressionnant, moderne, ancien, grand, ???)

D. **Statistiques et opinions.** Répondez aux questions suivantes.

1. Quelle est la plus grande ville de la France?
2. Quelle est la cathédrale la plus célèbre de Paris?
3. Quel est le plus grand état des États-Unis?
4. Quelle est la plus belle langue?
5. Qui est le moins grand étudiant de la classe?

E. **Mes amis.** Tell the class about your group of friends: who they are, what they look like, and what they are like personally. Then, compare yourself to one or all of them using at least five different characteristics, including honesty, sincerity, seriousness, generosity, personal happiness, etc.

 # Lecture I
LE CARNET DU JOUR

One section found in many French-language newspapers is known as the **Carnet du jour.** Printed here are notices of births, marriages, and deaths, as well as thank-you notes.

Avant de lire

A. **Vocabulaire.** Indiquez quelle/s expression/s dans la colonne A correspond/ent à quelle situation dans la colonne B.

A	B
1. _____ Nous sommes très touchés de...	a. une naissance
2. _____ Nous avons la joie d'annoncer...	b. des fiançailles
3. _____ Nous prenons part à votre peine...	c. un remerciement
4. _____ Nous vous félicitons pour...	d. un décès
5. _____ M. et Mme Faure ont le bonheur de vous faire part de...	e. un mariage
6. _____ La famille Ancel a le grand regret de vous annoncer...	

B. **Événements.** Classez les mots suivants sous la rubrique correcte.
(N.B. Une expression peut correspondre à plusieurs rubriques.)

	LES NAISSANCES	LES MARIAGES	LES DÉCÈS
l'absoute			
la bénédiction nuptiale			
le faire-part			
les funérailles			
les fleurs			
la joie			
la messe			
le cimetière			
l'église			

NAISSANCES

—*Alain et Françoise VOLPER née PITIOT laissent à Charlotte et Justine la grande joie d'annoncer la naissance de leur petit frère*
SIMON
le 5 juillet 1985. Paris Lyon.

M5329299

MARIAGES

—*M. Jean GRAVIERO;*
Mme Georges LOUVET;
M. et Mme Paul MERCIER;
M. et Mme Luc HARTEMANN,
ont la joie d'annoncer le mariage de leurs petits-enfants° et enfants
Colette et Yves
qui aura lieu° en l'église de Gré-zieu-la-Varenne le vendredi 12 juillet 1985 à seize heures.

M5327305

petits-enfants° — grandchildren

aura lieu° — will take place

DÉCÈS

Lyon Morancé. —
Mme Jean Ferrat;
M. et Mme Daniel Girerd;
Agathe, Amélie, Adeline, Alyette;
M. et Mme Laurent Ferrat;
Marie, Loraine, Perrine, Victoire;
M. et Mme Denis Florin;
Sybille, Laure;
M. et Mme Henri Girerd;
et la famille Recorbet,
ont le chagrin de vous faire part° du décès de

Madame Robert FOUASSIER
née Marie-Antoinette ODIN

le 9 juillet 1985. La cérémonie religieuse sera° célébrée le jeudi 11 juillet, à quatorze heures trente, en l'église de Morancé.

M5329292

faire part° — announce

sera° — will be

Lyon. —Le commandant Cornu son Frère, Madame et ses enfants; les familles Labat, Fillion, Schmitt, Horny, et leurs enfants; les parents et alliés, ont la douleur de vous faire part du décès de

Mademoiselle Georgette CORNU
institutrice honoraire

Les obsèques auront lieu° le samedi 13 juillet à neuf heures en l'église du Sacré-Cœur, rue Charrial où le deuil se réunira°. L'inhumation aura lieu au nouveau cimetière de la Croix-Rousse vers dix heures trente. Cet avis° tient lieu° de faire-part°.
Nous remercions par avance toutes les personnes qui par leur présence, leurs envois de fleurs, leurs messages, leurs prières ont pris par° à notre peine et nous ont témoigné° leur sympathie et leur amitié.

S5023326

auront lieu° — will take place

se réunira° — will gather

avis° — notice
tient lieu° — takes the place
de faire-part° — formal announcement

pris par° — shared
témoigné° — bore witness

Décines, Domont, Lyon. —Mme Emile Dubier; M. et Mme Michel Dubier et leurs enfants; M. et Mme Gérard Dubier et leurs enfants; M. Robert Malatier, ses enfants et petits-enfants; parents et amis, ont la douleur de vous faire part du décès de

Monsieur Emile Jean DUBIER

survenu dans sa 79ᵉ année. L'inhumation aura lieu au cimetière de Décines le vendredi 12 juillet 1985 à quinze heures. Ni fleurs, ni° couronnes.°
Cet avis tient lieu de faire-part.
Les familles remercient par avance toutes les personnes qui prendront part° à leur peine. S5349118

Ni...ni° — neither ... nor
couronnes° — wreath

prendront part° — will share

REMERCIEMENTS

◆ **CARMAUX—PONT—DE—L'ARN—PE—GOMAS—SAINT—BENOIT—DE—CARMAUX.**
—Madame André FOREST; Monsieur Gérard FOREST et son fils Christophe; Monsieur et Madame Claude FOREST et leur fille Mélanie; Madame veuve° Hermine FOREST; les familles FOREST, LACROUX, ABADIE, MORALES, MATTIO, FRESNEAU, GILI, COMBES, parents et alliés remercient bien sincèrement toutes les personnes qui ont assisté° aux obsèques de

Monsieur André FOREST

ainsi que celles° qui leur ont fait parvenir° des marques de sympathie en cette douloureuse circonstance.

veuve° — widow

ont assisté° — attended

celles° qui leur ont fait parvenir° — as well as those who sent them

A. **Faits divers.** Répondez aux questions suivantes.

1. Quelle est la profession de Mlle Cornu?
2. Quelle est la date de l'anniversaire de Simon Volper?
3. M. Dubier est mort à quel âge?
4. Qui est la sœur de Justine?
5. Qui est le père de Christophe Forest?
6. Qui est amoureux de Colette?

B. **Avez-vous entendu dire que... ?** Choose one notice given above. Pretend the others have not seen today's paper and tell them what you read about this person, mentioning everything you can about the event and the person: age, names of relatives, occupation, etc.

C. **Dates importantes.** Racontez aux autres quelques dates et événements importants dans votre famille.

MODÈLE **Je suis né/e le 14 août 1972.**
Mon grand-père/Ma grand-mère est mort/e l'année dernière.
La date de l'anniversaire du mariage de mes parents est le 19 octobre.

 # Lecture II

YVES ET VÉRONIQUE

What are dating and courtship like in France? Does the man still take the first steps or has the woman begun to take more initiative? The following text represents one man's point of view.

Avant de lire

A. **L'homme ou la femme?** Selon vous, est-ce que c'est à l'homme ou à la femme de faire les actions suivantes, ou est-ce que les deux peuvent les faire?

1. draguer quelqu'un (*to pick up someone*)
2. prononcer les premiers mots
3. inviter au restaurant
4. offrir des fleurs
5. proposer le mariage

B. **La première rencontre.** Quand vous rencontrez° un homme/ °meet
une femme pour la première fois, qu'est-ce que vous dites?
Quelles formules est-ce que vous employez? Est-ce qu'elles sont
naturelles?

C. **L'amour.** Répondez aux questions suivantes. Basez vos réponses
sur vos expériences personnelles.

1. Est-ce que vous avez rencontré quelqu'un récemment?
2. Comment est-ce que vous avez rencontré cette personne?
3. Est-ce que vous l'avez dragué/e? Est-ce qu'il/elle vous a
   dragué/e?
4. Qui a prononcé les premiers mots? Racontez la conversation.
5. Est-ce que vous sortez avec lui/elle en ce moment?
6. Qui prend l'initiative?

Lisons

On me dit que tu (toi la femme) tu passes ta vie à te préoccuper de
l'homme. Je suis un homme et je peux témoigner° que tu n'as jamais ° bear witness, testify
pris l'initiative de venir à moi. C'est moi toujours qui dois° prononcer ° must
les premiers mots: «Vous êtes contente de votre travail?» «Vous venez
ici souvent?» «Vous avez l'air d'une étrangère.» J'essaie parfois de
varier la mise en scène° ou le texte, pas pour te faire plaisir, pour me ° scenario
mépriser° un peu moins, pour oublier mon rôle. Mais si je m'éloigne° ° to scorn myself; distance
trop des formules conventionnelles, tu fuis.°   myself; flee

Écoute bien: toi et moi sommes autant° responsables l'un que ° as much, equally
l'autre de ce qui se passe° entre nous et entre tous les hommes…. Il n'y ° for what happens
a aucune bonne raison pour que je sois seul à faire le travail.° Depuis° ° There is no good reason
des millions d'années les mâles ont pris en charge les rapports entre les   why I should do the
gens. Des millions d'années, c'est beaucoup, nous sommes fatigués.   work myself; For
Chacun son tour,° à toi maintenant, à vous les femmes. Renversons° ° To each one his turn; Let's
les rôles: *drague-moi*, fais-moi la cour,° espère mes sourires,° viens   reverse; court me; smiles
chanter la sérénade sous mes fenêtres. Oui, veux-tu? Prends ma place,
prends l'initiative. Tu auras° plus de bonheur° que moi aujourd'hui. ° You will have; happiness
Je ne serai° pas difficile à séduire.° Tu n'auras qu'un signe à faire,° un ° I will not be; seduce; just
petit mot et je serai à toi.   give a signal

De *Yves et Véronique* par Guy Sitbon, Éditions Bernard Grasset.

Avez-vous suivi?

A. **Où dans le texte?** Trouvez une phrase dans le texte qui indique
que chaque phrase ci-dessous est vraie.

1. L'auteur fait des reproches aux femmes.
2. Les femmes préfèrent les formules conventionnelles quand elles rencontrent un homme pour la première fois.
3. L'auteur cherche un effort collaboratif entre les hommes et les femmes.
4. L'auteur veut que les femmes prennent l'initiative.
5. L'auteur ne va pas résister aux avances de la femme.

B. **Une petite annonce.** Complétez la petite annonce suivante d'après le texte.

Homme, 35 ans, 1,80 m. honnête, ouvert, sympathique, cherche femme ouverte et _____. J'aime les femmes qui _____ et qui _____. Alors, renversons les rôles: _____! _____! Fais-moi signe, et je suis à toi.

Activités

A. **Une boum.** Décrivez une de vos boums à votre partenaire. Qui avez-vous invité? Qu'est-ce que vous avez servi? Est-ce que vos invités ont apporté des cadeaux?

B. **Invitations.** Invitez les membres de votre groupe à faire quelque chose avec vous. Ils vont accepter ou refuser.

C. **Photos.** Apportez des photos de votre famille, de vos amis, ou des personnages célèbres en classe. Faites une comparaison des personnes sur les photos.

D. **Rencontres.** Est-ce que vous sortez avec quelqu'un maintenant? Racontez la première rencontre: Qui a dragué qui? Qui a prononcé les premiers mots? Qu'est-ce que vous avez fait ensuite? Décrivez la première fois que vous êtes sorti/e avec cette personne. Où êtes-vous allés? Qu'est-ce que vous avez fait?

Vocabulaire actif

agaçant	*annoying, aggravating*	un **aspirateur**	*vacuum cleaner*
agacer	*to annoy, to aggravate*	**aussi... que**	*as . . . as*
aider	*to help*	**avoir raison**	*to be right*
amener	*to bring*	un **balai**	*broom*
un **amuse-gueule**	*snack*	**balayer**	*to sweep*
un **anniversaire**	*birthday*	un **biscuit sec**	*cookie*
un **appareil ménager**	*household appliance*	une **boum**	*party*
arroser	*to water*	une **bouteille**	*bottle*

une **cacahuète**	peanut	**inviter**	to invite
une **centaine**	around one hundred	**Je t'en prie!/Je**	You're welcome!
la **chance**	luck	**vous en prie!**	
◇ **Chapeau!**	Congratulations!	un **jus**	juice
chic	nice	**laver**	to wash
un **chip**	potato chip	un **lave-vaisselle**	dishwasher
un **chocolat**	chocolate	une **machine à laver**	washing machine
◇ **chouette**	nice, great	**meilleur**	better, best
◇ **cochon**	sloppy	**mettre**	to put, to place, to put on
la **colère**	anger	**moins... que**	less . . . than
couper	to cut	**nettoyer**	to clean
une **cuisinière**	stove	une **olive**	olive
débarrasser	to clear	**parfait/e**	perfect
De rien!	You're welcome!	la **part**	behalf
le **désordre**	disorder	**passer l'aspira-**	to vacuum
la **déveine**	bad luck	**teur**	
dire	to say	**pénible**	annoying, difficult
une **dizaine**	around ten	une **plante**	plant
une **douzaine**	dozen	**plus... que**	more . . . than
◇ **embêtant**	annoying, aggravating	du **punch**	punch
◇ **embêter**	to annoy, to aggravate	**quelqu'un**	someone
énervant	annoying, aggravating	une **quinzaine**	around fifteen
énerver	to annoy, to aggravate	**ranger**	to straighten up, to clean
ennuyeux	boring		up
espérer	to hope	**ravi/e**	delighted
être en colère	to be angry	**remercier**	to thank
faire la cuisine	to cook	**rencontrer**	to meet
faire la lessive	to do laundry	**renverser**	to spill, to tip over
faire la vaisselle	to do the dishes	**repasser**	to iron
faire une tête	to be angry, to be unhappy	**savoir**	to know
Félicitations!	Congratulations!	un **séchoir**	dryer
féliciter	to congratulate	**seul/e**	alone
un **fer à repasser**	iron	**tout/e** (m. pl.	all
une **fleur**	flower	**tous**)	
formidable	terrific	**toute de suite**	immediately
un **frigo**	refrigerator	un/e **veinard/e**	someone who is lucky
furieux/	angry, furious	la **veine**	luck
furieuse		**venir**	to come
un **gâteau**	cake	**vide**	empty
gâter	to spoil	une **vingtaine**	around twenty
Il n'y a pas de	You're welcome!	une **vitre**	windowpane
quoi!		**vouloir dire**	to mean
un/e **invité/e**	guest		

Chapitre 9

Le mystère continue

La réapparition° de Mme X

reapparition° *reappearance*

ANNE:	Je l'ai vue, ce matin, quand je sortais. Un taxi l'attendait° devant l'immeuble.
MME BORDIER:	Qui ça?
ANNE:	Mme X!
MME BORDIER:	Alors, tu l'as saluée, au moins.°
ANNE:	Oh, je n'ose pas! Elle a l'air tellement inaccessible! Ce matin, elle était habillée tout en noir.
MME BORDIER:	Elle est peut-être en deuil.
ANNE:	Je ne pense pas. Elle était très maquillée, et littéralement couverte de bijoux! À sept heures du matin! Mais où est-ce qu'elle allait? Est-ce qu'elle partait en vacances? Mais elle n'avait pas de valises. Est-ce qu'elle...
MME BORDIER:	Vraiment, Anne! Tu commences à ressembler à Mme Chevalley!

l'attendait° *was waiting for her*

au moins° *at least*

Avez-vous suivi?

1. Qui est-ce qu'Anne a vu?
2. Qui l'attendait devant l'immeuble?
3. Est-ce qu'Anne l'a saluée? Pourquoi ou pourquoi pas?
4. Comment est-ce qu'elle était habillée?
5. À quelle heure est-ce qu'elle est partie?
6. À qui est-ce qu'Anne commence à ressembler? Pourquoi?

Autrement dit
La personnalité

−	+
Elle a l'air tellement inaccessible!	accessible
distante	chaleureuse
froide	gentille
arrogante	sympathique
prétentieuse	◇ sympa
introvertie	extravertie
timide	détendue
complexée	décontractée
	◇ relaxe
	drôle
	◇ marrante
Elle a un mauvais sens de l'humour	un bon sens de l'humour
Elle est de mauvaise humeur.	de bonne humeur

Les grands événements de la vie

Madame Chevalley parle de ses locataires...

Les fiançailles
Mademoiselle Oudin au troisième? Oui, j'ai vu qu'elle porte une **bague de fiançailles** maintenant. Elle m'a dit qu'elle **est fiancée.** Son **fiancé?** Je n'ose pas demander.

Le mariage
Monsieur Charpentier? Votre voisin? Oh, bien sûr qu'il **est marié.** Vous n'avez pas vu son **alliance?** Sa **femme** s'appelle Françoise.

M. Péreira n'est pas marié; il est **célibataire.**

Le divorce
Madame Colbert au deuxième? Elle est **divorcée.** Son **ex-mari** est Michel Lefèbre, le célèbre commentateur à la télé.

Les funérailles
Mme X? Habillée tout en noir? Elle est peut-être **en deuil.** Et moi, je suis une pauvre **veuve.** Mon cher mari est mort dans un accident de route.

Au mariage

Tous mes vœux de bonheur.
          compliments

Aux funérailles

Toute ma sympathie.
Je te/vous présente mes condoléances.
J'ai beaucoup de peine pour toi/vous.

Pratique et conversation

A. **Qu'est-ce que vous dites?** Décrivez les photos. Qu'est-ce qu'on
   dit dans ces situations?

B. **Les personnalités.** Donnez une description des personnes suivantes.

1. Vous êtes dans l'autobus et l'autre personne ne vous regarde pas.
2. Vous avez réussi à un examen et votre camarade vous félicite.
3. Vous êtes très triste et votre ami vous console.
4. Vous êtes avec un/e ami/e à une boum et votre ami/e hésite à parler avec les autres.
5. Vous avez sali (*dirtied*) la veste de votre camarade et il dit que ce n'est rien.
6. Votre petit frère amuse tout le monde à votre surprise-partie.

C. **Décrivez-vous.** Comment êtes-vous quand vous êtes de bonne humeur? de mauvaise humeur? Qu'est-ce que vous faites et dites?

Structure I
Describing in the past
The imperfect I

a. French has several past tenses. You have already studied the **passé composé.** In this chapter, you will learn the imperfect **(l'imparfait).**

b. The **passé composé** is used to recount past events and actions. It is used to tell what happened.

> Hier, **j'ai vu** Madame X. Elle **est partie** très tôt et elle **est rentrée** très tard.

c. The imperfect is used to describe people and places in the past.

> Ce matin, elle **était** habillée en noir.
> Elle **était** très maquillée.

d. Not only is the imperfect used for physical descriptions, but it is used also to describe states of mind in the past.

> **J'avais** envie de manger.
> Elle **voulait** partir.

e. To form the imperfect of any verb except **être**, drop the —**ons** of the **nous** form in present tense, and add the endings indicated below.

THE IMPERFECT			STEM + ENDING	
J'	**avais**	l'air timide.	av	ais
Tu	**avais**	peur.	av	ais
Il	**avait**	besoin de conseils.	av	ait
Nous	**avions**	soif.	av	ions
Vous	**aviez**	l'air relax.	av	iez
Elles	**avaient**	chaud.	av	aient

f. Note the forms of stem-changing verbs in the imperfect.

Je préférais...
Je payais...
J'achetais...

In the conjugation of **manger** and **commencer,** the final consonant of the stem is modified before endings that begin with **a**:

Je mangeais...   Tu commençais...
Ils mangeaient...   Elle commençait...

but: but:

Nous mangions...   Nous commencions...
Vous mangiez...   Vous commenciez...

g. **Être** has an irregular stem in the imperfect, **ét-**, to which the regular imperfect endings are added: **j'étais, tu étais,** etc.

Pratique et conversation

A. **Quand j'étais jeune...** Mettez les phrases suivantes à l'imparfait.

1. Il /faire/ souvent beau au printemps.
2. Notre appartement /être/ très petit.
3. Je /avoir/ les cheveux blonds.
4. Mon petit frère /être/ méchant.
5. Je ne... pas /vouloir/ parler aux adultes.
6. Je /avoir/ beaucoup de copains.
7. Ils /être/ très sympathiques.
8. Mon père /aimer/ faire du jardinage.

B. **Interview.** Comment était votre partenaire quand il/elle était jeune? Demandez à votre partenaire s'il/elle...

1. avait les yeux bleus/les cheveux blonds
2. était méchant/e
3. était introverti/e ou extraverti/e
4. avait une belle chambre. Comment était-elle?
5. voulait être médecin

C. **Personnalités.** Décrivez ces personnes.

1. un professeur qui vous a beaucoup influencé/e
2. votre premier/première petit/e ami/e *(boyfriend/girlfriend)*
3. une personne avec qui vous êtes sorti/e et que vous n'avez pas du tout aimé/e

Structure II
Talking about on-going past actions
The imperfect II

a. The imperfect is also used to talk about actions in progress in past time, that is to say, what was happening.

Un taxi l'**attendait** devant l'immeuble.
A taxi was waiting for her in front of the apartment building.
Où est-ce qu'elle **allait?**
Where was she going?

b. When used in conjunction with the **passé composé,** the imperfect describes the scene whereas the **passé composé** advances the action of the narration.

Je l'**ai vue** (event: what happened) quand je **sortais** (an on-going action: what was happening).
Quand je **suis arrivée** (event: what happened), elle **parlait** au téléphone (an on-going action: what was happening).

Pratique et conversation

A. **La mystérieuse Mme. X.** Complétez ces phrases de Mme Chevalley.

MODÈLE Mme X /sortir/ quand il /commencer/ à pleuvoir
Mme X sortait quand il a commencé à pleuvoir.

1. Pataud /dormir/ dans un fauteuil quand M. Bordier /entrer/.
2. Je /parler/ avec M. Péreira quand les Silvestri /partir/.
3. Nous /discuter/ du mauvais temps quand vous /appeler/.
4. Jean-Philippe et Sylvie /préparer un repas/ quand Mme Bordier /arriver/.
5. Vous /jouer aux cartes/ quand vous /voir/ Mme X.
6. Mme Bordier /bavarder/ quand Mme X /partir/ dans le taxi.

B. **Quelle boum!** Hier soir Jean-Philippe a raconté l'histoire de sa boum à Anne. Mettez ces phrases au passé composé ou à l'imparfait, comme il faut.

1. Tous mes copains apportent des cadeaux.
2. Tout le monde est très gai.
3. Patrick arrive avec son chien.
4. Vous n'êtes pas dans la salle.
5. Mais son chien a un accident sur le tapis.
6. Maman fait une de ces têtes.
7. Heureusement tous mes copains m'aident à nettoyer l'appartement.

C. **Une boum inoubliable.** Racontez une de vos boums inoubliables. Quelle était l'occasion de la fête? Qui était là? Comment étaient vos invités? Qu'est-ce que vous avez préparé? reçu?

D. **Une situation gênante.** Décrivez une situation où vous avez été très embarrassé/e. Racontez tout!

SITUATION

Conversation au téléphone

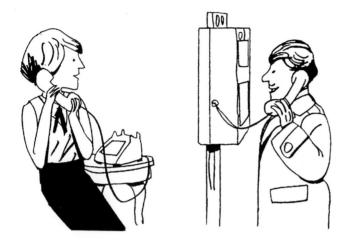

ANNE:	Allô, allô,... Ah, je n'entends pas.° Qui est à l'appareil?
LE CORRESPONDANT:	Allô, pourrais-je parler à M. Charles Bordier, s'il vous plaît?
ANNE:	C'est de la part de qui?
LE CORRESPONDANT:	D'un ami d'enfance.
ANNE:	Bon, je vais voir s'il est là. Ne quittez pas... Non, il vient de partir et je ne sais pas à quelle heure il va rentrer.
LE CORRESPONDANT:	Dommage, ah, c'est dommage. Est-ce que vous pouvez lui dire que Gérard Depuy a téléphoné?
ANNE:	Bien, monsieur.
LE CORRESPONDANT:	Mais, je viens de retrouver son numéro de téléphone au bureau. Je vais essayer de lui téléphoner là-bas. Au revoir, Mademoiselle, merci.
ANNE:	Je vous en prie, au revoir, monsieur.

I can't hear.

1. Qui a téléphoné?
2. À qui est-ce qu'il voulait parler?
3. Est-ce que M. Bordier était là?
4. Où est-ce que le correspondant allait téléphoner?
5. Quand on répond au téléphone, qu'est-ce qu'on dit?

Autrement dit

Pour répondre au téléphone

Allô.
Agence Inter-Voyages, allô.
Cabinet du docteur Bassan, allô.

Pour demander votre correspondant

Est-ce que je pourrais parler à M. Péreira?

Pour demander l'identité du correspondant

C'est de la part de qui?
Qui est à l'appareil?
C'est toi, Jean-Philippe?

Pour s'identifier

C'est Mme Bordier à l'appareil.
Ici Charles Bordier.

Pour aller chercher la personne demandée

Ne quittez pas.
Je vous le/la passe.

Quand le demandé n'est pas là

Est-ce que je pourrais laisser un message?

Un faux numéro

Vous avez un faux numéro.

Pratique et conversation

A. **Au téléphone.** Indiquez quelle formule correspond à quelle action. Plusieurs formules peuvent correspondre à une seule action.

	A		B
1. ____	C'est de la part de qui?	a.	Vous demandez l'identité du correspondant.
2. ____	Allô. Qui est à l'appareil?		
3. ____	Ne quittez pas.	b.	Vous allez chercher la personne demandée.
4. ____	Cabinet du docteur Quelotte, allô.		
5. ____	Je vous le/la passe.	c.	Vous vous excusez.
6. ____	Vous avez un faux numéro.	d.	Vous répondez au téléphone.

B. **Conversations.** Complétez les dialogues suivants.

1. Allô.

   _____?

   C'est de la part de qui?

   _____

   Ne quittez pas, je vous le passe.
2. Est-ce que je pourrais parler à Nicole?

   _____

   Pardon!
3. Agence Inter-Voyages, allô.

   _____?

   Qui est à l'appareil?

   _____

   Ne quittez pas. _____

C. **Est-ce que je pourrais parler à... ?** Inventez les conversations suivantes avec un/e partenaire.

1. Téléphonez à un/e ami/e et invitez-le/la au cinéma.
2. Téléphonez à l'Agence Inter-Voyages et demandez Mme Bordier. (Si elle n'est pas là, laissez un message!)
3. Téléphonez à votre professeur et expliquez pourquoi vous n'étiez pas en classe.
4. Téléphonez à la boutique *Chaussurama* et demandez s'ils ont des soldes en ce moment.
5. Téléphonez à votre secrétaire et demandez vos messages.

Structure III

Referring to someone already mentioned
Indirect object pronouns *lui, leur*

a. The third-person singular indirect object pronoun is **lui. Lui** is used to replace both masculine and feminine nouns.

Est-ce que vous pouvez dire **à M. Bordier** que Gérard Depuy a téléphoné?
Est-ce que vous pouvez **lui** dire que Gérard Depuy a téléphoné?
Je vais essayer de téléphoner **à M. Bordier** là-bas.
Je vais essayer de **lui** téléphoner là-bas.

b. The third-person plural indirect object pronoun is **leur**. It is also used to replace both masculine and feminine nouns.

J'ai donné des cadeaux **aux enfants.**
Je **leur** ai donné des cadeaux.
Sylvie téléphone **à toutes ses amies.**
Sylvie **leur** téléphone.

c. Remember that object pronouns are always positioned in front of the verb of which they are the object.

d. As these examples illustrate, a noun used as an indirect object is always preceded by the preposition **à**. The following verbs may be followed by indirect objects in French.

conseiller quelque chose à quelqu'un
dire quelque chose à quelqu'un
donner quelque chose à quelqu'un
obéir à quelqu'un
parler à quelqu'un
raconter quelque chose à quelqu'un
ressembler à quelqu'un
téléphoner à quelqu'un

OBJECT PRONOUNS: SUMMARY		
	DIRECT OBJECT PRONOUNS	**INDIRECT OBJECT PRONOUNS**
	Singular	**Singular**
1st person	me (m')	me (m')
2nd person	te (t')	te (t')
3rd person	le (l'), la (l')	lui
	Plural	**Plural**
1st person	nous	nous
2nd person	vous	vous
3rd peron	les	leur

Pratique et conversation

A. **Les Bordier.** Remplacez les compléments indirects en italiques par des pronoms.

   MODÈLE   Un ami d'enfance téléphone *à M. Bordier.*
   Un ami d'enfance lui téléphone.

   1. Les Silvestri ont téléphoné *à M. et Mme Bordier.*
   2. Mme Chevalley conseille *à Sylvie* de ne pas jouer dans la rue.
   3. Ses copains ont apporté beaucoup de cadeaux *à Jean-Philippe.*
   4. Mme Chevalley a raconté des histoires *à Mme Bordier.*
   5. Est-ce que vous avez l'intention de téléphoner *à votre ami* maintenant, M. Bordier?
   6. Et toi, Jean-Philippe, est-ce que tu vas téléphoner *à Monique?*
   7. Sylvie dit *à Pataud* de ne pas sortir.

B. **Conseils souvent répétés.** Quels conseils donnez-vous aux personnes suivantes.

> MODÈLE Sylvie ne réussit pas dans le cours de maths.
> **Je lui conseille d'étudier.**

1. Jean-Philippe et Pierre ont besoin d'argent.
2. Anne veut acheter un cadeau pour les Bordier.
3. Mme Bordier et Mme Chevalley veulent savoir qui est Mme X.
4. Madeleine mange trop.
5. Mme Chevalley est indiscrète.

C. **Interview.** Demandez à votre partenaire...

1. à qui il/elle a téléphoné hier, et pourquoi il/elle a téléphoné à cette personne
2. à qui il/elle a donné des conseils, et quels conseils il/elle a donnés à cette personne
3. s'il ressemble beaucoup à son père/sa mère
4. s'il obéit toujours à ses parents/à ses professeurs
5. à qui il/elle a menti, et pourquoi il/elle a menti à cette personne
6. à qui il/elle a parlé hier, et pourquoi il/elle a parlé à cette personne

Structure IV
Talking about recent past events
Venir de + infinitive

To talk about what just happened, use the present tense of **venir** + **de** + infinitive.

M. Bordier **vient de partir.**	*Mr. Bordier has just left.*
Nous **venons d'arriver.**	*We have just arrived.*

Pratique et conversation

A. **Mme Chevalley sait tout.** Complétez les observations de Mme Chevalley. Utilisez ces suggestions ou employez votre imagination.

MODÈLE   Pataud   venir de   traverser...
               Pataud vient de traverser la rue.

Mme X		voir...
Les Silvestri		faire...
Marie et Christine		parler avec...
Mme Ibn Hassam et moi	venir de	téléphoner à...
M. Péreira		recevoir...
Sylvie et toi		acheter...
M. Bordier		réussir à...

B. **Non, elle vient de partir.** Répondez **non** aux questions suivantes. Utilisez **venir de** dans votre réponse.

MODÈLE   Est-ce que Mme Bordier est toujours *(still)* là?
            Non, elle vient de partir.

1. Est-ce que vous travaillez toujours?
2. Est-ce que Mme Chevalley est chez elle?
3. Est-ce que Mme X est toujours absente?
4. Est-ce que Jean-Philippe est toujours au lycée?
5. Est-ce que Pataud est toujours dehors *(outside)*?

3 Autrefois...

[Dans l'entrée de l'immeuble]

MME BORDIER:	Bonjour, Mme Chevalley, il n'y a rien pour moi?
MME CHEVALLEY:	Non, Madame Bordier, mais le facteur n'est pas encore passé ce matin. Par contre,° j'ai eu la visite d'un agent de police.
MME BORDIER:	Toujours à cause de ce cambriolage?
MME CHEVALLEY:	Eh oui! Ah! Le monde a bien changé, Mme Bordier. Dans le temps, il y avait moins de vols qu'aujourd'hui. Il y avait moins de violence, moins de crime... Les gens étaient plus civilisés, plus polis. De nos jours, c'est bien triste. Personne n'est honnête. Tenez, par exemple, autrefois, je laissais souvent la porte d'entrée ouverte, comme ça, pour voir un peu mes locataires. Mais aujourd'hui, on ne peut plus... alors je regarde par la fenêtre.

On the other hand

Avez-vous suivi?

1. Où est Mme Chevalley?
2. Est-ce qu'il y a quelque chose pour Mme Bordier?
3. Qui n'est pas encore passé?
4. Pourquoi est-ce que Mme Chevalley a eu la visite d'un agent de police?
5. Comment est-ce que le monde a changé?
6. Autrefois, comment étaient les gens?
7. Est-ce que Mme Chevalley laisse souvent la porte d'entrée ouverte? Pourquoi ou pourquoi pas?
8. Qu'est-ce qu'elle fait pour voir un peu ses locataires?

Autrement dit

Les services publics

J'ai eu la visite d'un agent de police.

        un détective
        un pompier   *fireman*
        un/e assistant/e social/e   *social worker*

Les crimes...

un vol	*theft*
un cambriolage	*break-in*
un meurtre	*murder*
une agression	*mugging*
la délinquance juvénile	*juvenile delinquency*

... et les criminels

un voleur
un cambrioleur
un meurtrier
un agresseur
un délinquant juvénile

Les problèmes de la société

l'inflation	
le chômage	*unemployment*
la pollution	
les impôts	*taxes*

Les mœurs...

	+	−
Autrefois, les gens étaient plus **polis.**		**impolis**
	honnêtes	malhonnêtes
	responsables	irresponsables
	respectueux	irrespectueux
	travailleurs	paresseux

Pratique et conversation

A. **Problèmes.** Nommez le problème ou la personne qui correspond aux descriptions suivantes.

   1. Les jeunes qui font des crimes sont des _____.
   2. Les gens qui n'ont pas de travail sont au _____.
   3. L'eau et l'air ne sont pas purs; c'est _____.
   4. Les gens qui prennent les objets des autres sont des _____.
   5. Les prix augmentent; c'est l'_____.

B. **Plus ou moins?** Dites si les problèmes suivants sont plus ou moins sérieux ou fréquents qu'autrefois, et essayez d'expliquer pourquoi.

   MODÈLE   agressions
   　　　　　Il y a plus d'agressions maintenant parce qu'il y a plus de pauvres.

   1. délinquance   4. pollution
   2. maladies   5. chômage
   3. impôts   6. meurtres

C. **Je vais appeler...** Qui faut-il appeler dans les situations suivantes? Utilisez les expressions ci-dessus et d'autres mots de vocabulaire que vous avez étudiés.

1. vous venez d'être aggressé/e
2. vous venez d'être cambriolé/e
3. votre chat est dans un arbre (*tree*)
4. le professeur de votre fils vous dit qu'il est mal discipliné
5. votre enfant est malade
6. vous êtes accusé/e d'un crime
7. vous voulez partir en vacances
8. vous voulez construire une nouvelle maison

D. **Mme Chevalley et Mme Bordier.** Mrs. Chevalley is complaining about life today and reminisces about the good old days. Mrs. Bordier offers explanations, advice, or sympathy. Role-play the situation.

Structure V
Talking about the way things used to be
The imperfect III

a. Another use of the imperfect is to tell how things used to be, or what you used to do in the past.

Dans le temps, il y **avait** moins de vols qu'aujourd'hui.
In the past, there used to be fewer thefts than today.
Autrefois, je **laissais** souvent la porte d'entrée ouverte.
In the past, I used to leave the front door open.

b. Adverbs frequently suggest which tense you will use. Those suggesting habitual past action are: **autrefois, toujours, souvent, tout le temps, fréquemment.** The imperfect is usually used with these adverbs.

Mme Chevalley **laissait toujours** sa porte ouverte.
En été, il **allait souvent** à la plage.

Those which suggest completed past actions are: **hier, la semaine dernière, hier soir, ce matin.** The **passé composé** is usually used with these adverbs.

Hier, j'ai fait la lessive.
Ce matin, Mme Bordier **est partie** à huit heures.

c. The chart below summarizes the uses of the **passé composé** and the imperfect.

PASSÉ COMPOSÉ	IMPERFECT
What happened? (Completed past actions)	**What was the state of affairs?** (Descriptions of people, places, and states of mind in the past) **What was happening?** (On-going past action) **What used to happen?** (Habitual past action)

Pratique et conversation

A. **La journée de Mme Chevalley.** Complétez ce paragraphe avec l'imparfait ou le passé composé des verbes entre parenthèses.

Je _____ (passer) une journée infernale. D'abord, un agent de police _____ (venir) à cause de ce cambriolage. Moi, je _____ (être) très nerveuse, mais je ne _____ (avoir) rien à cacher! Et puis, il y _____ (avoir) encore des histoires avec cette Mme X. Mais franchement! Hier, par exemple, elle _____ (partir) à sept heures du matin et elle ne _____ pas (rentrer) le soir. Puis, elle _____ (revenir) ce matin à neuf heures. Quand elle me _____ (voir), elle me _____ (dire) bonjour, sans explications, comme ça! Ah, je vous assure! Et puis ce M. Péreira! Je _____ (parler) avec Mme Silvestri quand il _____ (entrer). Il _____ (porter) des pots de peinture avec lui. Je lui _____ (demander) : «Mais qu'est-ce que vous allez faire avec cette peinture?» Il me _____ (dire): «Je vais peindre mon appartement en violet.» Mais quelle idée! La vie est bien différente de nos jours. Quand je _____ (être) jeune, il y _____ (avoir) beaucoup moins de problèmes, je vous le jure. Autrefois, je _____ (laisser) ma porte ouverte, je _____ (parler) à tout le monde. Impossible aujourd'hui. Il y a des criminels et des délinquants partout!

B. **Et votre vie?** Demandez à votre partenaire...

1. s'il/elle voulait sortir hier soir
2. où il/elle voulait aller et pourquoi
3. à quelle heure il/elle est parti/e ce matin

4. quelle heure il était quand il/elle est rentré/e hier soir
5. comment il/elle est venu/e à l'université aujourd'hui
6. s'il/elle dormait en classe pendant que le professeur parlait

C. **Anecdotes.** En utilisant les débuts des phrases suivantes, parlez de votre passé.

1. Quand j'étais enfant...
2. Quand j'étais jeune, mes parents...
3. Quand j'étais au lycée...
4. Quand notre professeur était à l'université...
5. Quand j'allais chez ma grand-mère...

D. **Mes vacances.** Décrivez vos vacances. Dites où vous êtes allé/e, quel temps il faisait et décrivez une journée typique. Donnez vos impressions et réactions.

Structure VI
Talking about what isn't so
More negative expressions

a. In addition to **ne... pas** and **ne... jamais,** there are several other negative expressions in French.

ne... personne	*no one*
ne... rien	*nothing*
ne... ni... ni	*neither . . . nor*
ne... plus	*no longer*
ne... pas encore	*not yet*

b. Like **ne... pas** and **ne... jamais,** in the simple tenses, **ne** precedes the verb and any object pronouns; the second part of the negative expression follows the verb.

NEGATION: SIMPLE TENSES				
	ne	**(Pronouns)**	**Verb**	**Second term of negation**
Mais aujourd'hui, on	**ne**		peut	**plus.**
Jean-Philippe, tu	**ne**	m'	écoutes	**jamais.**
Mme Chevalley	**ne**		voit	**rien.**

c. In the compound tenses, **ne** precedes the auxiliary, and the second part of the negative expression usually follows it, preceding the past participle.

	ne	Auxiliary	Second term of negation	Past participle	
Le facteur	n'	est	**pas encore**	passé	ce matin.
Je	n'	ai	**rien**	vu.	

NEGATION: COMPOUND TENSES

However, the second part of **ne... personne** follows the past participle, taking the place of a noun object.

Je **n'**ai vu **personne.**
Mme X **n'**a parlé à **personne.**

d. In the negation **ne... ni... ni, ni** follows the past participle, and precedes the noun objects it qualifies.

Vous **n'**avez fait **ni** la lessive **ni** la vaisselle.
M. Bordier **n'**a téléphoné **ni** à Gérard **ni** à sa secrétaire.

e. **Rien** and **personne** may serve as the subject of a verb; **ni... ni** may qualify a subject. Note that **ne** still precedes the verb.

Personne n'est honnête.
Rien n'est simple.
Ni Jean-Philippe **ni** Sylvie **n'**a salué Mme X.

f. When used without **ne, jamais,** means *ever:*

Avez-vous jamais voyagé en France?
Have you ever traveled in France?

Pratique et conversation

A. **Au contraire!** Comment est Mme X? Vous n'êtes jamais d'accord. Répondez toujours au négatif.

MODÈLE   Mme X est toujours chaleureuse. (jamais)
          Mme X n'est jamais chaleureuse.

1. Mme X sort toujours habillée tout en noir. (jamais)
2. Elle regarde tout le monde quand elle entre dans l'immeuble. (personne)
3. Elle porte des bijoux et des valises quand elle sort. (ni... ni)

4. Elle a tout fait pour aider les autres. (rien)
5. Elle a salué tout le monde. (personne)
6. Elle est déjà rentrée. (pas encore)
7. Elle est souvent très maquillée. (jamais)

B. **Le cambriolage.** Un agent de police vous interroge sur le cambriolage dans l'immeuble. Vous ne voulez pas y être impliqué/e et vous répondez toujours au négatif!

MODÈLE   Est-ce que vous avez vu le cambrioleur? (personne)
Non, je n'ai vu personne.

1. Est-ce que vous avez remarqué quelque chose de différent? (rien)
2. Est-ce que vous avez parlé à quelqu'un? (personne)
3. Est-ce que quelqu'un est entré par la fenêtre? (personne)
4. Est-ce que vous avez vu Mme Chevalley ou Mme Silvestri au moment du cambriolage? (ni... ni)
5. Est-ce que vous mentez d'habitude? (jamais)
6. Est-ce que vous avez d'autres choses à nous raconter? (rien)

C. **La grande ville.** Vous venez de déménager (move) à la grande ville et vos parents sont inquiets (worried) pour votre sécurité. Répondez à leurs questions au négatif.

1. Tu laisses la porte et les fenêtres ouvertes?
2. Tu rentres tard?
3. Tu sors seul/e?
4. Tu as toujours des voisins bizarres?
5. Tu fais quelque chose de dangereux?
6. Est-ce que tu invites tout le monde chez toi?

D. **Les clients de Mme Bordier.** Madame Bordier pose des questions à un/e client/e; il/elle répond au négatif. Jouez les rôles. Elle lui demande...

1. s'il/elle voyage souvent aux Antilles
2. s'il/elle a jamais visité le Sénégal ou le Zaïre
3. s'il/elle a déjà voyagé en Suisse
4. s'il/elle a rencontré quelqu'un à Tahiti
5. s'il/elle a encore des amis en Afrique
6. si quelque chose d'intéressant lui est arrivé à Bora-Bora
7. s'il/elle a toujours son appartement à la Martinique

 # Lecture I

IMPRUDENCE: UN MORT

A section of the newspaper that is of particular interest to local residents is known as the **Faits divers** or *News in Brief*. In this section you are likely to encounter news on any subject of local interest, as illustrated by the following two articles.

Avant de lire

A. **Les accidents.** Nommez quelques causes des accidents de voiture. Regardez le titre de cet article. Pouvez-vous deviner la cause de cet accident?

B. **Un accident sur la route.** Choisissez la définition correcte pour les mots suivants.

1. _____ une imprudence
2. _____ le conducteur
3. _____ rouler
4. _____ une route communale
5. _____ les données
6. _____ la concubine
7. _____ domicile
8. _____ être blessé

a. les circonstances, les faits
b. un mot pour indiquer l'adresse d'une personne
c. la femme avec qui on habite
d. la rue principale municipale
e. la personne qui conduit (*drives*) la voiture
f. être frappé d'un coup qui fait une fracture ou contusion
g. voyager en voiture
h. une action faite sans précaution

Lisons

Saint-Paul-de-Jarrat

Imprudence

Ils étaient sept dans la voiture. Le conducteur, selon° les témoins°, roulait à plus de 100 km/h sur une simple route communale. Les données de l'accident survenu° samedi, à 21 h 30, à Saint-Paul-de-Jarrat (Ariège), sur la R.N. 20, que nous relations dans notre édition d'hier, expliquent aisément° son bilan°. Le conducteur, Thierry Mathieu, 20 ans, de Garges-les-Gonesses (92), a été tué° sur le coup°. Sa concubine, Brigitte Gauthier, ainsi que deux passagères, domiciliées à Colomiers (31), Elisabeth Iamundo et Muriel Vezin, âgées de 25 ans, ont été grièvement blessées. Quant aux° trois enfants qui étaient dans la Renault 5, ils n'ont été que légèrement atteints°.

according to
witnesses

which happened

easily; toll

killed; immediately

As for

they were only slightly injured

Avez-vous suivi?

A. **Les circonstances.** Répondez aux questions.

1. Combien de personnes étaient dans la voiture?
2. Sur quelle route est-ce que l'accident a eu lieu (*took place*)?
3. Qui était le conducteur? Quel âge avait-il?
4. Combien de passages ont été blessés? tués?
5. Quelle marque (*brand*) de voiture est-ce qu'on conduisait?
6. Est-ce que les enfants ont été grièvement blessés?
7. À quelle vitesse (*speed*) est-ce qu'on roulait?

B. **Un témoin.** You were one of the witnesses to this accident. Tell the police what you saw.

C. **Un passager.** You are one of those hurt in the accident. Explain events as you experienced them.

 # Lecture II

CRIME PASSIONNEL

Avant de lire

A. **Pourquoi.** Qu'est-ce que c'est qu'un crime passionnel? Pourquoi est-ce qu'on commet ce genre de crime?

B. **Synonymes.** Choisissez un synonyme pour les mots en italique de la liste qui suit.

1. Un homme de 44 ans *a abattu* l'amant de sa femme avant de *se livrer aux gendarmes.*

2. Après *une bagarre* entre les deux hommes, il *a fait feu* sur son rival avec un revolver armé de quatre *balles.*

   a. une dispute
   b. un petit projectile métallique
   c. aller à la gendarmerie
   d. tuer
   e. tirer un coup de revolver

Lisons

Perpignan

Crime passionnel

Un homme de 44 ans a abattu, samedi en fin d'après-midi, l'amant de sa femme, à Torreilles (Pyrénées-Orientales), près de Perpignan, avant de se livrer aux gendarmes.

Gérard Esquirol, père de deux enfants, avait surpris° Bernard Gandou en compagnie de son épouse, samedi, vers 18 heures. Après une bagarre entre les deux hommes, il a fait feu sur son rival avec un fusil° armé de quatre balles de chevrotine°, avant de téléphoner à la gendarmerie.

had surprised

rifle

buck-shot

Avez-vous suivi?

A. **Les faits.** Répondez aux questions.

 1. Quel âge a Gérard Esquirol?
 2. Combien d'enfants est-ce qu'il a?
 3. Sur qui est-ce qu'il a tiré? Pourquoi?
 4. Qui a téléphoné à la gendarmerie?
 5. À quelle heure est-ce que ce crime a eu lieu?

B. **Un témoin.** You witnessed M. Esquirol's crime. Give your report to the police.

 # Lecture III

LEURS PROBLÈMES...

The text you will be reading discusses some of the social problems facing France today, such as unemployment, inequalities among men and women, discrimination against foreigners. What do you already know about these problems?

Avant de lire

A. **Statistiques.** Quelle/s expression/s correspond/ent aux pourcentages suivants?

   MODÈLE   33% (trent-trois pour cent) = un tiers, un sur trois

   1. _____ 25%   a. les trois quarts
   2. _____ 50%   b. un sur quatre
   3. _____ 66%   c. la totalité
   4. _____ 75%   d. un sur deux
   5. _____ 100%   e. les deux tiers
   6. _____ 200%   la moitié
                     f. deux fois

B. **Hausse ou baisse.** (*Increase or decrease.*) Classez les phrases suivantes, selon qu'elles indiquent une hausse ou une baisse.

   1. Le nombre de mariages *diminue.*
   2. On compte *de moins en moins* d'agriculteurs.
   3. Les immigrants *sont plus nombreux* dans la région parisienne.
   4. On compte *de plus en plus* d'employés de toutes sortes.
   5. Le nombre de divorces *augmente.*

C. **Stéréotypes.** Quels sont vos stéréotypes des Français? Quels sonts leurs stéréotypes de nous? Dans les phrases suivantes, est-ce qu'on parle de la France ou des États-Unis?

1. C'est un pays de bon-vivants.
2. Ce sont de grands enfants.
3. Ils adorent la technologie.
4. Ils sont matérialistes.
5. C'est un pays très civilisé.
6. Les gens ont beaucoup d'esprit.
7. Les femmes sont très élégantes.
8. Ils pensent qu'ils sont une grande nation.

Lisons

Ce n'est pas parce qu'on est étranger, qu'on se désintéresse des difficultés des Français, n'est-ce pas? Liberté? Égalité? Fraternité? On peut discuter!

TRAVAIL, VACANCES, CHÔMAGE

Leur semaine de travail est de 39 heures et ils ont droit° à 5 semaines de congés° payés, mais à peine° plus de la moitié partent en vacances. Pourquoi?

they have the right
vacation, leave; hardly

De même,° on compte de moins en moins d'agriculteurs (10%), de plus en plus d'employés de toutes sortes (50%). Le nombre d'ouvriers, certes, reste constant. Mais cette évolution donne à réfléchir. «Liberté du travail» peut-être, pourtant° le chômage° ne diminue guère°!

Likewise

nevertheless; hardly

RICHES-PAUVRES, HOMMES-FEMMES

On entend° aussi beaucoup parler d'égalité. Mais la France n'est pas devenue,° comme beaucoup le disent, un pays de «classe moyenne».° Non! les extrêmes dominent. Plus de 40% des ménages° français, c'est incontestable, vivent° avec un revenu égal à deux fois le SMIC.° Et le quart de la richesse nationale est scandaleusement entre les mains d'1% des plus riches.

hears
has not become; middle
households
live; minimum wage

Des lois° nouvelles, c'est vrai, soutiennent° les droits des femmes, mais on peut regretter qu'elles ne comptent encore que° pour 40 à 45% dans la population active, et qu'à travail égal, l'écart° des salaires moyens entre homme et femme soit° de 30 à 40%?

laws; support
they still account for only
difference, gap
is

Égalité? À d'autres!

JEUNES, VIEUX, IMMIGRÉS

Sur près de 55 millions de Français, 30% ont moins de 20 ans et les «vieux», 65 ans et plus, sont de plus en plus nombreux et coûteux pour la société qui les met en retraite° anticipée. Ce qui° affaiblit encore la famille: le nombre des mariages diminue, celui° des divorces augmente (1 mariage sur 5 maintenant).

retirement; Something which; that of

Quant à° la fraternité avec les étrangers immigrés vivant° et travaillant en France — ils sont plus de 4 millions — elle est loin d'être° exemplaire. Il faut préciser: les étrangers sont surtout Portugais et Algériens, puis viennent Italiens, Espagnols et Marocains. Ils sont plus nombreux dans la région parisienne et la Provence. Il faut regarder les choses de plus près et se garder des° jugements «tout faits».

As for; living
far from being

refrain from

LES FRANÇAIS VUS PAR...

... Un Allemand — «Moi, je vais vous dire; quand je pense à la France, je pense à une famille heureuse le dimanche: gâteaux, champagne... On a un toit° sur la tête, un toit solide. La vieille maison France a résisté aux siècles...°»

roof
centuries

... Un Anglais — «Et ils parlent, ils parlent. Étonnant, tout ce qu'ils ont à se dire!° C'est sans doute vrai. Mais attention: de quoi parlent-ils? Ils parlent d'eux-mêmes°! Ils croient° qu'ils sont encore une grande nation, ce qu'ils ne sont plus du tout, pas plus que nous.»

everything they have to say to each other; themselves; believe

... Un autre Allemand — «Mais je ne vais pas chercher si loin. La France, pour moi, c'est un pays où l'on sait bien vivre° et bien manger, un point c'est tout.»

to live

... Un autre Anglais — «Je vous l'accorde: un pays très civilisé! Les sauces sont bonnes, les vins magnifiques. Les femmes élégantes, mais les hommes n'ont pas d'humour.»

... Un Espagnol — «Allons donc! En tout cas, tout le monde a de l'esprit, y compris° les enfants.»

included

... L'Anglais — «C'est possible... Pourtant, tout en étant° une race d'esprit, ils sont bien trop matérialistes. Ils adorent l'argent, jusqu'à donner l'impression qu'ils n'aiment que ça.°»

even though they are

they only like that

... L'Italien — «D'un autre côté... Quand nous regardons la France, c'est comme si° nous nous regardions.»

as if

Avez-vous suivi?

A. **La devise française.** (*The French motto.*) On parle de beaucoup de problèmes dans le texte. En général, quels sont les problèmes qui ont des rapports avec:

1. la liberté
2. l'égalité
3. la fraternité

B. **Vrai ou faux?** Indiquez si les commentaires suivants sont **vrais** ou **faux.**

1. _____ La France est un pays où la classe moyenne domine.
2. _____ Le salaire moyen des femmes est inférieur au salaire des hommes.
3. _____ La France est un pays où il y a beaucoup de jeunes et de vieux.
4. _____ La famille est une institution très stable dans la société française.
5. _____ Il existe des problèmes entre les Français et la population immigrante.

C. **Qui dit quoi?** Qui exprime les sentiments suivants?

MODÈLE   Les Français ont des illusions de grandeur.
C'est l'Anglais qui parle.

1. Les Français aiment discuter.
2. Les Français estiment les valeurs traditionnelles.
3. Les Français sont des bons vivants.
4. Les Français sont égoïstes.
5. Les Français sont avares.

D. **Expliquez.** Dans le texte, il y a certaines phrases qui sont ambiguës ou incomplètes. Donnez-en une interprétation.

1. Liberté? Égalité? Fraternité? On peut discuter.
2. Égalité? À d'autres!
3. Il faut regarder les choses de plus près et se garder des jugements «tout faits.»
4. Quand nous regardons la France, c'est comme si nous nous regardions.

Activités

A. **Les gros titres.** Racontez un événement (un crime passionnel, un accident, etc.) qui a fait sensation récemment.

B. **Une réunion.** Un/e ami/e que vous n'avez pas vu/e depuis (*for*) dix ans vous téléphone. Il/Elle vous parle de tous les événements qui lui sont survenu (*that happened to him*) dans les dix dernières années: mariages, divorces, ennuis, etc. Vous lui parlez de tout ce qui (*everything that*) vous est arrivé depuis la dernière fois que vous lui avez parlé.

C. **Une autre perspective.** Prenez le rôle d'un de vos grand-parents. Racontez comment la vie a changé et donnez votre opinion de la vie de nos jours.

D. **Un cambriolage.** Votre appartement a été cambriolé et un agent de police vous interroge sur vos mouvements le jour du crime, ce que le cambrioleur a pris, etc. Répondez à ses questions.

Vocabulaire actif

à cause de	because of
accessible	accessible
un **agent de police**	policeman
un **agresseur**	mugger
une **agression**	mugging
une **alliance**	wedding ring
allô	hello
arrogant/e	arrogant
un/e **assistant/e social/e**	social worker
autrefois	formerly
avoir l'air + *adjective*	to look + adjective, to appear + adjective
une **bague**	ring
un **bijou**	jewel
un **cambriolage**	break-in
un **cambrioleur**	burglar
un/e **célibataire**	unmarried man/woman
C'est de la part de qui?	Who's calling?
C'est dommage.	That's too bad., That's a shame.
chaleureux/ chaleureuse	warm, open
le **chômage**	unemployment

civilisé/e	civilized
complexé/e	timid, unsure of oneself
conseiller	to advise
un **crime**	crime
dans le temps	in the past
décontracté/e	relaxed, at ease, laid back
la **délinquance juvénile**	juvenile delinquency
un/e **délinquant/e juvénile**	juvenile delinquent
de nos jours	nowadays
un **détective**	detective
détendu/e	relaxed
distant/e	distant
drôle	funny
être de bonne/ mauvaise humeur	to be in a good/bad mood
être divorcé/e	to be divorced
être en deuil	to be in mourning
être fiancé/e	to be engaged
être marié/e	to be married
un **ex-mari**	ex-husband
extraverti/e	extroverted
un **facteur**	mailman

les **fiançailles** (f.)	*engagement*	**ouvert/e**	*open*
un/e **fiancé/e**	*fiancé/e*	**paresseux/**	*lazy*
habillé/e	*dressed*	**paresseuse**	
honnête	*honest*	la **pollution**	*pollution*
les **impôts** (m.)	*taxes*	un **pompier**	*fireman*
inaccessible	*distant, inaccessible*	**Pourrais-je**	*May I speak to . . . ?*
l' **inflation** (f.)	*inflation*	**parler à... ?**	
introverti/e	*introverted*	**prétentieux/**	*pretentious*
irrespectueux/	*disrespectful*	**prétentieuse**	
irrespec-		**Qui est à**	*Who's there? (On the*
tueuse		**l'appareil?**	*phone)*
irresponsable	*irresponsible*	**relax/e**	*relaxed*
jamais	*ever*	**respectueux/**	*respectful*
Je vous le/la	*Hang on, here s/he is.*	**respectueuse**	
passe.	*(on the phone)*	**responsable**	*responsible*
là-bas	*there*	**ressembler à**	*to resemble, to look like*
laisser	*to leave*	**retrouver**	*to find again*
malhonnête	*dishonest*	un **sens de**	*sense of humor*
maquillé/e	*made-up*	**l'humour**	
marrant/e	*funny*	un **taxi**	*taxi*
un **meurtre**	*murder*	**toujours**	*still, always*
un **meurtrier**	*murderer*	**travailleur/**	*hard-working*
ne... jamais	*never*	**travailleuse**	
ne... ni... ni	*neither . . . nor*	**triste**	*sad*
ne... pas encore	*not yet*	**venir de** + *in-*	*to have just* + past
ne... personne	*no one*	**finitive**	*participle*
ne... plus	*no longer*	un/e **veuf/veuve**	*widower/widow*
Ne quittez pas.	*Hang on. Just a moment.*	la **violence**	*violence*
	(on the phone)	un **vol**	*theft*
ne... rien	*nothing, anything*	un **voleur**	*thief*
oser	*to dare*		

Chapitre 10

Visites

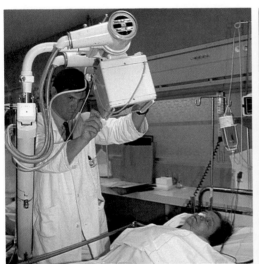

Frère et sœur

SYLVIE:	Tu as mauvaise mine, Jean-Philippe. Tu es malade? Qu'est-ce que tu as?
JEAN-PHILIPPE:	Mais pas du tout!° Je me sens très bien.
SYLVIE:	Je suis ta sœur. Tu peux tout me raconter. Tu as peut-être pris froid, et tu as un rhume, c'est ça?
JEAN-PHILIPPE:	Mais jamais de la vie. Qu'est-ce que tu racontes?
SYLVIE:	Alors, tu as trop mangé pour ton anniversaire, et tu as mal au cœur.
JEAN-PHILIPPE:	Je te dis que je n'ai rien.
SYLVIE:	Ah, je sais. Tu es fatigué! Je t'ai bien dit de te reposer après ta boum et de te coucher tôt.
JEAN-PHILIPPE:	Sylvie! Ça suffit! Tu as raison. Il y a quelque chose qui ne va pas. Tu as tellement parlé que maintenant j'ai mal à la tête.

Not at all!

Avez-vous suivi?

1. Qui a mauvaise mine?
2. Comment va Jean-Philippe?
3. Est-ce que Jean-Philippe a pris froid? Est-ce qu'il a un rhume?
4. Quand est-ce que Jean-Philippe a trop mangé, selon Sylvie?
5. Qu'est-ce que Sylvie a conseillé à Jean-Philippe de faire après sa boum?
6. Finalement, quel est le problème de Jean-Philippe?

Autrement dit

La santé

Qu'est-ce que tu as?   *What's the matter with you?*
Qu'est-ce qui ne va pas?
Qu'est-ce qu'il y a?

+	−
Tu as bonne mine.	Tu as mauvaise mine.
Je me sens très bien.	Je me sens mal.
Je vais très bien.	Ça ne va pas bien.
Je me porte très bien.	Je suis souffrant/e.
Je suis en (pleine) forme.	Je ne suis pas en forme.

Les maladies

Tu as peut-être pris froid, et tu as un rhume, c'est ça?

un gros rhume	*a bad cold*
la grippe	*the flu*
une angine	*a sore throat*
une laryngite	*a sore throat*
une sinusite	*sinusitis*
une bronchite	*bronchitis*
une pneumonie	*pneumonia*
une migraine	*a headache*

Les symptômes

Je tousse.	*I'm coughing.*
J'ai la toux.	*I have a cough.*
de la fièvre	*a fever*
le nez qui coule	*a runny nose*
le nez bouché	*a stuffy nose*
les oreilles bouchées	*stopped-up ears*
J'ai mal au cœur.	*I am nauseated.*
au foie	*My liver is acting up.*
J'ai mal aussi...	

à la gorge   aux dents   au dos   au bras

au pied   au doigt   à la jambe

J'ai une crise de nerfs.
Je fais une dépression.
Je suis déprimé/e.

Les accidents

Attention, Jean-Philippe! Tu vas te faire mal!   *You're going to hurt yourself!*
te casser la jambe   *break your leg*

Les remèdes

Je t'ai bien dit de te reposer.	*I told you to rest.*
te soigner	*take care of yourself*
prendre tes médicaments	
prendre de l'aspirine	
prendre du sirop contre la toux	
prendre des antihistaminiques	
prendre des antibiotiques	

Pratique et conversation

A. **Les parties du corps.** Quelle partie du corps est-ce que ces verbes suggèrent?

MODÈLE   voir
    les yeux

1. toucher   4. marcher
2. écouter   5. sentir *(to smell)*
3. manger   6. embrasser

B. **Des maladies.** Indiquez les symptômes, le diagnostic, et le remède.

SYMPTÔME	DIAGNOSTIC	REMÈDE
Je tousse.		
J'ai de la fièvre.		
	C'est une bronchite.	
Je ne peux pas parler.		
	C'est la grippe.	
	Vous avez mal au cœur.	
		Prenez de l'aspirine.

C. **Je ne suis pas en forme.** Vous êtes en classe mais vous n'êtes pas en forme. Racontez vos symptômes aux autres. Ils vont identifier la maladie et suggérer des remèdes.

Structure I
Talking about health and daily routines
Pronominal verbs I

SE SENTIR (TO FEEL)			
	Reflexive pronoun	**Verb**	
Je	me	sens	très bien.
Tu	te	sens	malade.
Elle	se	sent	en forme.
Nous	nous	sentons	en pleine forme.
Vous	vous	sentez	bien.
Ils	se	sentent	malade.

a. Pronominal verbs are conjugated with an additional pronoun known as a reflexive pronoun. In many cases this pronoun reflects back to the subject of the verb, indicating that the action is performed on the subject.

b. The English equivalent of a pronominal verb is not usually translated with a pronoun.

Je me lave.
I wash., I wash up. (not: I wash myself.)
Je m'habille.
I get dressed. (not: I dress myself.)

c. Learn the following pronominal verbs.

s'amuser	*to have a good time, to have fun*
s'appeler	*to be named*
se brosser (les dents)	*to brush (one's teeth)*
se casser (la jambe)	*to break (one's leg)*
se coucher	*to go to bed*
se dépêcher	*to hurry*
s'endormir	*to fall asleep*
s'ennuyer	*to be bored*
s'habiller	*to get dressed*
se laver	*to wash up*
se lever (conjugated like **acheter**)	*to get up*
se maquiller	*to put on makeup*

se passer	to happen
se raser	to shave
se reposer	to rest
se réveiller	to wake up
se sentir bien/mal (conjugated like **partir**)	to feel well/ill
se soigner	to take care of oneself

d. In the conjugation of **s'appeler,** the final consonant of the stem is doubled before a final silent ending.

S'APPELER (TO BE NAMED)			STEM	+	ENDING
Je	m'appelle	Anne.	appell		e
Comment	t'appelles-	tu?	appell		es
Elle	s'appelle	Mme X.	appell		e
Nous	nous appelons	Jean-Philippe et Sylvie.	appel		ons
Comment	vous appelez-	vous?	appel		ez
Ils	s'appellent	les Bordier.	appell		ent

e. In the affirmative imperative, the reflexive pronoun will follow the verb. Note that **te** becomes **toi.**

Dépêche-toi!
Dépêchons-nous!
Dépêchez-vous!

f. In the negative imperative, the reflexive pronoun is in its normal position before the verb.

Ne te dépêche pas.
Ne nous dépêchons pas.
Ne vous dépêchez pas.

Pratique et conversation

A. **À la résidence universitaire.** Décrivez les activités des résidents.

> MODÈLE   Susanne/se lever à sept heures.
> **Susanne se lève à sept heures.**

1. Michel et Paul/se raser tout de suite.
2. Jeannette/ne... pas se brosser les dents après le petit déjeuner.
3. Je/s'habiller avant le petit déjeuner.
4. Nous/se réveiller à six heures.
5. Tu/se reposer après les cours.
6. Vous/ne... pas se sentir très bien.
7. Nous/se coucher à dix heures.
8. Les étudiants/s'amuser toute la nuit.

B. **Conseils.** Mme Bordier donne des conseils à sa famille. Jouez son rôle et utilisez l'impératif.

> MODÈLE   Jean-Philippe a des caries *(cavities)*. (se brosser)
> **Jean-Philippe, brosse-toi les dents.**

1. Anne et Sylvie sont fatiguées. (se reposer)
2. Jean-Philippe arrive en retard au lycée. (se dépêcher)
3. Jean-Philippe et Sylvie dorment toujours. (se lever)
4. Jean-Philippe va sortir ce soir. (s'amuser)
5. M. Bordier a un rendez-vous à 7:30 du matin. (se lever tôt)
6. Sylvie est fatiguée. (se coucher)

C. **Interview.** Posez ces questions à un/e camarade. Demandez-lui...

1. comment il/elle se sent aujourd'hui
2. à quelle heure il/elle se réveille le matin
3. à quelle heure il/elle se lève le matin
4. comment il/elle s'habille pour aller en classe
5. comment s'appellent ses frères et ses sœurs
6. s'il/elle se repose chaque après-midi
7. à quelle heure il/elle se couche le week-end

D. **Ma journée.** Décrivez vos activités le matin, d'abord pendant la semaine et ensuite pendant le week-end. Employez des verbes pronominaux.

Structure II
Talking about how things are done
Adverbs of manner

Je me sens **très bien.**
Tu as **tellement** parlé que maintenant j'ai mal à la tête.

a. Adverbs of manner modify a verb, an adjective, or another adverb, and tell how an action is performed.

b. Most adverbs of manner are derived from adjectives by adding the ending −**ment** to the feminine singular form of the adjective.

sérieux $\rightarrow$ sérieuse $\rightarrow$ sérieusement
lent $\quad\rightarrow$ lente $\quad\rightarrow$ lentement
difficile $\rightarrow$ difficile $\rightarrow$ difficilement

c. If an adjective ends in a vowel in the masculine singular, the adverb is derived from this form.

poli $\quad\rightarrow$ poliment
vrai $\quad\rightarrow$ vraiment
absolu $\rightarrow$ absolument

d. If an adjective ends in −**ant** or −**ent,** these endings are dropped, and −**amment** or −**emment** is added to form the adverb.

constant $\rightarrow$ constamment
patient $\quad\rightarrow$ patiemment

e. The following adverbs are not derived from adjectives: **bien, mal, très, vite.**

f. Adverbs of manner follow the verb in the simple tenses. In the **passé composé,** they usually follow the past participle, except for **bien, mal, trop, déjà,** and **beaucoup,** which follow the auxiliary.

Le professeur nous corrige **constamment.**
Le professeur nous a corrigé **constamment.**
Je danse **mal.**
J'ai **mal** dansé.
Jean-Philippe a **trop** mangé.
Ils sont **déjà** partis.

g. Adverbs are compared like adjectives (see page 218):

Jean-Philippe travaille $\left\{\begin{array}{l}\text{plus}\\\text{aussi}\\\text{moins}\end{array}\right\}$ rapidement que Sylvie.

The irregular comparative of **bien** is **mieux**.

Anne parle anglais mieux que Jean-Philippe.

h. The definite noun marker **le** is always used in the superlative.

Jean-Philippe travaille **le** moins rapidement de la classe.
Sylvie travaille **le** plus rapidement.
Les étudiants travaillent **le** plus rapidement.

Pratique et conversation

A. **Les locataires.** Comment font-ils? Complétez ces phrases en changeant les adjectifs en adverbes.

MODÈLE   Mme Chevalley regarde les locataires. (constant)
Mme Chevalley regarde constamment les locataires.

1. Mme Bordier écoute ses enfants. (patient)
2. Jean-Philippe a faim et mange son dîner. (rapide)
3. M. Bordier entre tard et s'excuse. (poli)
4. Les Silvestri montent l'escalier. (lent)
5. Mme X est une dame mystérieuse. (évident)
6. Mme Ibn Hassam parle à tout le monde. (sérieux)

B. **Chaque matin.** Décrivez vos actions quotidiennes (*daily*).

MODÈLE   se réveiller à six heures/généralement
Je me réveille généralement à six heures.

1. se lever/rapidement
2. se laver/immédiatement
3. se brosser les dents/soigneusement
4. s'habiller/bien
5. se coucher à minuit/finalement

C. **Jamais assez.** Jean-Philippe ne fait pas de progrès. Conseillez-lui. Utilisez l'adverbe qui correspond à l'adjectif donné.

MODÈLE   travailler/énergique
          Travaille plus énergiquement!

1. étudier/régulier
2. préparer/bon
3. parler/lent
4. manger/bon
5. écouter/attentif

D. **Des conseils.** Donnez des conseils pour les situations suivantes. Utilisez un adverbe dans votre suggestion.

MODÈLE   Un professeur parle à un étudiant paresseux.
          Il faut faire régulièrement vos devoirs.

1. Un conseiller conjugal parle à un/e client/e.
2. Un professeur de français parle à un/e étudiant/e.
3. Un dentiste parle à un/e patient/e.
4. Un médecin parle à un/e patient/e obèse.
5. Un frère parle à sa sœur qui sort pour la première fois avec un camarade de classe.

2 Ça me fait mal!

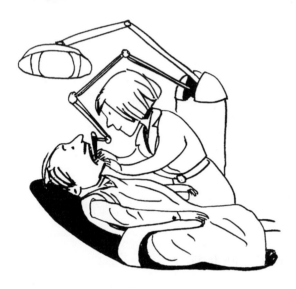

LA RÉCEPTIONNISTE:	M. Bordier, c'est à vous maintenant.
M. BORDIER:	Merci.
LA DENTISTE:	Ah, monsieur Bordier, bonjour. Asseyez-vous.° Alors, cette dent...
M. BORDIER:	Elle me fait mal depuis deux semaines.
LA DENTISTE:	Et c'est seulement maintenant que vous venez?
M. BORDIER:	[Il ment.] J'étais en voyage d'affaires.
LA DENTISTE:	Je comprends. Bon. Voyons un peu. Ouvrez bien la bouche, Monsieur Bordier.
M. BORDIER:	Ahhhh.
LA DENTISTE:	Je vois. C'est certainement celle-ci, n'est-ce pas?
M. BORDIER:	Oui! Vous pouvez faire quelque chose?
LA DENTISTE:	Rien de plus facile. Vous allez voir. [La dentiste prend une énorme pince.°]
M. BORDIER:	Aïe! Aïe!

Sit down.

pair of pliers

Avez-vous suivi?

1. M. Bordier, qu'est-ce qu'il a?
2. Depuis quand est-ce que la dent lui fait mal?
3. Est-ce qu'il était en voyage d'affaires?
4. Est-ce que la dentiste peut faire quelque chose?
5. Expliquez la réaction de M. Bordier.

Autrement dit
Les médecins et leurs spécialités

— le généraliste	— le diagnostic
le/la chirurgien/ne	la chirurgie
le/la pédiatre	les enfants
le/la dentiste	les dents
l'oculiste (m/f)	les yeux
l'oto-rhino(-laryngologiste) (m/f)	les oreilles, le nez, la gorge
le/la podologue	les pieds
— le/la pharmacien/ne	— les ordonnances

LE/LA GYNOCOLOGUE

Vous pouvez faire quelque chose? Rien de plus facile.

Mais d'abord, on va prendre le pouls.	*take your pulse*
faire une prise de sang	*draw blood*
faire des radios	*take x-rays*
— faire des tests	*perform tests*
faire une opération/ opérer	*perform an operation/ operate*
mettre un plâtre	*put on a cast*
ordonner des médicaments	*prescribe medicine*

Reposez-vous et soignez-vous!

Chez le dentiste

M. Bordier a des **caries.°** Le dentiste va les **plomber.°** Il a aussi **un mauvais plombage** que le dentiste va remplacer. Il **conseille à** M. Bordier de se brosser les dents après tous les repas, d'utiliser **une bonne brosse à dents, un dentifrice°** au fluor et **du fil dentaire.°**

cavities; fill

toothpaste

dental floss

Pratique et conversation

A. **Les médecins et leurs spécialités.** À quel médecin faut-il s'adresser pour les problèmes suivants?

1. Vous avez trois caries.
2. Vous avez du mal à lire les phrases au tableau.
3. Vous avez mal au pied après un match de foot.
4. Votre enfant est malade.
5. Vous avez besoin d'une opération.
6. Vous avez besoin d'une ordonnance.
7. Vous avez constamment des laryngites.

B. **Qu'est-ce qu'on fait?** Décrivez la scène.

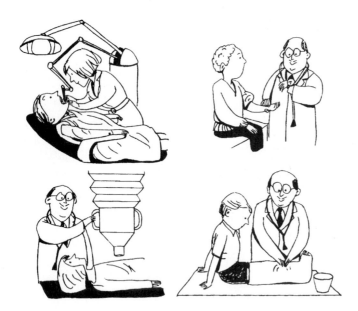

C. **Une belle excuse.** Vous êtes constamment absent/e de la classe parce que vous êtes malade, bien sûr! Expliquez à votre professeur vos symptômes. Dites-lui aussi quel médecin vous êtes allé/e voir, son diagnostic et ses conseils.

Structure III
Talking about actions that began in the past and continue into the present
The present tense + *depuis* + time expression

Elle me fait mal **depuis** deux semaines.
It has been hurting (me) for two weeks.

a. To express an action or state that began in the past and continues into the present, French uses the present tense followed by **depuis** and a time expression. Note that English uses the present perfect.

b. To form a question, use the question words **depuis quand** or **depuis combien de temps** with the question patterns you have learned.

Depuis quand est-ce que ça te fait mal?
Depuis combien de temps est-ce que vous avez ces symptômes?
or
Depuis quand prends-tu ces médicaments?
Depuis combien de temps avez-vous mal au cœur?

c. **Depuis quand** emphasizes the starting point of an action, whereas **depuis combien de temps** emphasizes the duration.

Depuis quand est-ce que ça vous fait mal?
Since when has it been hurting?
Depuis combien de temps est-ce que ça vous fait mal?
How long has it been hurting?

In practice, both questions can be used interchangeably.

Pratique et conversation

A. **Au cabinet du médecin.** As a doctor, you need to know how long your patients have had the conditions about which they are complaining. Ask your patient the following questions.

MODÈLE   mal à la gorge/trois semaines
Vous: **Depuis quand est-ce que vous avez mal à la gorge?**
Votre camarade: **J'ai mal à la gorge depuis trois semaines.**

1. de la fièvre/deux jours
2. une angine/huit jours
3. mal aux dents/une semaine
4. le nez qui coule/un mois
5. mal au dos/tout l'hiver
6. une toux/deux semaines
7. mal au foie/trois semaines

B. **Interview.** Posez ces questions à un/e camarade. Demandez depuis quand il/elle...

1. va à cette université
2. étudie le français
3. habite en [Californie]
4. pratique son sport préféré
5. travaille

Structure IV
Referring to someone or something already mentioned
The demonstrative pronouns *celui, celle, ceux, celles*

Qui est ton dentiste? **Celui** de ma mère.
Alors, cette dent... Je vois. C'est certainement **celle-ci**, n'est-ce pas?
Voici les tests de M. Martin et **ceux** de Mme Delcourt.
M. Bordier! Vous avez beaucoup de caries. **Celles-ci** sont petites mais **celles-là** sont vraiment graves.

a. A demonstrative pronoun replaces and refers to a noun that has previously been mentioned. The form of the demonstrative pronoun depends on the gender and number of the noun it is replacing. Notice the forms in the examples above.

b. The demonstrative pronoun cannot be used alone. It may be followed by −**ci** or −**là.**

Voici deux chemises. Voulez-vous **celle-ci** ou **celle-là?**
Here are two shirts. Do you want this one or that one?

c. The demonstrative pronoun may also be followed by a phrase introduced by **de,** which indicates possession.

Est-ce que vous préférez la cravate de Jean-Philippe ou **celle de** son père?
Do you prefer Jean-Philippe's tie or his father's?

Pratique et conversation

A. **Cendrillon et sa belle-mère.°** Faites des comparaisons selon le modèle.

Cinderella and her stepmother.

MODÈLE   les yeux/grands
Les yeux de Cendrillon sont plus grands que ceux de sa belle-mère.

1. les dents/blanches
2. les oreilles/petites
3. le nez/long
4. les cheveux/blonds
5. les pieds/grands

B. **Préférences.** Répondez à la question.

MODÈLE   Est-ce que vous préférez votre pantalon ou le pantalon de [Jean]?
Je préfère celui de [Jean].
(ou: **Je préfère mon pantalon.**)

1. Est-ce que vous aimez mieux votre voiture ou la voiture de [Françoise]?
2. Est-ce que vous préférez votre chemise ou la chemise de [Philippe]?
3. Est-ce que vous préférez votre appartement ou l'appartement de votre petit/e ami/e?
4. Est-ce que vous aimez mieux vos chaussures ou les chaussures de [Christiane]?
5. Est-ce que vous préférez vos disques ou les disques de [Marc]?

C. **Comparaisons.** Comparez les objets qu'on vous montre. Utilisez les adjectifs **grand, petit, cher, beau,** et **pratique.**

MODÈLE   **Cette fenêtre-ci est plus petite que celle-là.**

L'ami inattendu°

unexpected

ANNE:	Un monsieur a téléphoné ce matin. Il voulait vous parler. Il s'appelait Gérard Depuy.
M. BORDIER:	Oui, merci Anne, je sais. Il m'a passé un coup de fil au bureau.
MME BORDIER:	Gérard Depuy, le nom me dit quelque chose. Non, je ne me souviens pas.
M. BORDIER:	Mais si! Nous nous sommes rencontrés au lycée, à Lyon.
MME BORDIER:	C'est ça! Qu'est-ce qu'il est devenu?
M. BORDIER:	Il est maintenant chirurgien. Il s'est marié avec une de ses infirmières. Gérard et sa femme se trouvent à Paris pour une semaine, et ils vont passer nous dire bonsoir tout à l'heure° avec un de leurs amis.
MME BORDIER:	Ce soir? Mon Dieu, dépêchons-nous, Anne, il faut se préparer...

in a little while

Avez-vous suivi?

1. Qui a passé un coup de fil au bureau de M. Bordier?
2. Où est-ce que M. Bordier et Gérard Depuy se sont rencontrés?
3. Gérard Depuy, qu'est-ce qu'il est devenu?
4. Avec qui est-ce qu'il s'est marié?
5. Où est-ce qu'ils se trouvent maintenant?

Autrement dit

Pour dire *oui* à une question affirmative

Tu te souviens de Gérard Depuy? Oui.
                                    Mais oui!
                                    Oui, bien sûr!
                                    Bien sûr que oui!

Pour dire *oui* à une question négative

Tu ne te souviens pas de Gérard Depuy? Si!
                                    Mais si!
                                    Si, bien sûr!
                                    Bien sûr que si!

Pour dire *non*

Gérard Depuy est divorcé? Non.
                            Mais non!
                            Bien sûr que non!
                            Pas du tout... Il s'est marié avec une de ses infirmières.

Pour dire que l'autre personne a raison ou tort

Les médecins gagnent trop d'argent.

+	−
C'est vrai.	Ce n'est pas vrai.
C'est juste.	C'est faux.
Tu as raison.	Tu as tort.
C'est ça!	Tu te trompes!
C'est exact.	
Je suis d'accord.	Je ne suis pas d'accord.

Pour insister

Mais je t'assure que c'est vrai.
        je te jure
        je te dis

Pratique et conversation

A. **Oui ou non!** Êtes-vous d'accord ou non avec ces idées? Donnez une réaction convenable°.

appropriate

MODÈLE   Si tu veux maigrir, je te conseille de manger beaucoup de glace.
Mais, non, tu as tort! Il faut manger de la salade.

1. Le français est plus difficile que la chimie.
2. *Casablanca* est un meilleur film que *On the Waterfront*.
3. *Gone with the Wind* est plus amusant que *The Sound of Music*.
4. La cuisine italienne est meilleure que la cuisine chinoise.
5. Les femmes sont plus intelligentes que les hommes.
6. Lyon est la capitale de la France.

B. **Êtes-vous d'accord?** Exprimez vos idées sur les sujets suivants. Les autres dans votre groupe vont donner leur réaction. Dites au moins trois choses sur chaque sujet.

MODÈLE   votre université
Vous: **C'est la meilleure université du pays.**
Un/e camarade: **Je ne suis pas d'accord.**
(ou: **Tu as raison!**)

1. la situation politique
2. la vie universitaire
3. les films en ville en ce moment
4. le cours de français

Structure V
Talking about past events
The *passé composé* of pronominal verbs

SUBJECT	REFLEXIVE PRONOUN	AUXILIARY	PAST PARTICIPLE	
Nous	nous	sommes	rencontrés	au lycée, à Lyon.
Il	s'	est	marié	avec une de ses infirmières.

a. In the **passé composé** pronominal verbs are conjugated with **être.** The reflexive pronoun precedes the auxiliary.

b. As with object pronouns, **ne** precedes the reflexive pronoun and **pas** follows the auxiliary in the negative.

Jean-Philippe et Sylvie **ne** se sont **pas** encore réveillés ce matin.

c. The past participle will show agreement only if the reflexive pronoun functions as a direct object. In order to determine this, check first to see if the verb is followed by a direct object. If so, the reflexive pronoun is functioning as an *indirect object* and the past participle does not agree.

REFLEXIVE PRONOUN		DIRECT OBJECT	
Elle	s'	est lavée.	
Elle	s'	est lavé	les mains.

d. If there is no direct object following the verb, determine what type of object the verb takes when it is not used reflexively. This will be the function of the reflexive pronoun when the verb is used reflexively.

Sylvie lave Pataud. (direct object)
Sylvie s'est lavée. (**se** = direct object → agreement)
Gérard Depuy a téléphoné à Charles Bordier. (indirect object)
Gérard et Charles se sont téléphoné. (**se** = indirect object → no agreement)

Pratique et conversation

A. **Chez les Bordier.** Qu'est-ce qu'on a fait hier? Composez des phrases.

1. Jean-Philippe/se casser la jambe.
2. Les Bordier/se coucher de bonne heure.
3. Anne et moi/s'amuser.
4. Tu/se dépêcher.
5. Vous/se réveiller à huit heures.
6. Nous/se laver.
7. Je/se faire mal.

B. **Samedi soir.** Posez les questions suivantes à votre partenaire. Demandez-lui...

1. s'il/elle est sorti/e ce week-end
2. où il/elle est allé/e
3. s'il/elle s'est bien amusé/e
4. à quelle heure il/elle s'est couché/e
5. à quelle heure il/elle s'est levé/e dimanche matin

C. **Histoires.** Choisissez un des sujets ci-dessous et racontez l'histoire à la classe.

1. Une histoire d'amour: Racontez l'histoire de vous et de votre petit/e ami/e: Comment est-ce que vous vous êtes rencontrés? Qu'est-ce que vous avez fait la première fois que vous êtes sortis ensemble? Est-ce que vous allez vous marier? Variation: Racontez le mariage de vos parents.
2. L'histoire d'un accident: Racontez un accident. Qu'est-ce que vous faisiez? Qu'est-ce qui s'est passé? Est-ce que vous vous êtes fait mal?
3. L'histoire d'une soirée d'excès: Racontez l'histoire d'une soirée où vous vous êtes trop amusé/e. Qu'est-ce que vous avez fait? À quelle heure est-ce que vous vous êtes couché/e et levé/e? Comment est-ce que vous vous sentiez le lendemain (*the next day*)?

Structure VI
Talking about everyday activities
Compound verbs

Non, je ne **me souviens** pas.
C'est ça! Qu'est-ce qu'il **est devenu?**

a. Compound verbs are composed of a prefix added to the simple verb:

se souVENIR de	*to remember*
deVENIR	*to become*
reVENIR	*to return*

b. Compound verbs are conjugated like the simple verbs they are built on, with the addition of a prefix: **je deviens, tu deviens,** etc. Compound verbs are conjugated with the same auxiliary as the simple verb.

c. Other compound verbs are:

comprendre	*to understand*
apprendre	*to learn*

permettre à quelqu'un de faire quelque chose	*to permit someone to do something*
promettre à quelqu'un de faire quelque chose	*to promise someone to do something*

d. The conjugation of the verb **tenir** is similar to that of the verb **venir.**

	TENIR (TO HOLD)			STEM	+	ENDING
Present	Je	tiens	un stylo.	tien		s
	Tu	tiens	mes livres?	tien		s
	Qui	tient	les disques?	tien		t
	Nous	tenons	nos sacs.	ten		ons
	Vous	tenez	mes cartes?	ten		ez
	Ils	tiennent	leurs radios.	tienn		ent
Passé Composé	J'	ai tenu	le chien.			
Imperfect	Il	tenait	quelque chose.			

Like **tenir** are **obtenir** *(to obtain)*, **retenir** *(to retain)*, and **maintenir** *(to maintain).*

e. Learn the conjugation of **ouvrir** and its compounds **couvrir,** *to cover,* and **découvrir,** *to discover.*

	OUVRIR (TO OPEN)			STEM	+	ENDING
Present	J'	ouvre	la porte.	ouvr		e
	Tu	ouvres	la bouche.	ouvr		es
	Il	ouvre	le livre.	ouvr		e
	Nous	ouvrons	la fenêtre.	ouvr		ons
	Vous	ouvrez	le tiroir.	ouvr		ez
	Elles	ouvrent	la lettre.	ouvr		ent
Passé Composé	J'	ai ouvert	la boîte.			
Imperfect	Elle	ouvrait	sa porte le matin.			

f. **Offrir** *(to offer, to give* [a gift]*)* and **souffrir** *(to suffer),* are conjugated like **ouvrir.**

Pourquoi est-ce que tu m'offres un cadeau?
Patrick a offert un cadeau à Jean-Philippe.
Mme Chevalley souffre beaucoup.
Hier, nous avons souffert en classe.

Pratique et conversation

A. **Dans l'immeuble.** Décrivez les activités des personnes suivantes.

  1. Mme Chevalley/découvrir/beaucoup de choses.
  2. Les Ibn Hassam/apprendre/le français.
  3. Nous/ouvrir/la porte entrée.
  4. Tu/comprendre/l'histoire de Mme X.
  5. Vous/permettre/à Pataud de sortir.
  6. Je/se souvenir/de mes devoirs.
  7. Nous/apprendre/des nouvelles.
  8. Tu/devenir/curieux.
  9. Jean-Philippe/promettre/de faire la vaisselle.
  10. Les Bordier/offrir/un cadeau à Anne.

B. **Au passé.** Mettez les phrases ci-dessus au **passé composé**.

C. **La famille du verbe *tenir*.** Composez des phrases.

  1. Elle/obtenir/les résultats de son examen.
  2. Nous/ne... pas retenir beaucoup de cet exercice.
  3. Ils/maintenir/leur corps en bonne forme physique.
  4. Vous/tenir/un grand sac.
  5. Tu/obtenir/de très bonnes notes en français.
  6. Nous/maintenir/le calme.

D. **Mme Chevalley ouvre, couvre, et découvre tout!** Que fait Mme Chevalley?

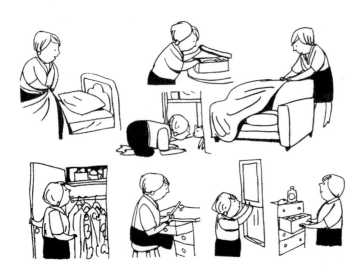

E. **Comprendre, c'est apprendre.** Répondez aux questions.

1. Qu'est-ce que vous avez appris dans la classe de français?
2. Qu'est-ce que vous comprenez bien?
3. Qu'est ce que vous ne comprenez pas?
4. Qu'est-ce que vous voulez apprendre?
5. Est-ce que vous souffrez dans la classe de français?

F. **Qu'est-ce qu'il est devenu?** Imagine that you are at a class reunion of your French class ten years from now. Some of the class could not make it, but you have kept up with almost everybody. The guests ask you questions about former classmates and you answer.

MODÈLE [Robert]
    Votre camarade: **Tu te souviens de Robert? Qu'est-ce qu'il est devenu?**
    Vous: **Il est devenu professeur de français.**
    [Marie et Françoise]
    Votre camarade: **Tu te souviens de Marie et Françoise? Qu'est-ce qu'elles sont devenues?**
    Vous: **Elles sont devenues chirurgiennes.**

 # Lecture I

POURQUOI LES GENS CONSOMMENT-ILS DES DROGUES?

You will find that some technical articles contain many cognates and are easier to read than you might expect. For this reason, the following medically related article can be quickly scanned for the essential ideas.

Avant de lire

A. **Un sondage.** Poll your classmates to find out what they think about...

1. the profile of a typical drug user
2. possible motives for taking drugs
3. availability of drugs

B. **Un résumé.** Sous quelle/s rubrique/s de l'article est-ce que vous trouvez l'information suivante?

1. Pourquoi on se drogue.
2. Pourquoi il est facile de trouver des drogues dans la société.
3. Le profil d'un consommateur de drogues typique.
4. On consomme des drogues pour faire partie d'un groupe.
5. Les êtres humains sont curieux par nature.
6. La définition de la toxicomanie (*drug addiction*).
7. Les enfants suivent (*follow*) l'exemple de leurs parents vis-à-vis de la consommation des drogues.

C. **En contexte.** Devinez le sens des mots en italique selon leur contexte.

1. Les personnes qui consomment de la drogue viennent de toutes les parties du pays et de toutes *les couches de la société*.
2. Les gens peuvent commencer à consommer une drogue à cause *des pressions sociales*.
3. Il n'est donc pas surprenant de *constater* que nombre de gens, particulièrement les jeunes, sont *tentés* de faire des expériences avec les drogues.
4. Certaines personnes prennent des psychotropes pour *soulager* certains problèmes émotifs.
5. Des personnes *vivant* dans l'insécurité peuvent prendre de la drogue pour *accroître* leur confiance en elles-mêmes.
6. Dans certains groupes, l'usage de drogues est «*à la page*». Une telle attitude atteste que l'on fait partie du groupe. Ceux qui ne prennent pas de drogues sont *tenus à l'écart*.

Lisons

Consommateur de drogues type
Il n'existe pas de consommateur de drogues type. Les personnes qui consomment de la drogue viennent de toutes les parties du pays et de toutes les couches de la société. Elles peuvent être riches ou pauvres, jeunes ou vieilles, de sexe masculin ou féminin, intelligentes ou non, instruites ou non.

Motifs° les plus courants
Diverses personnes consomment des drogues différentes pour des raisons tout aussi différentes. Les motifs invoqués varient suivant° les drogues, les personnes, et les occasions. Une personne peut invoquer plus d'une raison. Les gens peuvent commencer à consommer une drogue pour une raison donnée (par exemple la curiosité, le plaisir, les pressions sociales, ou pour une raison d'ordre médical) et peuvent

continuer d'en° prendre pour un motif complètement différent (comme une dépendance psychologique ou les pressions exercées par le groupe).

it

Curiosité

De nos jours, on parle beaucoup des drogues, et ces dernières font couler beaucoup d'encre°. Elles constituent des sujets de conversation courants. Des personnes peuvent avoir certains amis ou certaines connaissances° qui en° prennent. Les êtres humains sont, par leur nature même°, curieux. Il n'est donc pas surprenant de constater que nombre de gens, particulièrement les jeunes, sont tentés de faire des expériences° avec les drogues.

causes much ink to flow

acquaintances; them

very

experiments

Pressions psychologiques

Certaines personnes prennent des psychotropes pour soulager certains problèmes émotifs comme l'angoisse, la nervosité, ou la dépression. D'autres prennent de la drogue simplement parce qu'elles s'ennuient. Des personnes vivant dans l'insécurité peuvent prendre de la drogue pour accroître leur confiance en elles-mêmes°. Certains jeunes peuvent en consommer pour exprimer un sentiment d'aliénation ou de révolte.

themselves

Pressions sociales

Les pressions sociales en vue d'inciter une personne à consommer de la drogue peuvent être très fortes. Les jeunes peuvent être influencés par des airs populaires qui chantent la louange° des drogues ou encore par des chanteurs, des musiciens, ou des athlètes célèbres qui sont réputés prendre de la drogue. Les enfants sont particulièrement influencés par leurs parents, dont° la consommation courante d'alcool, de nicotine, et d'autres drogues peut quelquefois faire en sorte° que l'usage de drogues semble normal ou sûr, ou même justifiable.

praise

whose
make it appear

Pressions exercées par le groupe

Dans certains groupes, l'usage de drogues est «à la page». Une telle° attitude atteste que l'on fait partie du groupe, et c'est la clé de l'acceptation sociale. Ceux qui ne prennent pas de drogues sont tenus à l'écart. Il est difficile d'être différent, aussi° les gens suivent le mouvement. Dans un sondage effectué par la société Gallup, 60% des jeunes qui consomment ou non de la drogue, ont déclaré que le principal avantage de la consommation du cannabis n'était pas les sensations que procure la drogue, mais plutôt le sentiment de faire partie du groupe qui y est lié°.

such

thus

connected with it

Disponibilité°

Il y a, de nos jours, une profusion de toutes les drogues, licites et illicites, et ce, plus que jamais. Un plus grand nombre de gens que jamais auparavant° y° sont exposés, directement ou non.

Availability

before; to them

Il est également vrai que les personnes qui consomment régulièrement une drogue donnée sont plus susceptibles de passer à d'autres drogues.

Dépendance

Certaines personnes prennent de la drogue parce qu'elles ont acquis une dépendance physique ou psychologique à cette drogue. Que la drogue soit licite° ou non, que ses effets soient puissants° ou faibles, ou que la personne en ait d'abord pris° pour des raisons médicales ou autres n'a aucune espèce d'importance°. Quand les gens continuent à prendre une certaine drogue parce qu'ils ne se sentent pas bien s'ils n'en° prennent pas, on peut dire qu'ils ont acquis une dépendance.

Whether the drug is legal; powerful; whether the person first took them; has no importance

them

Avez-vous suivi?

A. **Renseignez-vous.** Répondez aux questions.

1. Est-ce qu'il y a un consommateur de drogues type? Pourquoi ou pourquoi pas?
2. Pourquoi est-ce qu'on consomme des drogues?
3. Quelles sont quelques pressions psychologiques qui incitent les gens à prendre des drogues? Quelles sont des pressions sociales?
4. Quand est-ce qu'on peut parler d'une dépendance physique ou psychologique?

B. **Mythes.** Voici quelques mythes concernant la consommation des drogues. Trouvez où on indique dans le texte que ces mythes sont faux.

1. Les chansons populaires n'ont pas d'influence sur le comportement des jeunes.
2. La consommation du cannabis n'occasionne pas la consommation d'autres drogues.
3. Les plus instruits ne prennent pas de drogues.
4. La consommation de l'alcool de la part des parents n'a pas d'influence sur leurs enfants.
5. La dépendance psychologique est un mythe.

 # Lecture II

LA SANTÉ DES FRANÇAIS

This reading discusses some of the major health problems facing French society. As you read, use your knowledge of English to guess the meaning of the many cognates in the text.

Avant de lire

A. **Que savez-vous déjà?** Quels sont les problèmes de santé les plus sérieux chez les Français? et chez les Américains? Que savez-vous du système de Sécurité sociale en France?

B. **Adjectif → verbe.** Les adjectifs peuvent parfois se transformer en un verbe en −ir ou −er en ajoutant un préfixe: **lent** (slow) → **ralentir** (to slow down), **faible** (weak) → **affaiblir,** (to make weak, to weaken). Utilisez les adjectifs pour deviner la signification des verbes.

1. ferme (firm) → raffermir
2. grave (serious) → aggraver
3. blanc (white) → blanchir
4. court (short) → raccourcir
5. rouge (red) → rougir
6. rond (round) → arrondir

C. **En contexte.** Devinez la signification des expressions en italique en utilisant les autres éléments de la phrase.

1. Dans une société où la compétition devient de plus en plus intense, seuls ceux qui sont en bonne santé peuvent *tirer leur épingle du jeu.*
2. Certains «plaisirs de la vie» peuvent mener (lead) à une mort prématurée: beaucoup de Français ont *creusé leur tombe* avec leur fourchette.
3. Voilà un paradoxe: la drogue promet un paradis, mais ce paradis ressemble étrangement à *un enfer.*
4. Trouver un emploi, un partenaire, obtenir de l'avancement, profiter pleinement de ses loisirs, tout cela *requiert* d'être en bonne santé.
5. Certains se demandent (wonder) aujourd'hui si les victoires *remportées* sur le tétanos compensent les millions de dépressions et d'insomnies.

Lisons

Pour être riche et heureux, il faut être en bonne santé.

Plus que jamais°, la santé apparaît° comme une condition nécessaire pour réussir sa vie. Dans une société de plus en plus concurrentielle,° seuls ceux qui sont en possession de tous leurs moyens° peuvent tirer leur épingle du jeu. Trouver un emploi, un partenaire, obtenir de l'avancement, profiter pleinement° de ses loisirs, tout cela requiert, pour le moins, d'être en bonne santé. Ceux qui sont beaux et en pleine forme sont les mieux armés pour réussir. Les Français l'ont bien compris depuis quelques années, qui redécouvrent leur corps et s'appliquent à le maintenir en état°. Dans une époque éprouvante°, la santé constitue un capital précieux. Aussi précieux que le temps, dont° elle est l'allié le plus sûr.

Migraine, stress, insomnie, suicide: les maladies du siècle

L'évolution de la science a favorisé le progrès. Dans ses applications médicales, le progrès a permis de faire reculer° la maladie. Mais voilà que la maladie se venge en s'inventant° de nouvelles formes. Le mal de tête, le stress, l'insomnie, le mal de dos, ou même le suicide sont, semble-t-il°, le tribut à payer à l'agitation et au confort caractéristiques de l'époque. Au point que certains se demandent° aujourd'hui si les victoires remportées sur la poliomyélite ou le tétanos compensent les millions de dépressions, de nuits blanches° et de dos en compote°.

Alcoolisme, tabac, drogue: les maladies volontaires

Certains plaisirs de la vie peuvent contribuer à raccourcir sa durée. C'est ainsi° que beaucoup de Français ont «creusé leur tombe avec leur fourchette». Certes, la qualité de l'alimentation s'améliore° lentement et la consommation d'alcool et de tabac tend à diminuer. Mais le «verre de trop» est encore à l'origine de nombreux accidents. La cigarette, elle, continue d'être responsable de dizaines de milliers de cancers chaque année. Quant à° la drogue, elle promet un paradis qui ressemble à l'enfer.

La consommation d'alcool est une vieille tradition française.

- 42% des maladies de l'appareil digestif sont des cirrhoses du foie.
- Elles sont responsables de 6% des décès.

Avez-vous suivi?

A. **Avez-vous compris?** Répondez aux questions suivantes.

1. Pourquoi est-ce que la bonne santé est beaucoup plus importante dans la société contemporaine?
2. Est-ce que les Français ont compris cette importance? Qu'est-ce qu'ils font pour rester en bonne forme?
3. Quelles sont les conséquences...

   a. des cigarettes
   b. de l'alcool
   c. des drogues
   d. de la société concurrentielle

B. **Chez le médecin.** Vous allez chez le médecin parce que vous êtes toujours stressé/e. Il vous pose des questions sur vos habitudes et sur votre régime alimentaire. Finalement, il vous donne des conseils. Jouez la scène.

C. **Publicités.** Faites des publicités anti-tabac et/ou anti-alcool. Utilisez des statistiques et conclusions trouvées dans la lecture.

Activités

A. **Une camarade de chambre.** Vous cherchez un/e camarade de chambre et vous interviewez un/e candidat/e. Posez-lui des questions sur sa routine quotidienne. À quelle heure se lève-t-il/elle? se couche-t-il/elle? etc.

B. **Une autre visite chez le médecin.** Vous ne vous sentez pas bien et vous allez chez le médecin. Il/Elle vous pose des questions sur vos symptômes, fait un diagnostic, et vous donne des conseils.

C. **Vous faites des courses.** Vous voulez acheter une chemise et une cravate ou une jupe et un chemisier. Le vendeur/La vendeuse vous suggère plusieurs possibilités. Vous choisissez et payez.

D. **Une recommandation.** Un/e de vos amis/amies cherche un emploi et a donné votre nom comme référence. Un employeur vous téléphone et vous pose des questions sur les qualifications de votre ami/e. Votre recommandation est très positive!

Vocabulaire actif

s' **amuser**	to have a good time, to have fun	des **antihistaminiques** (m.)	antihistamines
une **angine**	sore throat	s' **appeler**	to be named
des **antibiotiques** (m.)	antibiotics	**apprendre**	to learn
		une **aspirine**	aspirin

assurer	to assure	être en (bonne/ pleine) forme	to feel great, be in good shape
avoir bonne/ mauvaise mine	to look good/bad	être en mauvaise forme	to be in bad shape
avoir mal à	to have an ache, to have pain	être souffrant/e	to be ill
		exact/e	exact, right
avoir mal au cœur	to be nauseous	faire des radios	to take x-rays
		faire des tests	to run tests
avoir quelque chose	to have something wrong	faire mal	to hurt
		se faire mal	to hurt oneself
avoir raison	to be right	faire une dépres- sion	to become depressed
avoir tort	to be wrong		
une bouche	mouth	faire une opération	to perform an operation
bouché	stuffed up, blocked	faire une prise de sang	to draw blood
un bras	arm		
une bronchite	bronchitis	faux/fausse	false
une brosse à dents	toothbrush	une fièvre	fever
se brosser (les dents)	to brush (one's teeth)	du fil dentaire	dental floss
		un foie	liver
Ça suffit!	That's enough!	un généraliste	generalist
une carie	cavity	une gorge	throat
se casser (la jambe)	to break (one's leg)	la grippe	flu
celui, celle, ceux, celles	this one, that one, these, those	s' habiller	to get dressed
		un/e infirmier/ infirmière	nurse
C'est ça!	That's it!, That's right!		
la chirurgie	surgery	une jambe	leg
un/e chirurgien/ne	surgeon	jurer	to swear
un cœur	heart	juste	right
comprendre	to understand	une laryngite	sore throat, laryngitis
se coucher	to go to bed	se laver	to wash up
couler	to drip, to run	se lever	to get up
couvrir	to cover	une main	hand
une crise de nerfs	anxiety attack	maintenir	to maintain
découvrir	to discover	malade	sick
une dent	tooth	maladie	illness, disease
du dentifrice	toothpaste	se maquiller	to put on makeup
un/e dentiste	dentist	se marier avec	to marry
se dépêcher	to hurry	des médicaments (m.)	medicine
déprimé/e	depressed	mettre un plâtre	to put on a cast
depuis	for, since	mieux	better (adv.)
devenir	to become	une migraine	headache
un diagnostic	diagnosis	un nez	nose
un doigt	finger	obtenir	to get, obtain
un dos	back	un/e oculiste	optometrist
s' endormir	to fall asleep	un œil (pl. des yeux)	eye
s' ennuyer	to be bored	offrir	to give (a gift)
un estomac	stomach	opérer	to operate
être d'accord	to be in agreement, to agree	une ordonnance	prescription
		une oreille	ear

un/e **oto-rhino(-laryn-gologiste)**	ear-nose-throat doctor	**revenir**	to return
ouvrir	to open	un **rhume**	cold
se **passer**	to happen	se **sentir**	to feel
passer un coup de fil	to phone	**seulement**	only
		si	yes (reply to a negative question)
un/e **pédiatre**	pediatrician	la **sinusite**	sinusitis
permettre	to permit	du **sirop**	syrup
peut-être	perhaps	se **soigner**	to take care of oneself
un/e **pharmacien/ne**	pharmacist	**souffrir**	to suffer
un **pied**	foot	se **souvenir de**	to remember
un **plombage**	filling	un **symptôme**	symptom
plomber	to fill a cavity	**tenir**	to hold
une **pneumonie**	pneumonia	une **tête**	head
se **porter bien/mal**	to feel good/bad	**tôt**	early
un/e **podologue**	podiatrist	**tousser**	to cough
prendre le pouls	to take one's pulse	une **toux**	cough
promettre	to promise	se **tromper**	to be wrong, make an error
se **raser**	to shave	se **trouver**	to be located
un **remède**	remedy	un **voyage d'affaires**	business trip
se **rencontrer**	to meet each other	**vrai/e**	true
se **reposer**	to rest		
se **réveiller**	to wake up		

Chapitre 11

Révélations

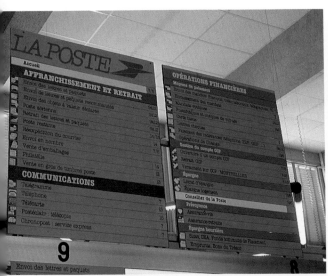

Le colis postal

M. BORDIER:	Mais, qu'est-ce qui arrive? Mme Chevalley est en train de frapper à la porte de tous les locataires!
MME BORDIER:	Le facteur a apporté un colis urgent. C'est pour une certaine Agathe Cauchon.
ANNE:	Drôle de nom! Mais qui est-ce?
MME BORDIER:	Il n'y a pas de locataire de ce nom-là dans notre immeuble. Alors, Mme Chevalley essaie de se renseigner. Mais jusqu'à présent, personne ne sait qui est cette Agathe Cauchon.
M. BORDIER:	Ils se sont trompés d'adresse, c'est tout!
MME BORDIER:	Non, justement!° C'est la bonne adresse: le nom de la rue... le numéro de l'immeuble... c'est bien ici. Il n'y a pas de doute.
SYLVIE:	Pour se renseigner, la concierge demande à tout le monde. Elle a déjà demandé à M. et Mme Silvestri...
ANNE:	Et à M. et Mme Ibn Hassam?
SYLVIE:	Aussi! Et il y a dix minutes, elle a demandé à M. Péreira. Rien!
ANNE:	Elle a demandé à Mme X?
SYLVIE:	Personne ne répond. Mais elle la verra quand elle rentrera et elle le lui demandera. Si je la vois, je le lui demanderai moi-même.

as a matter of fact

MME BORDIER:	Sylvie! Ne te mêle pas de° ces affaires.	*Don't get mixed up in*
ANNE:	Attendez! Mme X... Je suis sûre qu'elle y sera°	*will be involved*
	pour quelque chose.	

Avez-vous suivi?

1. Pourquoi est-ce que Mme Chevalley frappe à la porte de tous les locataires?
2. Comment est-ce que Mme Bordier sait que le colis n'est pas arrivé par erreur?
3. À qui est-ce que Mme Chevalley n'a pas encore parlé?

Autrement dit
Le courrier

Le facteur a apporté...

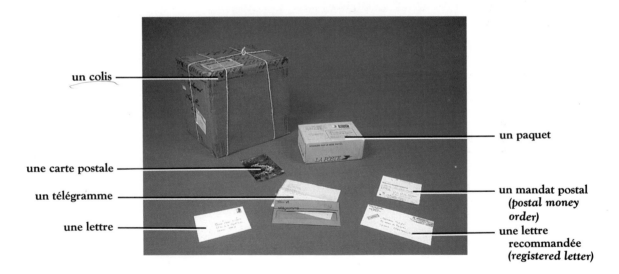

un colis
un paquet
une carte postale
un télégramme
un mandat postal (*postal money order*)
une lettre
une lettre recommandée (*registered letter*)

Au bureau de poste

| Où est le guichet de la poste aérienne? | *air mail window* |
| le guichet de la poste restante | *general delivery window* |

Je voudrais envoyer cette lettre **par avion** s'il vous plaît.
        par bateau
        en recommandé
        par exprès

Je voudrais renvoyer cette lettre à l'expéditeur.   *sender*
                      au destinataire   *addressee*

Il faut remplir la fiche.   *You have to fill out the slip (of paper)*
            l'étiquette de douane   *customs label*
            le formulaire   *form*

Je voudrais trois aérogrammes...   *aerograms*
            timbres-poste   *stamps*
C'est combien?
Ça fera cinquante francs.

Pour téléphoner

Je voudrais téléphoner aux États-Unis.

Voulez-vous me donner
    l'annuaire téléphonique de Paris?   *the Paris telephone book*

Je voudrais de la monnaie.   *change*

Je voudrais une télécarte de 50/120 unités.

Où est la cabine téléphonique la plus proche?

C'est combien pour téléphoner en Italie?

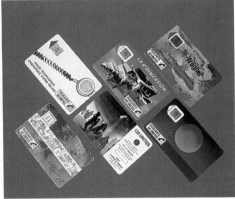

Pour expédier un télégramme

Je voudrais expédier un télégramme.

C'est combien pour envoyer ce télégramme?

Le minitel

L'annuaire éléctronique?
Tapez le 11.

Les réservations SNCF?
Tapez le 36.15, code SNCF.

Pratique et conversation

A. **Pour envoyer...** Comment est-ce qu'on envoie le contenu de la liste à gauche? Il y a parfois plus d'une réponse correcte.

1. _____	de l'argent	a.	dans un colis
2. _____	une chemise	b.	par mandat postal
3. _____	une demande urgente	c.	dans un paquet
4. _____	des nouvelles d'un/e ami/e en vacances	d.	par lettre
		e.	par télégramme
5. _____	des félicitations	f.	par carte postale
6. _____	des verres à vin	g.	par lettre recommandée
7. _____	un document légal		

B. **Dialogues.** Complétez les dialogues suivants.

Au bureau de poste

VOUS: Bonjour Monsieur. C'est combien pour envoyer ces lettres aux États-Unis?

L'EMPLOYÉ: _____?

VOUS: Par avion.

L'EMPLOYÉ: Ça fait 25 francs.

VOUS: _____

L'EMPLOYÉ: Je vous en prie Monsieur. Au revoir.

Le facteur passe

LE FACTEUR: Bonjour, Madame Chevalley.

MME CHEVALLEY: Bonjour, Monsieur Bodin. Où est-ce que vous allez avec ce grand paquet?

LE FACTEUR: _____

MME CHEVALLEY: Vous vous trompez d'adresse. Je n'ai personne de ce nom.

LE FACTEUR: _____

MME CHEVALLEY: Qui est l'expéditeur?

LE FACTEUR: _____

MME CHEVALLEY: C'est curieux! Vous n'avez rien d'autre? Quelque chose pour moi, peut-être?

LE FACTEUR: Voyons... _____

MME CHEVALLEY: Ah, très bien. Tout le monde aime recevoir du courrier, n'est-ce pas? Merci, Monsieur Bodin. À demain.

LE FACTEUR: _____

Un coup de téléphone

ANNE: Excusez-moi, Madame, comment est-ce que je fais pour téléphoner à Lyon?

L'EMPLOYÉE: Vous composez le 16 et puis le numéro.

ANNE: _____

L'EMPLOYÉE: Les annuaires sont à droite des cabines téléphoniques.

ANNE: _____

L'EMPLOYÉE: Si vous ne parlez pas trop longtemps, ce n'est pas cher.

ANNE: _____

L'EMPLOYÉE: Non, pour la monnaie, allez au guichet 3.

ANNE: _____

L'EMPLOYÉE: Je vous en prie, Mademoiselle.

C. **Au bureau de poste.** Vous allez à la poste pour envoyer un cadeau à un/e ami/e aux États-Unis. Jouez la scène.

Structure I
Talking about everyday activities
Regular −*re* verbs

		RÉPONDRE (TO ANSWER)			STEM + ENDING	
Present	Je	**réponds**	à la question.	répond	s
	Tu	**réponds**	à sa lettre.	répond	s
	Personne ne	**répond.**		répond	
	Nous	**répondons**	à la carte postale.	répond	ons
	Vous	**répondez**	à la porte.	répond	ez
	Elles	**répondent**	en français.	répond	ent
Passé Composé	J'	**ai répondu**	à son télégramme.		
Imperfect	Elle	**répondait**	toujours à mes questions.		

You have seen some irregular verbs which end in −**re**. A small group of regular verbs also end in −**re**. Among them are:

répondre à	*to answer*
attendre	*to wait for*
entendre	*to hear*
s'entendre bien avec	*to get along well with*
vendre	*to sell*
perdre	*to lose*
rendre quelque chose	*to return something*
rendre visite à quelqu'un	*to visit someone*

Pratique et conversation

A. **Activités.** Mettez les phrases suivantes au présent.

1. Mme Chevalley et Anne/attendre/l'arrivée de Mme X.
2. Je/répondre/tout de suite aux lettres.
3. Nous/entendre/des nouvelles intéressantes.
4. Tu/attendre/toujours des colis!
5. On/vendre/des timbres au tabac ou à la poste.

B. **Un coup de téléphone inattendu.** Mettez les phrases suivantes au passé. Utilisez le passé composé ou l'imparfait.

Hier soir, je _____ *(dormir) tranquillement, quand soudain, ma femme me* _____ *(réveiller).*

—Je _____ (entendre) quelque chose.

—Moi, je _____ (ne... rien entendre), alors, laisse-moi dormir.

—Ce _____ (être) le téléphone, je pense.

—Tu _____ (répondre)?

—Non, je _____ (avoir) trop peur.

—Peur du téléphone? Mais voyons...

—Ce n'est pas amusant... écoute!

Driiiing!

—Ce _____ (être) effectivement le téléphone. Je _____ (répondre).

—Allô.

—Allô, bonsoir Monsieur. J'appelle au sujet de votre petite annonce. Vous _____ (vendre déjà) votre appartement?

—Non, mais vous appelez bien tard.

—Je _____ (essayer) plus tôt, mais la ligne _____ (être) occupée. Je _____ (attendre) peut-être un peu trop pour rappeler...

C. **Interview.** Demandez à votre partenaire s'il/elle...

1. répond toujours aux lettres de ses amis
2. s'entend bien avec ses parents/ses professeurs
3. attend les vacances
4. a entendu des nouvelles intéressantes récemment

Structure II
Talking about what you will do
The future tense

THE FUTURE TENSE								
−er verbs			*−ir* verbs			*−re* verbs		
Stem	+	Ending	Stem	+	Ending	Stem	+	Ending
je parler		ai	je finir		ai	je répondr		ai
tu parler		as	tu finir		as	tu répondr		as
il parler		a	il finir		a	il répondr		a
nous parler		ons	nous finir		ons	nous répondr		ons
vous parler		ez	vous finir		ez	vous répondr		ez
elles parler		ont	elles finir		ont	elles répondr		ont

a. The future tense is formed by adding the future endings to a stem, which is the infinitive in most cases. For −**re** verbs, the final **e** of the infinitive is dropped before adding the future endings.

b. Below is a list of verbs that have irregular future stems. They take the same endings as regular verbs. Note that many verbs that are irregular in the present are regular in the future. If a verb you have learned is not in the list below, you may assume that its future is regular.

aller	j'**ir**ai
avoir	j'**aur**ai
envoyer	j'**enverr**ai
être	je **ser**ai
faire	je **fer**ai
pouvoir	je **pourr**ai
recevoir	je **recevr**ai
savoir	je **saur**ai
tenir	je **tiendr**ai
venir	je **viendr**ai
voir	je **verr**ai
vouloir	je **voudr**ai

c. While **acheter, payer,** and **préférer** have two stems in the present, they have only one in the future.

PRESENT	FUTURE
j'achète/nous achetons	j'achèterai/nous achèterons
je paie/nous payons	je paierai/nous paierons
je préfère/nous préférons	je préférerai/nous préférerons

d. The essential difference between the future tense and the immediate future (**aller** + infinitive) is like that between *to be going to* and *will* in English. Thus, while **aller** + infinitive indicates intention or immediacy in relation to the moment of speaking, the future tense merely indicates the occurrence of an action sometime in the future.

Je **vais faire** mes devoirs maintenant.
I am going to do my homework.
(intention, immediacy)

Je **ferai** mes devoirs ce week-end.
(no immediacy)

The immediate future is gradually replacing the future, especially in spoken French.

e. The future is used after **quand,** when future time is implied. Learn the following pattern.

FUTURE	*QUAND*	FUTURE
Mais elle la verra	quand	elle rentrera.
Je finirai mes devoirs	quand	j'aurai le temps.

Pratique et conversation

A. **L'avenir.** Mettez les phrases suivantes au futur.

1. Mme Bordier/rentrer/tard ce soir.
2. Je/téléphoner/quand je/arriver.
3. Lundi/je/ne... pas être/au travail.
4. Anne/retourner/aux États-Unis/en août.
5. Mme Silvestri/avoir/un enfant en août.
6. Nous/acheter/un cadeau pour le bébé.
7. Mme Chevalley/réussir/à trouver Agathe Cauchon.
8. Les Bordier/aller/aux États-Unis cet été.
9. Ils/partir/ le premier août.
10. Nous/ les rencontrer/à l'aéroport quand ils/rentrer.

B. **Interview.** Demandez à votre partenaire...

1. quand il/elle partira en vacances
2. à qui il/elle téléphonera la semaine prochaine
3. où il/elle ira pendant le week-end
4. où il/elle sera à trois heures du matin
5. à quelle heure il/elle arrivera à l'université demain

C. **Un voyant.** Prenez le rôle d'un/e voyant/e et essayer de prévoir *(predict)* l'avenir des personnes suivantes.

1. votre professeur
2. votre frère, sœur, ou cousin/e
3. un/e ami/e, votre camarade de chambre, votre petit/e ami/e, votre mari, ou votre femme

D. **Des personnages historiques.** Imagine that you've traveled back in time and you meet the following historical figures in their youth. Tell them what their future will be.

1. George Washington
2. Christophe Colomb
3. Jeanne d'Arc
4. Abraham Lincoln
5. Napoléon 1er

SITUATION

2

À la fois° concierge et détective

At the same time

Madame Chevalley examine soigneusement le colis.

MME CHEVALLEY: Hmm... Il vient des Studios de Boulogne. Ça doit être un film... si je l'ouvrais un peu, juste pour savoir...
[Madame X passe devant la porte de Mme Chevalley.]

MME X: Bonjour, Mme Chevalley.

MME CHEVALLEY: *[Embarrassée.]* Ah, Bonjour, Madame. Je vous attendais! Est-ce que vous connaissez une certaine Agathe Cauchon? Elle a reçu un colis d'un studio de cinéma, mais ils ont dû se tromper d'adresse, parce que je n'ai pas de locataire de ce nom-là.

MME X: Mais bien sûr que je connais Agathe Cauchon... C'est moi!

MME CHEVALLEY: C'est vous, Agathe Cauchon? Mais vous vous appelez Mme Lalout!

MME X: Oui, c'est juste.

MME CHEVALLEY: Mais vraiment, Madame, je ne comprends pas.
MME X: Et si je vous disais que je m'appelle aussi Valérie DuLouche?
MME CHEVALLEY: Valérie DuLouche, la grande actrice? Oh là là! Je n'en reviens pas!
MME X: Vous ne le saviez pas alors?
MME CHEVALLEY: Mais non! Je ne savais rien. La concierge ne sait jamais rien!

Avez-vous suivi?

1. Qu'est-ce que Mme Chevalley faisait quand Mme X est rentrée?
2. D'où vient le colis?
3. Qui est Agathe Cauchon? Pourquoi est-ce que Mme Chevalley est surprise quand elle apprend son identité?
4. Qui est Valérie DuLouche?

Autrement dit
Pour exprimer son incredulité

Mme X? Valérie DuLouche? La grande actrice?
Oh là là! Je n'en reviens pas!   *I can't get over it!*
Ça m'étonne!   *That astonishes me!*
Ça me surprend!   *That surprises me!*
Tiens! C'est étonnant!
C'est surprenant!
Ce n'est possible!
Ce n'est pas croyable!   *That's unbelievable!*
Ce n'est pas vrai!
Incroyable!   *Unbelievable!*
Vous plaisantez!   *You're joking!*
Tu plaisantes!
◇ Sans blague!   *No kidding!*
Comment? Madame X est Valérie DuLouche?
Quoi?

Pratique et conversation

A. **Comment? Quoi?** Exprimez votre incredulité.

1. Vous avez perdu la clé *(key)* de votre voiture.
2. Vous avez réussi à un examen qui était très difficile.
3. Votre tante Claire vous dit que le beurre de cacahuètes est un bon remède contre la grippe.
4. Un bon ami est malade et à l'hôpital.
5. Votre meilleur/e ami/e vous dit qu'il/elle vient d'avoir un accident de voiture.
6. Vos parents vous ont offert une Porsche pour votre anniversaire.
7. Au cinéma, vous voyez un/e ami/e qui vous a dit qu'il/elle était trop malade pour sortir.
8. On vous accuse d'un crime et on vous arrête.
9. À la banque, on vous dit que vous n'avez plus d'argent.
10. Vous recevez un chèque de mille francs par la poste.

Structure III
Talking about obligation
The verb *devoir*

	DEVOIR (TO OWE, TO HAVE TO, MUST)			STEM + ENDING	
Present	Je	**dois**	étudier.	doi	s
	Tu	**dois**	travailler ce week-end?	doi	s
	Ça	**doit**	être un film.	doi	t
	Nous	**devons**	rentrer tout de suite.	dev	ons
	Vous me	**devez**	cinq dollars.	dev	ez
	Ils	**doivent**	rester après la classe.	doiv	ent
Passé Composé	Nous	**avons dû**	rester à la maison.		
Imperfect	Elles	**devaient**	venir à huit heures.		
Future	Tu	**devras**	téléphoner demain.		

a. The verb **devoir** has several meanings. It may mean *to owe* or it may be used to express obligation or probability: *must, ought to,* or *to have to.*

b. Note the meanings of **devoir** in different tenses when it is used to express obligation or probability. Context will indicate the precise meaning.

PRESENT
Anne doit aller au bureau de poste.
Obligation: *Anne must go to the post office.*
Anne doit être au bureau de poste.
Probability: *Anne must be at the post office.*
PASSÉ COMPOSÉ
Mme Bordier a dû travailler hier.
Obligation: *Mrs. Bordier had to work yesterday.*
On a dû se tromper d'adresse.
Probability: *They must have mixed up the addresses.*
IMPERFECT
Vous deviez renvoyer le colis à l'expéditeur.
Obligation: *You were supposed to return the package to sender.*
FUTURE
Anne devra faire des courses demain.
Obligation: *Anne will have to do errands tomorrow.*

Pratique et conversation

A. **Obligations.** Mettez les phrases suivantes au présent, au futur, ou au passé.

1. Demain je/devoir/envoyer ces lettres.
2. Ils/devoir/travailler jusqu'à 8h tous les soirs.
3. Nous/devoir/aller chercher un colis à la poste hier.
4. Vous/ne... pas savoir/téléphoner à Lyon! Vous/devoir/composer le 16.
5. Non, le téléphone/devoir/être en panne *(broken)*.
6. Mme Bordier pense que le facteur/devoir/se tromper d'adresse.
7. Quand la lettre recommandée arrivera, tu/devoir/signer.

B. **Interview.** Demandez à votre partenaire s'il/elle...

1. doit étudier beaucoup
2. devait téléphoner à ses parents hier soir
3. a dû aller à la poste la semaine dernière
4. devait travailler hier
5. doit préparer la leçon

C. **Situations.** Trouvez une explication pour les situations suivantes. Employez le verbe **devoir.**

1. Vous avez invité un ami chez vous pour 8h00. Il est 8h45 et il n'est pas encore arrivé.
2. Vous avez reçu un colis pour quelqu'un d'autre.
3. Vous essayez d'appeler votre ami depuis trois heures, mais personne ne répond.
4. Vous arrivez chez vous et vous découvrez que vous n'avez pas vos clés.
5. Après un grand repas, votre hôtesse ne se sent pas bien.

Structure IV
Talking about people and places you know
The verb *connaître*

			CONNAÎTRE (TO KNOW, TO BE ACQUAINTED WITH)		STEM + ENDING	
Present	Je	**connais**	Agathe Cauchon.	connai	s
	Tu	**connais**	un bon restaurant?	connai	s
	Mme Chevalley	**connaît**	tous ses locataires.	connaî	t
	Nous ne	**connaissons**	pas Paris.	connaiss	ons
	Vous	**connaissez**	Agathe Cauchon?	connaiss	ez
	Les Bordier	**connaissent**	tous leurs voisins.	connaiss	ent
Passé Composé	J'	**ai connu**	Gérard Depuy à Lyon.		
Imperfect	Elle	**connaissait**	bien Paris à cette epoque.		
Future	Je la	**connaîtrai**	bien après ma visite.		

a. The verb **connaître** means *to know* in the sense of *to be acquainted with.* It is frequently used with people and places.

b. By contrast, **savoir** means *to know* something in an intellectual sense, *to know a fact.*

Vous ne le **saviez** pas alors?
Mais non! Je ne **savais** rien. La concierge ne **sait** jamais rien!

Pratique et conversation

A. **Connaissances.** Mettez les phrases suivantes au présent.

1. Nous/se connaître/depuis longtemps.
2. Les étudiants français/ne... pas connaître/ bien leurs professeurs.
3. —Est-ce que je vous/connaître? —Mais bien sûr! Vous/me connaître!
4. J'ai envie de sortir. Est-ce que tu/connaître/un bon restaurant?
5. Elle/ne... pas connaître/mon père.

B. **Histoire d'amour.** Mettez les phrases suivantes au passé. Utilisez le passé composé ou l'imparfait.

Je _____ (connaître) mon mari à Paris, après la guerre. Moi, je _____ (être) étudiante et lui, soldat. On _____ (sortir) ensemble tous les soirs. Il _____ (connaître) tous les coins de Paris. Mais, il _____ (ne... pas savoir) parler français! On _____ (se marier) et on _____ (revenir) aux États-Unis. Pour notre vingtième anniversaire de mariage, on _____ (décider) de retourner à Paris. Nous _____ (découvrir) que nous _____ (ne... plus connaître) la ville.

C. **Savoir ou connaître?** Mettez la forme correcte de **savoir** ou de **connaître.**

1. Je ne _____ pas très bien mon voisin. Je _____ qu'il est étranger et je _____ son nom, mais c'est tout.
2. Il _____ un bon endroit *(place)* pour un pique-nique, mais il ne _____ pas exactement où c'est.
3. Personne ne _____ Agathe Cauchon mais Anne _____ que Mme X a la clé du mystère.
4. Nous _____ très bien la ville de Paris.

D. **Interview.** Demandez à votre partenaire...

1. s'il/elle connaît quelqu'un de célèbre
2. s'il/elle sait qui est Agathe Cauchon
3. si Mme Lalout connaît Agathe Cauchon
4. s'il/elle sait téléphoner à l'étranger

SITUATION

La clé du mystère

MME CHEVALLEY:	Vous, vous êtes vraiment Valérie DuLouche, la plus grande <u>star de l'écran,</u>° la meilleure interprète de Phèdre?
VALÉRIE:	Eh bien, voilà! C'est moi! Mon secret est dévoilé.°
MME CHEVALLEY:	Mais vous ne m'avez rien dit! Pourquoi habitez-vous ici? Racontez-moi tout!
VALÉRIE:	J'ai horreur de la publicité. Moi, je préfère rester anonyme. Je n'ai rien contre les journalistes, mais les photographes! Eux, ce sont les pires. On n'est jamais tranquille. Jamais! C'est pour cela que j'ai décidé de me cacher dans cet appartement.
MME CHEVALLEY:	Maintenant, tout s'explique! Vos vêtements, votre maquillage, votre attitude...
VALÉRIE:	Oui, je me déguise souvent. C'est pour passer inaperçue.° Bon, je vous laisse. J'ai un rôle à répéter. Merci encore pour le colis.

screen

revealed

unnoticed

MME CHEVALLEY: Il n'y a pas de quoi. *[Valérie part.]* L'actrice Valérie DuLouche! Vous vous rendez compte? Oh là là. *[Elle frappe à la porte de Mme Bordier.]* Mme Bordier! Excusez-moi de vous déranger mais... Figurez-vous que Mme Lalout est Valérie DuLouche qui est Agathe Cauchon. Mais je peux tout expliquer!!! *[Elle entre dans l'appartement.]*

Avez-vous suivi?

1. Pourquoi est-ce que l'actrice Valérie DuLouche préfère habiter l'immeuble de Mme Chevalley?
2. Comment est-ce qu'elle passait inaperçue?
3. Pourquoi est-ce que Mme Chevalley frappe à la porte de Mme Bordier?

Autrement dit

Pour annoncer une nouvelle

Vous connaissez la nouvelle?
J'ai quelque chose à te dire.
J'ai une bonne/mauvaise nouvelle pour vous.

Figurez vous que Mme X est Valérie DuLouche!
 Figure-toi
  Tu sais

Pour s'excuser

Quand on dérange quelqu'un
Excusez-moi de vous déranger.
Excuse-moi de te déranger.

Quand on veut passer
Pardon.
Excusez-moi.
Excuse-moi.

Quand on regrette quelque chose
Je suis désolé/e.
Je regrette beaucoup.

Pour répondre à une excuse

Ne vous en faites pas.   *Don't worry about it.*
Ne t'en fais pas.

Pratique et conversation

A. **Une rumeur.** Spread a rumor to your classroom neighbor. Begin by using an expression that announces that you have some news. Your neighbor will in turn spread the rumor to his/ her neighbor with some slight modification. Compare the beginning version of the rumor to its final form. Choose from the following subjects:

1. votre professeur
2. Mme X
3. Anne
4. M. et Mme Bordier

B. **Des excuses.** Vous vous trouvez dans les situations suivantes. Essayez de vous excuser.

1. Vous arrivez en retard.
2. Vous téléphonez très tard et vous réveillez votre correspondant.
3. Vous avez perdu le bracelet de votre amie.
4. Vous avez composé un faux numéro.
5. Vous voulez passer devant quelqu'un.

Structure V
Referring to someone
The stressed pronouns I

Eh bien, voilà! C'est **moi**!
Qu'est-ce que tu vas faire, **toi**?
Lui et **moi**, nous allons au cinéma.
La concierge, c'est **elle**.
Nous, nous ne connaissons pas ce locataire.
Vous, vous êtes vraiment Valérie DuLouche?
Eux, ce sont les pires.
Qui vous a acheté ce cadeau? **Elles**.

a. Study the sentences above. The pronouns in boldface are called stressed pronouns (**pronoms toniques**). They are used . . .

1. after **c'est**
2. to highlight the subject of the sentence (In English, we may use stress [loudness] to accomplish this: **Eux,** ils sont les pires. ***They** are the worst.*)
3. in compound subjects
4. in one-word answers to questions

b. The forms **moi-même, toi-même, lui-même, elle-même, nous-mêmes, vous-mêmes, eux-mêmes,** and **elles-mêmes** mean *myself, yourself,* etc.

Je peux le faire moi-même.   *I can do it myself.*
Il le fait lui-même.   *He is doing it himself.*

Pratique et conversation

A. **Complétez.** Mettez le pronom tonique correct dans les phrases suivantes.

1. _____, ils ne comprennent rien!
2. C'est mon amie Anne! C'est _____.
3. —Qui est le destinataire? —C'est _____.
4. Vous avez réparé votre voiture _____-même?
5. _____, j'aime toujours recevoir des colis.
6. Vous m'avez téléphoné hier? C'était _____?
7. _____, elles n'aiment pas la cuisine chinoise.
8. Nous pouvons faire cet exercice _____-mêmes.

B. **Situations.** Répondez aux situations suivantes en employant un pronom tonique.

MODÈLE   Vous écoutez la radio et on annonce votre nom. Vous avez gagné *(won)* une voiture. Exprimez votre surprise. **Moi? Ce n'est pas possible!**

1. Quelqu'un vous téléphone et vous essayez de deviner son identité. Vous pensez que c'est votre amie Françoise.
2. Vous identifiez les deux hommes qui vous ont agressé/e.
3. On vous accuse d'un crime. Vous protestez et vous dites...
4. Votre père vous montre une photo de lui quand il était jeune. Exprimez votre surprise.
5. On vous demande qui est le professeur de français. Vous l'identifiez en disant *(by saying)*...

Structure VI

Referring to someone or something already mentioned

Object pronouns in the imperative

Figurez-**vous** que Madame X est Agathe Cauchon.

a. In the affirmative imperative, object pronouns follow the verb:

Prenez le paquet. → Prenez-**le.**
Demandez à Mme Ibn Hassam si c'est elle. → Demandez-**lui** si c'est elle.

b. In the affirmative imperative, **me** becomes **moi.**

Racontez-**moi** tout!
Excusez-**moi** de vous déranger mais...

c. In the negative imperative, the pronouns precede the verb, as you have learned.

Ne **me** racontez pas cette histoire.
Ne **lui** demandez pas si c'est Valérie.

d. As you have already learned, reflexive pronouns follow the same pattern.

Lève-**toi!**
Ne **vous** inquiétez pas.

Pratique et conversation

A. **Chez les Bordier.** Mettez les phrases à l'impératif. Dites...

1. à Sylvie de se lever
2. aux Bordier de ne pas se fâcher
3. à Jean-Philippe de se réveiller
4. aux enfants de ne pas s'inquiéter
5. à Pataud de se calmer

B. **Impératifs.** Remplacez les noms soulignés par des pronoms. Dites...

1. à votre ami/e de vendre <u>sa voiture</u>
2. à vos amis de <u>vous</u> envoyer une lettre
3. à votre petit frère de finir <u>ses devoirs</u>
4. à Mme Chevalley de renvoyer <u>le colis</u>
5. à votre ami/e de <u>vous</u> téléphoner

C. **Que dites-vous?** Utilisez l'impératif convenable pour chaque situation. Employez des verbes pronominaux.

1. Sylvie est en retard.
2. Jean-Philippe n'est pas encore levé. Il est 8h00, et ses cours commencent à 8h15.
3. Vous restez à la maison, parce que vous avez des devoirs à faire. Vos amis vont au cinéma. Vous leur dites...
4. Vous allez annoncer de mauvaises nouvelles à vos parents.

 # Lecture I

COMMENT OBTENIR VOTRE CORRESPONDANT

Dialing international calls from France is fast and convenient. This document tells you how.

Avant de lire

Vocabulaire. Choisissez l'équivalent anglais pour les mots suivants:

1. _____ l'indicatif téléphonique
2. _____ un agent des Télécommunications
3. _____ composer un numéro
4. _____ décrocher le récepteur
5. _____ téléphoner à l'étranger
6. _____ le numéro demandé
7. _____ raccrocher le récepteur
8. _____ la tonalité

a. to hang up the receiver
b. an operator
c. to pick up the receiver
d. the dial tone
e. the area code
f. to dial a number
g. the number you're dialing
h. to make an international call

Lisons

COMMENT OBTENIR VOTRE CORRESPONDANT

Automatique

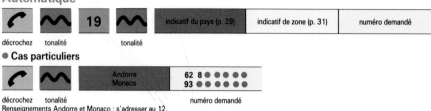

décrochez   tonalité   tonalité

● **Cas particuliers**

décrochez   tonalité

numéro demandé

Renseignements Andorre et Monaco : s'adresser au 12.

ATTENTION

● Si votre correspondant à l'étranger vous a indiqué son numéro d'appel précédé d'un 0, ne composez pas ce 0, exclusivement valable pour les communications entre les abonnés° du pays concerné.
Exemple :
pour obtenir l'abonné (0) 6121 20954 à Wiesbaden (RFA).
composez 19 puis 49 6121 20954

● Après avoir composé le numéro d'appel de votre correspondant, vous ne percevez° plus aucune tonalité. Ne raccrochez surtout pas. Ce n'est qu'°après un délai de quelques secondes que vous percevez un signal de sonnerie ou d'occupation.

> users
> hear
>
> It is only

Par l'intermédiaire d'un agent des Télécommunications

● Communications à destination des pays autres que ceux obtenus par l'automatique.
● Communications à destination des réseaux° non encore automatisés des pays atteints° par voie automatique.
● Communications spéciales (cartes télécom, etc.).

> network; reached

décrochez   tonalité   tonalité

Avez-vous suivi?

A. **Au téléphone.** Répondez aux questions suivantes d'après le texte.

1. Pourquoi est-ce qu'il ne faut pas raccrocher si vous n'entendez plus de tonalité après avoir composé votre numéro?
2. Pour quelles communications est-ce qu'il faut passer par un agent des Télécommunications?
3. Quel numéro est-ce qu'on compose pour obtenir un agent des Télécommunications?
4. Votre ami/e en France veut faire un appel international. Expliquez-lui comment le faire.

B. **En quel ordre?** Mettez les actions suivantes dans l'ordre logique pour faire un appel international.

1. _____ Vous parlez à votre correspondant.
2. _____ Vous composez le numéro de votre correspondant.
3. _____ Vous raccrochez.
4. _____ Vous obtenez un signal de sonnerie.
5. _____ Vous composez l'indicatif de zone.
6. _____ Vous décrochez.
7. _____ Vous composez le 19.
8. _____ Vous obtenez la première tonalité.
9. _____ Vous composez l'indicatif du pays.
10. _____ Vous obtenez la deuxième tonalité.

⚜ Lecture II
VOUS DÉSIREZ TÉLÉPHONER

Avant de lire

A. **Vocabulaire.** Choisissez le mot anglais qui correspond au mot français.

1. _____ le guichet
2. _____ les revendeurs agréés
3. _____ la monnaie
4. _____ une cabine téléphonique
5. _____ la Communauté Économique Européenne (la CEE)

a. phone booth
b. window/counter
c. the Common Market
d. change
e. authorized sellers

B. **Que veut dire...?** Devinez le sens des mots suivants selon les indications données.

1. télécarte
2. reconnaissable [reconnaître = *to recognize*]
3. affichette [Qu'est-ce que le mot **affiche** veut dire?]
4. facturation [la facture = *bill*]
5. les dimanches et jours fériés

Lisons

Vous désirez téléphoner...

Utilisez l'une des 168 000 cabines placées dans les lieux°publics :   places
• soit°avec une TELECARTE qui vous   either
permettra de téléphoner sans souci et sans monnaie à partir d'une cabine équipée d'un publiphone à carte. Ces télécartes de 50 et 120 unités s'achètent dans les bureaux de poste, guichets SNCF et revendeurs agréés reconnaissables à leur affichette "TELECARTE"(*).
• soit°avec des pièces de monnaie   or
(page 15).
Vous pouvez aussi vous adresser au guichet téléphone d'un de nos 17 000 bureaux de poste (*). Si vous appelez à partir de votre hôtel, d'un café ou d'un restaurant, votre facturation risque d'être supérieure à la taxe officielle (maximum 30 %).

Tarifs réduits :

• du lundi au samedi
de 20 h à 14 h pour le Canada et les Etats-Unis.
• de 21 h à 10 h pour Israël et les pays africains d'expression française.
• de 23 h à 8 h pour l'Algérie, le Maroc et la Tunisie.
• de 23 h à 9 h 30 pour le Portugal.
• du lundi au vendredi de 21 h 30 à 8 h et le samedi de 14 h à 8 h, pour les autres pays de la CEE, la Suisse, l'Autriche et la Yougoslavie.
• les dimanches et jours fériés : toute la journée pour ces mêmes pays.

Avez-vous suivi?

Un coup de téléphone. Répondez aux questions suivantes.

1. Où est-ce que vous pouvez aller pour donner un coup de téléphone?
2. Comment est-ce que vous pouvez payer votre communication?
3. Où est-ce que vous pouvez acheter une télécarte?
4. Pourquoi est-ce qu'il est moins cher de téléphoner d'une cabine ou d'un téléphone à la poste?
5. Vous devez téléphoner au Maroc lundi. Entre quelles heures est-ce que vous payez le moins cher?

 # Lecture III

LES LETTRES À MARCELLE SÉGAL

You are about to read letters written to Marcelle Ségal, the French
"Dear Abby" or Ann Landers. Marcelle Ségal's columns, which appear regularly in *Elle*, for the most part contain questions sent in by
adolescent girls or young women concerning problems that affect
their social life.

Avant de lire

A. **Problèmes.** Nommez trois problèmes qui sont fréquents chez les
adolescentes.

B. **Le langage parlé.** Pour chacun des mots du langage parlé dans la
colonne de gauche, trouvez un synonyme dans la colonne de
droite.

1. _____ sympa	a.	une fille
2. _____ un bec	b.	une chose
3. _____ une nana	c.	une fête
4. _____ marrant	d.	gentil
5. _____ une boum	e.	une bouche
6. _____ super	f.	travailler
7. _____ un truc	g.	amusant
8. _____ bosser	h.	très

C. **Donnez des conseils.** Trouvez une solution pour les problèmes
suivants. Utilisez les expressions qui vous sont proposées, ou vos
propres idées.

1. PROBLÈME: Je n'ai pas d'amis.
   SOLUTION: Essayez de...
   Il faut...
2. PROBLÈME: Mes parents sont trop sévères.
   SOLUTION: Je vous suggère de...
3. PROBLÈME: Je me suis disputé/e avec mon petit ami/ma
   petite amie.
   SOLUTION: Je vous conseille de...
   Essayez de...
4. PROBLÈME: Tout le monde se moque de moi, parce que
   je suis très grand.
   SOLUTION: Il ne faut pas...

Lisons

Valérie, 15 ans

Je suis timide, vraiment timide. Je reste
dans un coin,° je ne parle presque pas. Je   corner
me dis «Allez, Valérie! Vas-y, parle». Impossible! J'ai peur de dire des trucs idiots.
J'aimerais tant° dire quelque chose d'in-   so much
téressant, passer pour une fille sympa de-
vant une bande que je ne connais pas.
Connaissez-vous un truc?

Avant de lire la réponse, essayez de trouver une solution au problème.

Réponse

J'en connais un très simple, sans danger.
Au lieu de° te dire «Allez Valérie! Vas-y!   Instead of
Parle!», te dire «Allez Valérie! Vas-y!
Écoute!» Écoute l'orateur de la petite bande.
Avec toute ton attention, toute ta personne.
En rigolant° aux bons endroits°; en ques-   By laughing; places
tionnant au besoin. Il te découvrira, te trou-
vera pas bête du tout, intelligente, même
remarquable. Parce que tu l'auras remar-
qué! Les filles t'accepteront parce que tu leur
auras laissé la parole, la vedette°. La petite   starring role
bande t'intégrera parce que tu ne gêneras°   will annoy, will bother
personne. Une nana super-belle, marrante,
la langue bien pendue° gênerait° tout le   that talks a lot; would annoy
monde: les filles qu'elle supplanterait,° le   whose place she would take
beau parleur à qui elle clouerait° le bec. Tu   close, shut
veux être sympa, Valérie? Ne parle pas,
écoute. Tu parleras plus tard, quand tu
auras mieux à dire que des trucs idiots.

Avez-vous suivi?

Des conseils. Complétez les phrases suivantes.

1. Selon Marcelle Ségal, il ne faut pas parler, mais il faut...
2. Si Valérie écoute l'orateur de la petite bande, il...
3. Les filles accepteront Valérie parce que...
4. Valérie parlera quand...

Sophie, 15 ans

J'ai tout pour être heureuse et je ne le suis pas. Ce qui° me rend° la vie insupportable, c'est que j'ai un long nez, ce qui° élimine en moi toute envie de distraction et de communication. Je me lie° facilement avec les filles mais j'ai peur d'être rejetée par les garçons. J'essaie par tous les moyens qu'ils ne me voient pas de profil. Je n'ose plus sortir, je reste toute seule. Ce qui me rend encore plus triste, c'est qu'il y a des garçons qui m'aiment. Si un jour ils découvraient cette maudite° partie de mon visage,° ils pourraient me haïr° de les avoir attirés.°

The thing that; makes
which

make friends

cursed; face
they could hate me; attracted

Avant de lire la réponse, essayez de trouver une solution au problème.

Réponse

... Ou aimer ton grand nez! Pourquoi pas? Un grand nez peut avoir du charme, être racé, spirituel. Je pense à celui d'une de nos célèbres chanteuses. À vrai dire, on ne le remarque pas. Ce qui frappe, c'est son talent. La longueur de son nez ne lui a jamais nui.° En° a-t-elle souffert? Peut-être, mais la célébrité opère des miracles. Elle vient à bout° des complexes les plus tenaces. Il est vrai que tout le monde ne peut pas être célèbre, mais chacun de nous peut manifester une supériorité, avoir le don° des langues, être celle qui danse le mieux, court° le plus vite, sait faire des gâteaux, s'habiller, organiser une boum, être la plus marrante ou mieux, la plus sympa. Du jour où tu te sentiras la meilleure, quelle que soit° ta spécialité, ton nez ne te tracassera° plus. Tu n'auras plus le temps d'y° penser car° le succès ne nous tombe pas tout rôti dans le bec. Il faut progresser, encore et encore, en un mot: bosser. Pour ton nez, Sophie, c'est un excellent remède.

hurt, harm; because of it

overcomes

talent
runs

whatever
will bother
about it; *parce que*

P.S.: Veux-tu m'envoyer deux photos, face et profil? Merci.

Chère Sophie... Répondez aux questions suivantes.

1. Quels sont les avantages d'un grand nez?
2. Pour oublier la longueur de son nez, qu'est-ce que Marcelle Ségal conseille à Sophie de faire? Donnez des exemples.
3. Que veut dire l'expression: **Le succès ne nous tombe pas tout rôti dans le bec?**

Activités

A. **Un colis.** Le facteur vous a apporté un colis sans nom et sans adresse. Il vient de la bijouterie Landreau. Vous allez chez votre concierge et vous lui expliquez la situation. Qu'est-ce que vous allez faire?

B. **Valérie DuLouche?** Votre voisin/e ressemble à une star de cinéma. Vous le/la rencontrez et vous commencez une conversation. Essayez de découvrir s'il/elle est vraiment cette star.

C. **Des nouvelles.** Un/e ami/e vous téléphone et vous annonce des nouvelles troublantes concernant un autre ami. Vous exprimez votre surprise. Vous êtes sûr/e que c'est seulement une rumeur et vous le dites à votre ami/e.

D. **Un coup de téléphone.** Un/e ami/e vient d'arriver chez vous à Paris. Il/Elle veut parler à ses parents, et vous lui expliquez comment téléphoner aux États-Unis.

Vocabulaire actif

un **aérogramme**	aerogram, air letter	une **carte postale**	postcard
une **affaire**	business, matter	**C'est étonnant!**	That's astonishing!
un **annuaire**	telephone book	**C'est pour cela...**	For that reason . . .
apporter	to bring	**C'est surprenant!**	That's surprising!
arriver	to happen	un **colis**	package
attendre	to wait for	**connaître**	to be acquainted with
avoir horreur de	to hate	le **courrier**	mail
une **blague**	joke	**croyable**	believable
un **bureau de poste**	post office	se **deguiser**	to disguise oneself
une **cabine télépho-**	telephone booth	**déranger**	to bother
nique		un **destinataire**	receiver, addressee
cacher	to hide	**devoir**	to owe, to have to, must
Ça me surprend!	That surprises me!	la **douane**	customs
Ça m'étonne!	That astonishes me!	**en recommandé**	registered

entendre	to hear	un **paquet**	package
s' **entendre bien avec**	to get along well with	par **avion**	airmail
envoyer	to send	par **bateau**	surface mail
une **étiquette**	label	pardon	excuse me
être **désolé/e**	to be sorry	par **exprès**	express mail
être **en train de**	to be in the midst of	perdre	to lose
(faire)	doing, to be doing	un/e **photographe**	photographer
examiner	to examine	pire **(le/la/les**	worse (the worst)
s' **excuser**	to excuse oneself	**pire/s)**	
expédier	to send	plaisanter	to joke
un **expéditeur**	sender	la **poste aérienne**	air mail
expliquer	explain	la **poste restante**	poste restante, general
un **facteur**	mailman		delivery
une **fiche**	slip (of paper)	la **publicité**	publicity
se **figurer**	to imagine	regretter	to be sorry
un **formulaire**	form	remplir	to fill out
frapper	to knock	rendre	to return (an object)
un **guichet**	window	se **rendre compte de**	to realize
il **y a** (+ *time*	ago	rendre **visite à**	to visit (a person)
expression)		se **renseigner**	to get information
incroyable	unbelievable	renvoyer	to return, to send back
un/e **journaliste**	journalist	répéter	to rehearse
une **lettre**	letter	répondre **à**	to answer
un **mandat**	money order	revenir **de**	to get over
le **minitel**	an electronic information	un **rôle**	role
	service in France	un **secret**	secret
de la **monnaie**	change	un **studio**	studio
Ne **t'en fais pas!**	Don't worry about it!	un **télégramme**	telegram
Ne **vous en faites**	Don't worry about it!	un **timbre(-poste)**	stamp
pas!		urgent/e	urgent
une **nouvelle**	a piece of news	vendre	to sell

Chapitre 12

La vie est dure

Un ami cherche du travail

Offres d'emploi

PIERRE: Tu comprends, Jean-Philippe, mes parents ne me donnent pas assez d'argent de poche. Je voudrais trouver un emploi à mi-temps.

JEAN-PHILIPPE: Un emploi? Quel genre d'emploi?

PIERRE: Je pourrais travailler dans un bureau. Mais je ne sais pas par où commencer.

JEAN-PHILIPPE: Tu devrais acheter le journal et lire les petites annonces. Ensuite, il te faudrait quelques lettres de recommandation. Mais, attends un peu! Je viens de penser à quelque chose! Est-ce que tu aimerais travailler dans une agence de voyages? Ça te plairait?

PIERRE: Oh, oui, bien sûr! Je parle espagnol, anglais et allemand.

JEAN-PHILIPPE: Tu sais taper à la machine?

PIERRE: Oui, à peu près trente mots par minute. Et j'ai suivi un cours d'informatique. (Tiens, il faudrait l'ajouter à mon curriculum vitæ!)

JEAN-PHILIPPE: Écoute, Pierre, je vais parler à ma mère. Elle travaille dans une agence de voyages, et elle m'a dit qu'elle a besoin d'un assistant.

PIERRE: Tu ferais ça pour moi? Ce serait vraiment chic de ta part, Jean-Philippe!

[Le lendemain,° Pierre se présente à l'agence où travaille la mère de Jean-Philippe. À la fin de l'interview, Mme Bordier lui dit avec un sourire:°]   The next day

smile

MME BORDIER: Eh bien, c'est d'accord. Vous pouvez commencer tout de suite. Bienvenue à bord!°   Welcome aboard!

Avez-vous suivi?

1. Pourquoi est-ce que Pierre veut un emploi à mi-temps?
2. Qu'est-ce que Jean-Philippe suggère à Pierre pour trouver un emploi?
3. Quelles sont les qualifications de Pierre?
4. Pourquoi est-ce que Jean-Philippe va parler à sa mère?

Autrement dit
L'interview

Pierre cherche **un emploi à plein temps°** à l'agence de voyages de Mme Bordier. Il a beaucoup d'**expérience:** il a travaillé **à mi-temps°** dans une agence de voyages pendant toutes ses vacances. À cette agence, il a appris à établir des **billets°** d'avion et de train, à réserver des **chambres d'hôtel** et des **voitures de location°** et à **se servir de** l'ordinateur. Mme Bordier, pour sa part, a besoin d'un nouvel assistant, parce qu'elle vient de **renvoyer°** un employé. Pendant l'interview, Mme Bordier regarde son **curriculum vitæ°** et lui pose des questions sur sa **formation** et ses **qualifications**. Elle parle de la Sécurité sociale, qui comprend l'**assurance°** vie, médicale et dentaire. Ils **négocient** un **salaire.** Elle est très impressionnée par son enthousiasme et elle l'**embauche°** immédiatement. Ils se mettent d'accord sur son **emploi du temps:** il travaillera cinq jours par semaine: il travaillera le samedi, mais le lundi sera son **jour de congé.**
    Pierre aime déjà sa **patronne.°**

full-time job
part-time

tickets
rental cars

fire
résumé

insurance

hire

boss

Les cours de commerce

Et j'ai suivi un cours d'informatique.   *computer science*
        gestion   *management*
        marketing
        commerce international
        administration des affaires

la machine à traitement de texte

le logiciel

le matériel

le programme

les touches

l'écran

l'imprimante

le lecteur externe

le lecteur interne

la disquette

le clavier

Pratique et conversation

A. **Une interview.** En utilisant le vocabulaire ci-dessus, composez quatre questions pour chaque catégorie. Votre partenaire répondra à ces questions.

Questions que le patron pose au candidat

1.
2.
3.
4.

Réponses du candidat

1.
2.
3.
4.

Questions que le candidat pose au patron

1.
2.
3.
4.

Réponses du patron

1.
2.
3.
4.

B. **Demande d'emploi.** Complétez les dialogues suivants.

À l'interview

L'EMPLOYEUR: Bonjour Monsieur/Madame/Mademoiselle
_____ .

VOUS: _____

L'EMPLOYEUR: Quelle sorte d'emploi est-ce que vous cherchez?

VOUS: _____

L'EMPLOYEUR: Quelles études avez-vous faites?

VOUS: _____

L'EMPLOYEUR: Pour le moment nous avons seulement un poste à mi-temps. Est-ce que cela vous intéresse?

VOUS: _____

À l'agence de Mme Bordier

VOUS: _____

NICOLE: Bonjour, Monsieur. Ah oui, vous avez rendez-vous. Attendez un instant. J'appelle Mme Bordier.

VOUS: _____

MME BORDIER: Bonjour, Monsieur. Vous cherchez un emploi à mi-temps?

VOUS: _____

MME BORDIER: Vous avez déjà travaillé dans une agence de voyages?

_____

MME BORDIER: Très bien. Je vais vous montrer un peu notre agence. Voilà notre ordinateur.
_____ ?

VOUS: Oui, j'ai étudié l'informatique à l'université.

MME BORDIER: _____

VOUS: Oui, je tape 30 mots par minute.

MME BORDIER: Très bien. Vous avez des questions?

VOUS: _____

C. **L'interview.** Vous interviewez un/e candidat/e pour un emploi à plein temps dans votre agence de voyages.

1. Posez-lui des questions sur ses qualifications.
2. Parlez-lui des responsabilités qu'il/elle aura éventuellement.
3. Dites-lui le salaire.
4. Demandez-lui quand il/elle sera disponible (*available*).
5. Demandez-lui s'il/elle a d'autres questions.

La vie est dure   **329**

D. **L'ordinateur.** Complétez les phrases suivantes.

1. Je mets _____ dans le lecteur externe.
2. Le clavier se compose de beaucoup de _____.
3. Oui, je sais me servir de l'ordinateur. J'ai suivi un cours d'
   _____.
4. Mais vous tapez des bêtises *(stupid errors)*! Regardez
   _____!
5. Non, Monsieur, le problème, ce n'est pas le matériel...
   C'est le _____ qui est défectueux.

E. **Au clavier.** Vous vous servez de l'ordinateur. Mettez la liste suivante dans l'ordre logique.

1. _____ Vous ouvrez le programme.
2. _____ Vous fermez l'ordinateur.
3. _____ Vous mettez la disquette.
4. _____ Vous mettez l'ordinateur en marche.
5. _____ Vous vous servez du clavier.
6. _____ Vous enregistrez votre dossier.
7. _____ Vous quittez le programme.

Structure I
Telling what you would or should do
The present conditional

Je **voudrais** trouver un emploi à mi-temps
Je **pourrais** travailler dans un bureau.
Ensuite, il te **faudrait** quelques lettres de recommandation.
Est-ce que tu **aimerais** travailler dans une agence de voyages?

a. To form the present conditional, add the endings you learned for the imperfect tense to the future stem of the verb.

THE CONDITIONAL TENSE								
– er verbs			*– ir* verbs			*– re* verbs		
Stem	+	Ending	Stem	+	Ending	Stem	+	Ending
je parler		ais	je choisir		ais	je répondr		ais
tu parler		ais	tu choisir		ais	tu répondr		ais
elle parler		ait	elle choisir		ait	elle répondr		ait
nous parler		ions	nous choisir		ions	nous répondr		ions
vous parler		iez	vous choisir		iez	vous répondr		iez
ils parler		aient	ils choisir		aient	ils répondr		aient

b. If the future stem is irregular, the same irregular stem will be used in the conditional.

j'irai/j'irais, je serai/je serais, je verrai/je verrais

c. The conditional of **vouloir, pouvoir,** and other verbs is used for making polite requests. You have already seen examples of this usage. In a store, for example, you might say:

Est-ce que vous **pourriez** m'aider?
Je **voudrais** essayer ce costume.
Est-ce que vous **auriez** la même chose en bleu?

d. The conditional is also used for expressing actions and states that are hypothetical, that is, that may or may not come true. It is often translated by *would* followed by the infinitive without *to*. Tu **ferais** ça pour moi? Ce **serait** vraiment chic de ta part, Jean-Philippe! *You would do that for me? That would be really good of you, Jean-Philippe!*

e. The conditional of **devoir** is translated *should*.

Tu **devrais** acheter le journal et lire les petites annonces.
You should buy the newspaper and read the classified ads.

Pratique et conversation

A. **Au travail.** Mettez les phrases suivantes au conditionnel.

1. Tu/pouvoir/travailler au bureau de ma mère.
2. Nous/devoir/faire les réservations avant la semaine prochaine.
3. Il vous/falloir/savoir taper à la machine.
4. Ils/vouloir/travailler dans une agence de voyages.
5. Est-ce qu'il/aimer/un travail à mi-temps?
6. À votre place, je/parler/à Mme Bordier.
7. Est-ce que vous/avoir/le temps de travailler à plein temps?

B. **Conseils.** Quels conseils pourriez-vous recevoir ou donner dans les situations suivantes? Choisissez un conseil logique de la liste qui suit. Parfois, il y a plus d'une réponse correcte.

1. _____ You want a raise.
2. _____ You see a job advertised that you want, but it calls for computer skills you don't have.
3. _____ You ask a travel agent for vacation suggestions.
4. _____ You want to type footnotes, but your word processing program doesn't do them.
5. _____ You're trying to decide between two different business courses.
6. _____ You receive a letter setting up an interview for a job you're no longer very interested in.
7. _____ You don't know whether to type a paper or use a word processor for the first time.
8. _____ You see a wonderful job advertised, but you're not sure you're qualified.
9. _____ You interview a talented candidate who needs more job experience.
10. _____ You offer to speak to your boss about a job for a friend.

a. Vous devriez aller à l'interview.
b. À votre place, je choisirais la Martinique.
c. Je pourrais lui parler de toi.
d. À votre place, je changerais de programme.
e. Dans ce cas, vous devriez parler au patron.
f. À votre place, je ferais une demande.
g. Il vous faudrait plus d'expérience.
h. À votre place, je me servirais d'une machine à traitement de texte.
i. À votre place, je suivrais le cours de commerce international.
j. Pour ce poste, il faudrait suivre quelques cours d'informatique.

C. **Situations.** Qu'est-ce que vous feriez si...

1. il y avait une explosion dans votre appartement
2. vous habitiez en France
3. vous perdiez vos clés et vous ne pouviez pas entrer dans votre appartement
4. vous étiez riche
5. vous aviez cinq examens aujourd'hui
6. vous étiez perdu
7. vous n'aviez pas d'amis
8. vous étiez en vacances

D. **Est-ce que vous pourriez m'aider?** Make an appropriate polite request for the following situations.

1. You place a business call to Mme Bordier, but her secretary answers.
2. You enter a travel agency, but no one seems to notice you.
3. You are on vacation and you arrive at the hotel desk.
4. A waiter asks you what you would like to order.
5. Your travel agent books you a flight at 8:00 A.M., but you don't like to travel early.
6. You want a colleague to work for you Monday night.

E. **Encore des conseils.** Tell the following people what they should do.

1. Your roommate is failing French.
2. Your officemate arrives thirty minutes late to work each day.
3. The person next to you in the computer lab keeps asking you for help.
4. You've just booked a vacation for a couple traveling to India.
5. A friend tells you that he/she needs to find a part-time job.
6. A friend asks you what to do in order to prepare for an important job interview.
7. You always have a lot of typos in your papers.

Structure II
Talking about everyday activities
The verb *plaire*

PLAIRE (TO LIKE)	
Present	Ce cours me **plaît** beaucoup. Ces histoires leur **plaisent** énormément.
Passé Composé	Ce film ne nous **a** pas **plu.**
Imperfect	Jouer au ballon, ça **plaisait** beaucoup à mes enfants.
Future	Cette idée lui **plaira** beaucoup.
Conditional	Ça te **plairait?**

a. The verb **plaire** means *to be pleasing to, to like*. Although **plaire** has a full conjugation, for the moment, you will only need to learn the third-person singular and plural forms.

b. An indirect object noun or pronoun is used with **plaire** in the third person. Study the following examples.

Cette vidéo plairait aux enfants.
This video would be pleasing to the children. = *The children would like this video.*
Ce concert me plaît.
This concert is pleasing to me. = *I like this concert.*

c. You may use the conditional of **plaire** to initiate an invitation. The expressions **dire** or **faire plaisir** may also be used in the same context. Study the questions and answers below.

Ça te plairait/dirait/ferait plaisir/d'aller au cinéma?
Oui, ça me plairait beaucoup.
Oui, ça me ferait [très] plaisir.
Non, ça ne me dit rien.

Structure III
Talking about everyday activities
The verb *suivre*

		SUIVRE	(TO FOLLOW, TO TAKE [A COURSE])	STEM + ENDING	
Present	Je ne	**suis**	jamais leurs discussions.	sui	s
	Tu	**suis**	cette affaire?	sui	s
	Elle me	**suit!**		sui	t
	Nous	**suivons**	cette histoire.	suiv	ons
	Vous	**suivez**	un cours de français.	suiv	ez
	Ils	**suivent**	les développements de cette affaire.	suiv	ent
Passé Composé	J'	**ai suivi**	un cours d'informatique.		
Imperfect	Elle	**suivait**	un cours d'anglais à cette époque.		
Future	Quels cours	**suivras-**	tu l'année prochaine?		
Conditional	Moi, je	**suivrais**	un cours de gestion; ce serait utile.		

Pratique et conversation

A. **Conjugez.** Mettez les phrases suivantes au présent, au futur, ou au passé.

1. Vous/suivre/l'exemple de votre patron.
2. Votre cadeau me/plaire/beaucoup.
3. Quelques étudiants/suivre/des cours d'été.
4. Est-ce que tu/suivre/la conférence d'hier?
5. Ils/suivre/trop de cours l'année dernière.
6. Le travail me/plaire/beaucoup.
7. Je/suivre/cinq cours le semestre prochain.

B. **Dialogues.** Complétez les dialogues suivants. Utilisez les verbes *plaire* et *suivre* si possible.

À l'interview

MME BORDIER: Qu'est-ce que vous faites comme études?

PIERRE: _____

MME BORDIER: Vous savez déjà vous servir d'un ordinateur?

PIERRE: _____

MME BORDIER: Et est-ce que vous aimeriez travailler dans une agence de voyages?

PIERRE: _____

MME BORDIER: Ça vous plairait aussi de travailler pendant le week-end?

PIERRE: _____

À l'agence de voyages

PIERRE: Quelle sorte de vacances vous intéresserait?

LE CLIENT: _____

PIERRE: Un week-end de ski vous dirait quelque chose?

LE CLIENT: _____

PIERRE: Il y a toujours les vacances à la plage.

LE CLIENT: _____

PIERRE: Si vous préférez les vacances organisées, il y a le Club Med.

LE CLIENT: _____

PIERRE: Il y a beaucoup de classes de danse, de natation...

LE CLIENT: _____

PIERRE: Non? La campagne, ça vous dirait quelque chose?

LE CLIENT: _____

C. **Interview.** Demandez à votre partenaire...

1. quels cours il/elle suit maintenant
2. si ces cours lui plaisent
3. quels cours il/elle a suivis le semestre dernier
4. si ces cours lui ont plu
5. quels cours lui plaisent en général

D. **Invitation.** Vous invitez un/e ami/e à faire des activités avec vous. Il/Elle acceptera ou refusera.

1. Vous invitez votre ami/e au cinéma.
2. Vous proposez un voyage en France à un/e ami/e.
3. Vous invitez votre ami/e chez vous.
4. Vous invitez des amis au restaurant.
5. Vous proposez un pique-nique à vos amis.

Premier jour dans le nouvel emploi

MME BORDIER: Pierre! J'ai besoin de vous. Est-ce que vous
pourriez faire des photocopies et ensuite,
rappeler cette cliente?

PIERRE: Bien sûr, Madame.

[Plus tard]

MME BORDIER: Ouf! Vous voyez, Pierre, on ne se repose pas
ici. Mais il y a aussi des avantages. Si vous étiez
serveur dans un restaurant par exemple, vous
mangeriez sans payer, n'est-ce pas? Et moi, si
j'étais ouvreuse dans un cinéma, je verrais des
films gratuitement.° Eh bien, ici, on offre aux   free
employés des billets de train ou d'avion à prix
réduits.

PIERRE: C'est chouette! Malheureusement, entre mon
travail et mes cours, je n'ai pas beaucoup de
temps libre. Mais si j'avais le temps, je profiterais
volontiers° de ces tarifs réduits. Et je saurais   gladly
exactement où aller en vacances, moi!

MME BORDIER: Ah! Et où iriez-vous?

PIERRE: Si j'avais seulement quelques jours, j'irais sur la Côte d'Azur. Et si j'avais beaucoup plus de temps, je visiterais tous les pays d'Europe! J'en visiterais un par semaine! Et j'aurais besoin de deux billets de train.

MME BORDIER: Vous en auriez besoin de deux?

PIERRE: Oui, j'en prendrais un pour moi et un autre pour... Anne Williams!

MME BORDIER: Vous voyageriez avec elle? Mais quelle coïncidence! Elle m'a parlé de vous ce matin. Ah! Finalement je comprends! Vous ne seriez pas amoureux d'elle?

Avez-vous suivi?

1. Qu'est-ce que Mme Bordier a demandé à Pierre de faire?
2. Quels sont les avantages d'un emploi dans une agence de voyages?
3. Est-ce que Pierre peut profiter de cet avantage?
4. Où est-ce que Pierre irait en vacances?
5. Avec qui est-ce qu'il voyagerait?

Autrement dit
Les modes de transport

Préférez-vous voyager en avion?

en voiture	
en autocar	*inter-city bus*
en train	
en bateau	*boat*

Allez-vous à l'université en voiture?

à vélo

en métro

à pied

Quand vous prenez le train

Vous pouvez acheter votre **billet** à l'avance, chez un agent de voyages, ou à **la gare,°** où vous vous adresserez au **guichet.** N'oubliez pas de préciser s'il vous faut un **aller simple,** ou un **aller et retour,** et si vous préférez voyager en **première** ou en **deuxième classe.** Si vous ne **fumez°** pas, demandez **une place** dans **le compartiment non-fumeurs.** Avant d'aller aux **quais,°** il faut **composter°** votre billet. Pour vérifier l'heure de départ ou d'arrivée d'un train, consultez **un horaire°** ou un **panneau indicateur.°** Le panneau indique aussi **la voie°** de votre train, et s'il y a des **retards.** Si vous faites un long voyage, réservez **une couchette** ou **un wagon-lit.** En route, vous pouvez dîner **au wagon-restaurant** ou prendre quelque chose **au wagon-bar.** Si vous n'avez pas beaucoup de temps, choisissez **le TGV (train à grande vitesse),** le train le plus rapide de France.

train station

smoke
platform; validate

timetable; sign indicating
    arrival and departure
    times; track

Quand vous prenez l'avion

Il est conseillé d'arriver une heure à l'avance, pour acheter votre billet, **enregistrer°** vos bagages et passer les **contrôles douaniers.°** À la **douane,** on vous demandera votre passeport, votre visa et d'autres **pièces d'identité.** Quand vous arriverez à votre destination, on vous demandera de faire **une déclaration** où vous déclarerez les objets que vous aurez achetés à l'étranger. Après les **formalités douanières,** vous pourrez aller directement à la **porte°** d'où part l'avion.

check in; customs check

gate

À l'hôtel

M. Bordier est **en voyage d'affaires.** Il **a raté**° son vol de retour, et il cherche une chambre d'hôtel. Le premier hôtel qu'il a essayé affichait **complet.**° Il en essaie un autre. Il va à la **réception** et demande **une chambre** pour une personne, avec **douche et W.-C.,**° pour une nuit seulement. Quelle chance! Il y a une chambre **disponible!**° Le réceptionniste lui donne **la clé.** Il lui dit aussi que le petit déjeuner est **compris**° dans le prix de la chambre.

missed

full
shower and toilet
available

included

Pratique et conversation

A. **Décisions.** Quelle sorte de billet ou de réservation est-ce que vous demanderiez pour les situations suivantes?

   1. Un voyage en train de six heures (de 9h à 15h).
   2. Un billet d'avion pour un week-end chez des amis.
   3. Un voyage en train de douze heures (de 20h à 8h).
   4. Vous et votre copain/copine allez passer une semaine à l'hôtel pendant vos vacances.
   5. Vous êtes le président d'une banque et vous allez faire un voyage d'affaires.
   6. Vous allez de Paris à Lyon et vous n'avez pas trop de temps.

B. **Modes de transports.** Comment est-ce que vous feriez les «voyages» suivants?

   1. Vous allez voir votre voisin/e.
   2. Vous rendez visite à un/e ami/e en Australie.
   3. Vous allez en ville pour visiter le musée.
   4. Vous allez au supermarché.
   5. Vous allez au cours de français.
   6. Vous allez au travail.
   7. Vous allez voir votre grand-mère.

C. **Un voyage en train.** Mettez les phrases suivantes dans l'ordre logique.

   1. _____ Vous montez dans le train.
   2. _____ Vous achetez votre billet.
   3. _____ Vous vous adressez au guichet.
   4. _____ Vous consultez le panneau indicateur.
   5. _____ Vous arrivez à votre destination.
   6. _____ Vous allez à la gare.
   7. _____ Vous compostez votre billet.
   8. _____ Vous trouvez la voie du train.
   9. _____ Vous allez au quai.
   10. _____ Vous consultez le panneau indicateur.

D. **Dialogues.** Complétez les dialogues suivants.

À la gare

VOUS:	Bonjour Madame/Monsieur. Je voudrais un billet pour Rome, s'il vous plaît.
L'EMPLOYÉ/E:	_____
VOUS:	Aller et retour... et le moins cher possible.
L'EMPLOYÉ/E:	_____
VOUS:	J'ai vingt-et-un ans.
L'EMPLOYÉ/E:	_____
VOUS:	Oui, je suis étudiant.
L'EMPLOYÉ/E:	_____
VOUS:	Non-fumeur, près de la fenêtre. C'est combien?
L'EMPLOYÉ/E:	_____
VOUS:	Merci, Madame/Monsieur.

À la douane

L'EMPLOYÉ/E:	_____
VOUS:	Je viens d'Istanbul.
L'EMPLOYÉ/E:	_____
VOUS:	Deux semaines.
L'EMPLOYÉ/E:	_____
VOUS:	Oui, deux bouteilles de parfum.
L'EMPLOYÉ/E:	_____
VOUS:	Non, c'est tout.
L'EMPLOYÉ/E:	_____
VOUS:	Merci, Madame/Monsieur.

À l'hôtel

VOUS:	Bonjour, Monsieur/Madame. Est-ce que vous auriez une chambre pour ce soir?
L'EMPLOYÉ/E:	_____
VOUS:	Nous sommes deux.
L'EMPLOYÉ/E:	_____
VOUS:	Avec salle de bains s'il vous plaît.
L'EMPLOYÉ/E:	_____
VOUS:	Quelle chance! Nous la prendrons.
L'EMPLOYÉ/E:	_____
VOUS:	Nous resterons ce soir et demain soir. Le petit déjeuner est compris?
L'EMPLOYÉ/E:	_____
VOUS:	Très bien, Merci Monsieur/Madame.
L'EMPLOYÉ/E:	_____

E. **À la gare.** Vous partez en vacances bientôt. Vous allez à la gare pour acheter votre billet. Jouez la scène.

Structure IV
Telling what you will or would do
Si clauses

a. To tell what you will do if certain conditions or states are met, use the present in the *if* clause and the future in the *result* clause:

SI		PRESENT			FUTURE	
Si	j'	ai	assez d'argent, j'		irai	sur la Côte d'Azur.
Si	nous	arrivons	avant midi, nous		pourrons	déjeuner ensemble.

b. To tell what you would do if certain conditions or states were met, use the imperfect in the *if* clause, and the present conditional in the *result* clause:

SI		IMPERFECT			CONDITIONAL	
Si	j'	avais	seulement quelques jours, j'		irais	sur la Côte d'Azur.
Si	j'	avais	beaucoup plus de temps, je		visiterais	tous les pays d'Europe!

c. Note that the order of the clauses may change, whereas the tense used within them does not.

Si Pierre ne travaillait pas aujourd'hui, il serait avec Anne Williams.
Pierre serait avec Anne Williams s'il ne travaillait pas aujourd'hui.

Pratique et conversation

A. **Projets.** Mettez la forme correcte du verbe entre parenthèses.

1. Si vous allez en France, vous _____ (pouvoir) voir les Bordier.
2. Si Anne est libre aujourd'hui, elle _____ (aller) au cinéma.
3. Si tu n' _____ (étudier) pas, tu ne réussiras pas à l'examen.
4. Si nous avons assez d'argent, nous _____ (acheter) une nouvelle maison.
5. Si elle le _____ (pouvoir), elle le fera.

B. **Voyageons!** Mettez la forme correcte du verbe entre parenthèses.

1. Nous irions en Europe si nous _____ (avoir) le temps.
2. Si nos baggages étaient perdus, nous le _____ (savoir).
3. Si le train était en retard, le panneau l'_____ (indiquer).
4. Si j'arrivais en retard, je _____ (téléphoner) de la gare.
5. Si tu ne _____ (répondre) pas, j'essaierais encore une fois.

C. **Souhaits.** Complétez les phrases suivantes.

1. Si je ne travaille pas...
2. Si vous preniez des vacances au Club Med...
3. Si je savais me servir d'un ordinateur...
4. Si vous voyagez à l'étranger...
5. Si on avait des achats à déclarer...
6. S'il voyageait en TGV...
7. Si nous avions un wagon-lit...
8. Si j'ai le temps...

D. **Interview.** Demandez à votre partenaire quelles choses il/elle verrait s'il/elle...

1. voyageait en Italie
2. visitait Paris
3. visitait New York
4. allait en Grèce
5. visitait Londres

E. **En voyage.** Demandez à votre partenaire les vêtements et les objets qu'il/elle apporterait s'il/elle...

1. passait des vacances à la plage
2. passait des vacances à la montagne
3. voyageait au Mexique
4. allait au Japon
5. faisait un voyage en avion

F. **Hypothèses.** Qu'est-ce que vous feriez si...

1. vous travailliez dans un bureau
2. vous perdiez votre billet d'avion
3. vous n'étiez pas étudiant/e
4. vous parliez quatre langues
5. la ligne aérienne perdait vos baggages

Structure V
Referring to someone or something
Pronouns after prepositions
and with expressions of quantity

a. Use the stressed pronouns, learned in Chapter 11, to refer to or replace the object of any preposition other than **à** when that object is a person.

> Pierre a besoin de **moi.**
> Vous voyageriez avec **eux?**
> Vous ne seriez pas amoureux d'**Anne?** → Vous ne seriez pas amoureux d'**elle?**
> Anne parle beaucoup de **Pierre.** → Anne parle beaucoup de **lui.**

b. You have seen several verbal expressions which are followed by the preposition **de**. The pronoun **en** is used to replace the preposition **de** and its object, when that object is a thing.

> J'ai besoin **de la clé.** → J'**en** ai besoin.
> Elle parle beaucoup **de son travail.** → Elle **en** parle beaucoup.

c. Verbal expressions that are followed by the preposition **de** include:

> avoir besoin de
> avoir envie de
> avoir l'intention de
> être amoureux/amoureuse de
> parler de
> penser de
> s'occuper de
> se souvenir de

d. The pronoun **en** is also used to replace objects preceded by expressions of quantity; including the indefinite and partitive noun markers, a number, or a quantifier containing the preposition **de**. The complement may be a person or a thing. Note that in the last three examples the quantifier remains.

> J'ai **des amis.** → J'**en** ai.
> Mme Bordier fait **deux billets.** → Mme Bordier **en** fait **deux.**
> Pierre a **beaucoup d'expérience.** → Pierre **en** a **beaucoup.**
> J'ai **très peu de clients.** → J'**en** ai **très peu.**

e. Like other object pronouns, the pronoun **en** precedes the verb of which it is an object, except in the affirmative imperative.

J'ai besoin **d'argent** pour voyager. → J'**en** ai besoin pour voyager.
Il aimerait recevoir beaucoup **d'argent**. → Il aimerait **en** recevoir beaucoup.
Parle de **tes vacances**. → Parles-en.[1]

SUMMARY OF PRONOUNS AFTER PREPOSITIONS AND WITH EXPRESSIONS OF QUANTITY	
To replace . . .	Use . . .
preposition + person	preposition + stressed pronoun
de + thing	en
un, une, des, du, de la number quantifier } + noun	en + { un, une, —, —, — number quantifier

Pratique et conversation

A. **Pronoms.** Remplacez les mots en italique par **en**.

1. Votre idée a beaucoup *d'originalité.*
2. Pierre cherche un *poste.*
3. J'ai bu trop *de champagne* hier soir.
4. Qu'est-ce que vous pensez *des vacances à la plage?*
5. Mme Bordier n'a pas *de temps.*
6. Elle m'a apporté un *cadeau.*
7. Achète *du pain.*
8. Apportez deux *disquettes.*
9. Nous avons tous besoin *d'amis.*

---

[1] Note that the −s of the verb form is restored before **en** in the affirmative imperative of −**er** verbs.

B. **Encore des pronoms.** Remplacez les noms soulignés par le pronom correct.

1. Pierre aimerait faire beaucoup *de voyages*.
2. J'ai acheté quelques souvenirs pour *mes nièces*.
3. Pour voyager en France, les Américains n'ont plus besoin *d'un visa* maintenant.
4. Pierre parle *d'Anne*.
5. Mme Bordier a trop *de travail*.
6. Pierre parle trois *langues*.
7. Pierre étudie avec *Jean-Philippe*.

C. **Questions.** Répondez aux questions en employant le pronom correct.

1. Pourquoi est-ce que Pierre parle d'Anne?
2. Est-ce qu'Anne est amoureuse de Pierre?
3. Est-ce que les locataires ont besoin de leur concierge?
4. Combien de noms est-ce que Valérie DuLouche a?
5. Est-ce que Mme Bordier a beaucoup de clients?

D. **Interview.** Posez les questions suivantes à votre partenaire. Il/ Elle répondra avec un pronom. Demandez-lui s'il/elle...

1. se souvient de sa jeunesse
2. a beaucoup de cours aujourd'hui
3. a besoin d'argent
4. parle souvent de ses parents
5. aime voyager avec ses amis
6. a envie d'aller en France

3   À l'agence de voyages

[Mme Bordier s'occupe d'un client américain qui habite à Paris avec sa famille.]

MME BORDIER:	Vous dites que vous désirez aller en vacances à la Martinique?
LE CLIENT:	Oui, parce que je veux continuer à parler français. Et puis, on dit qu'il y fait toujours beau, et qu'il y a toujours du soleil.
MME BORDIER:	Nous avons des voyages organisés très intéressants en ce moment... Vous voulez y passer combien de temps?
LE CLIENT:	Mais attendez! Ma femme veut aller à la Guadeloupe. Que faire?
MME BORDIER:	Vous pouvez très bien visiter les deux. Tenez!° Regardez cette brochure.
LE CLIENT:	Et mon fils veut aller à Tahiti!
MME BORDIER:	Ah! Ça, c'est un peu plus loin... Mais, si vous décidez d'y aller...

Here!

LE CLIENT:	Le problème, c'est que ma fille veut aller au Canada. Elle a des amies qui parlent français à Québec.
MME BORDIER:	Je ne sais pas que vous conseiller...
LE CLIENT:	Il y a aussi ma belle-mère! Elle insiste pour venir avec nous. Mais elle ne veut pas trop s'éloigner° d'ici. Elle préférerait aller en Belgique ou en Suisse.
MME BORDIER:	Bruxelles et Genève sont des villes charmantes en effet.° C'est à vous de décider. Au fait!° Vous avez oublié tous les pays d'Afrique où on parle français... et quelques autres parties du monde!
LE CLIENT:	Et si on restait à Paris?

to go far away (aligned with s'éloigner)

as a matter of fact; By the way! (aligned with en effet / Au fait!)

Avez-vous suivi?

1. Où est-ce que le client de Mme Bordier veut aller? et sa femme?
2. Où est-ce que ses enfants veulent aller?
3. Est-ce que la belle-mère du client aime voyager? Où est-ce qu'elle veut aller?
4. Quelle est la difficulté de Mme Bordier?

Autrement dit
Les vacances

Et si on restait à Paris?
    allait à la plage°   *beach*
    allait à la montagne
    partait avec le Club Med
    faisait du camping
    faisait de la voile°   *sailing*
    faisait une randonnée°   *hike*
    faisait un safari

Les pays francophones et leurs capitales:

En Europe

La France   Paris
La Suisse   Berne
La Belgique   Bruxelles

En Afrique

Le Maroc   Rabat
La Tunisie   Tunis
L'Algérie   Alger
La Côte d'Ivoire   Abidjan
Le Sénégal   Dakar
Le Zaïre   Kinshasa
La République Centrafricaine   Bangui
Le Mali   Bamako

En Asie

Le Viêt-Nam   Hanoi

En Amérique du Nord

Le Canada   Ottawa

Les Îles

Haïti   Port-au-Prince
Tahiti   Papeete
La Martinique   chef-lieu: Fort-de-France
La Guadeloupe   chef-lieu: Basse-Terre

Pour conseiller

Mme Bordier **donne des conseils à** ses clients:

> **Vous devriez** réserver à l'avance.
> **Il vaut/vaudrait mieux°** passer deux semaines.
> **Si j'étais vous,** je choisirais un voyage organisé.
> **Si j'étais à votre place,** j'irais au printemps.
> **Je conseille** toujours à **mes clients d'**emporter des chèques de voyage.
> **Un conseil utile:** faites attention à vos sacs et à vos portefeuilles.

It would be better/preferable

Pratique et conversation

A. **Les capitales.** Mettez la capitale avec le pays.

1. _____ Ottawa   a. le Mali
2. _____ Dakar   b. la Tunisie
3. _____ Bruxelles   c. le Canada
4. _____ Papeete   d. le Sénégal
5. _____ Tunis   e. la Suisse
6. _____ Berne   f. Tahiti
7. _____ Bamako   g. la Belgique

B. **Le pays d'origine.** De quel pays viennent ces voitures?

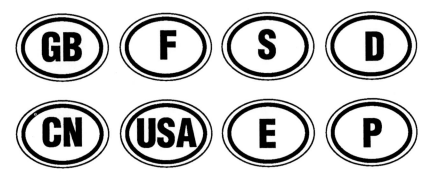

1. l'Allemagne
2. les États-Unis
3. le Canada
4. le Portugal
5. la France
6. la Suède
7. l'Angleterre
8. l'Espagne

C. **Quel pays?** Devinez le pays décrit.

1. On y fait du chocolat et de la fondue.
2. C'est une ancienne colonie française de l'Orient.
3. C'est une île que le peintre Gauguin a appréciée.
4. C'est le pays où se trouve la Statue de la Liberté.
5. C'est une ancienne colonie française en Afrique noire.
6. On y fait de la dentelle *(lace)* et des gauffres *(waffles)*.
7. C'était la seule colonie française qui se trouvait en Amérique du Nord.
8. C'est un ancien département français en Afrique du Nord qui s'est séparé de la France après une guerre.

D. **Dialogue.** Complétez le dialogue suivant.

À l'agence de voyages

LE CLIENT: Bonjour, Madame. J'aurai bientôt six semaines de vacances et j'ai envie de voyager un peu à l'aventure.

MME BORDIER: _____.

LE CLIENT: Non, je n'aime pas la neige.

MME BORDIER: _____.

LE CLIENT: Cela a l'air intéressant. Quelles sont les activités organisées par le Club?

MME BORDIER: _____.

LE CLIENT: Non, ce n'est pas très original. Vous n'avez pas quelque chose de vraiment différent?

MME BORDIER: _____.

LE CLIENT: Un safari! Ah, ce serait différent... une vraie aventure!

MME BORDIER: _____.

LE CLIENT: Une réservation, pour faire un safari? Très bien, si c'est nécessaire. Combien de temps à l'avance?

MME BORDIER: _____.

LE CLIENT: Est-ce que vous avez d'autres conseils à me donner?

MME BORDIER: _____.

LE CLIENT: C'est tout?

MME BORDIER: _____.

E. **Clients.** Voici une liste de clients d'une agence de voyages. Suggérez un voyage approprié pour chaque client/e.

1. Un homme de cinquante-cinq ans qui aime le calme et le soleil.
2. Une famille avec quatre enfants et pas beaucoup d'argent.
3. Un jeune couple qui aime la mer et la solitude.
4. Un/e célibataire qui aime la plage, le soleil et la compagnie.
5. Une femme de trente-huit ans qui aime l'aventure.
6. Une famille qui aime le ski.
7. Un/e étudiant/e qui veut améliorer *(to improve)* son français.
8. Un couple qui n'aime pas voyager.

Structure VI

Talking about your travels
Preposition + geographic noun

IN OR TO A COUNTRY	
Masculine Singular	**au** Canada
Feminine Singular	**en** France
Plural	**aux** États-Unis
IN OR TO A CITY	
	à Paris
FROM A COUNTRY	
Masculine Singular	**du** Canada
Feminine Singular	**de** France
Plural	**des** États-Unis
FROM A CITY	
	de Paris, d'Honolulu

a. Countries whose names end in **e** are feminine with a few exceptions: **le Mexique, le Cambodge, le Zaïre.** All other countries are masculine.

b. The preposition to use before the name of an island is determined by usage. Learn the following:

   à/de Tahiti
   à/d'Hawaï
   à la/de la Guadeloupe
   à la/de la Martinique
   en/d'Haïti

c. The pronoun **en** may replace **de** + country name, meaning *from there.*

   Est-ce qu'il vient **de France?** → Oui, il **en** vient.

Pratique et conversation

A. **Quel pays?** Dans quel pays est-ce que vous êtes si vous vous trouvez...

 1. à Munich
 2. à Montréal
 3. à Florence
 4. à Port-au-Prince
 5. à Mexico
 6. à Boise
 7. à Genève
 8. à Lisbonne
 9. à Londres
 10. à Dijon

B. **Les clients de Mme Bordier.** Remplacez le tiret par la préposition correcte.

 1. Mme Hébert? Elle va _____ États-Unis, _____ New York.
 2. M. Fourny? Il va _____ Espagne, _____ Barcelone.
 3. Mlle Rey? Elle va _____ Canada, _____ Ottawa.
 4. Mme Tournier? Elle va _____ Allemagne, _____ Berlin.
 5. M. Bassan? Il va _____ Mexique, _____ Mexico.

C. **L'immeuble.** Identifiez le pays d'origine des locataires:

 1. M. Péreira? Il vient _____ Portugal, _____ Lisbonne.
 2. Les Silvestri? Ils viennent _____ Italie, _____ Palerme.
 3. Les Ibn Hassam? Ils viennent _____ Algérie, _____ Alger.
 4. Mme Nguyen? Elle vient _____ Viêt-nam, _____ Hanoi.
 5. Mme Chevalley? Elle vient _____ France, _____ Paris.

D. **À la gare.** Vous êtes à la gare. Vous écoutez les annonces du haut-parleur. Complétez les phrases par la préposition correcte.

Attention, Mesdames-Messieurs. Le train 801 qui arrive _____ Portugal est en retard. Il va arriver à 7h30 et puis il repartira à destination de Bruxelles.

Le train 422 est arrivé _____ Espagne. Il part _____ Paris à 20h30 à destination de Londres. L'Orient Express part dans quinze minutes pour Venise. Le train 506 est arrivé _____ Italie à la voie douze.

Structure VII
Referring to something already mentioned
The pronoun y

Vous dites que vous désirez aller en vacances **à la Martinique?** On dit qu'il **y** fait toujours beau, et qu'il **y** a toujours du soleil. Vous voulez **y** passer combien de temps?

a. The pronoun **y** replaces the phrase **à/en/sur/dans** + place. It means *there*.

J'aimerais aller **à la montagne.** → J'aimerais y aller.
Les billets sont **sur le bureau.** → Ils y sont.

b. The pronoun **y** may also replace **à** + thing. Verbs requiring **à** before an object include **penser à, répondre à** and **réussir à.**

Je réponds **à la question.** → J'y réponds.

c. Note that if a location is not explicitly expressed with the verb **aller,** the pronoun **y** must be used.

Vous **y allez** en métro? Non, j'**y vais** en voiture.

d. As with other object pronouns, **y** precedes the verb it is the object of, except in the affirmative imperative.

Je vais **au Canada.** → J'y vais.
Je voudrais aller **à Montréal.** → Je voudrais y aller.
Va **à la plage.** → Vas-y.[1]

---

[1] Note that the −s of the verb form is restored before **y** in the affirmative imperative of − **er** verbs.

SUMMARY OF PRONOUN USAGE

To Replace . . .	Use . . .
the subject	subject pronouns
the direct object	direct object pronouns
de + person	de + stressed pronoun
de + thing	en
de + location	en
quantified nouns	en
the indirect object	indirect object pronouns
à + thing	y
à/en/sur/dans + location	y

SUBJECT PRONOUNS

	Singular	Plural
1st person	je, j'	nous
2nd person	tu	vous
3rd person	il, elle, on	ils, elles

DIRECT OBJECT PRONOUNS

	Singular	Plural
1st person	me, m'	nous
2nd person	te, t'	vous
3rd person	le, la, l'	les

INDIRECT OBJECT PRONOUNS

	Singular	Plural
1st person	me, m'	nous
2nd person	te, t'	vous
3rd person	lui	leur

STRESSED PRONOUNS		
	Singular	**Plural**
1st person	**moi**	**nous**
2nd person	**toi**	**vous**
3rd person	**lui, elle**	**eux, elles**

Pratique et conversation

A. **Pronoms.** Remplacez les mots en italique par **y.**

   1. Elle a mis mes billets *dans le tiroir.*
   2. Mme Bordier répond *aux questions.*
   3. Répondez *à ces lettres* tout de suite!
   4. Anne étudie *en France* cette année.
   5. Je veux faire un voyage *à Tahiti.*
   6. Allons *à la Martinique!*
   7. Mme Bordier est *dans son agence* maintenant.
   8. J'ai laissé l'horaire *sur la table.*
   9. Pierre va *au bureau* pour la première fois.

B. **Encore des pronoms.** Remplacez le/s mot/s en italique par le pronom correct.

   1. À quelle heure arrivez-vous *de Chicago?*
   2. J'arrive *à New York* à trois heures du matin.
   3. J'ai passé les billets *à Pierre.*
   4. Nous nous souvenons *de nos vacances en Europe.*
   5. Est-ce que vous êtes déjà allé *à la Martinique?*
   6. Elle a besoin *de notre aide.*
   7. Ils ont déjà fait *leurs réservations.*
   8. Mettez les billets *sur le bureau.*
   9. Il voudrait parler *à Mme Bordier.*
   10. J'ai trois *valises.*

C. **Quel pays?** Votre partenaire pense à un pays ou à une ville qu'il/elle décrit. Devinez le pays ou la ville.

   MODÈLE   Votre partenaire: **Il y fait chaud. On y va pour le Mardi gras.**
   Vous: **C'est la Nouvelle Orléans.**

D. **Interview.** Posez les questions suivantes à votre partenaire. Il/
Elle répondra en employant le pronom y. Demandez...

1. s'il/elle prend souvent ses repas au restaurant universitaire
2. s'il/elle va étudier à la bibliothèque
3. s'il/elle voudrait voyager en France
4. s'il/elle voudrait travailler à l'agence de Mme Bordier
5. s'il/elle aime dormir dans le train
6. s'il/elle a jamais perdu ses baggages à l'aéroport
7. s'il/elle aime passer ses vacances à la montagne
8. s'il/elle parle français à la maison

Lecture I

UN HORAIRE DE TRAIN

Avant de lire

Pour vous informer.
French train schedules are comprehensive documents with a great
deal of information presented in a compressed format. In order to
understand all the information presented, you must be familiar with
their structure.

- Different trains are presented horizontally while the stops
  between the point of origin and the final destination are
  presented vertically.
- At the top of each vertical column appears the number of
  the train and below it any notes to consult with regard to the
  train's weekly or monthly schedule. Thus, train 3131 refers
  you to note number 1 which tells you that this train does not
  run on Saturdays, Sundays, and holidays.
- Within the notes are symbols representing services available
  on this train. These symbols are explained on the top left-
  hand side of the schedule.
- Beneath the train number and numerical notes the times of
  arrival [A] and/or departure [D] are listed. The times use a
  twenty-four-hour clock, so there is no ambiguity between
  A.M. and P.M. Thus, train 3131 arrives at Rouen at
  7:57 A.M. and leaves at 7:58 A.M.

Lisons

Symboles

A   Arrivée    Bar

D   Départ   Vente ambulante

☐   Restauration à la place

Remarque

Certains trains circulant rarement ne sont pas repris dans cette fiche.

Services offerts dans les gares

	Information	Réservation	Facilités pour handicapés	Parcotrain	Location de voitures	Location de vélos	Buffet	Change
Bréauté-Beuzeville	(35) 43 50 50			●	●			
Gaillon-Aubevoye								
Le Havre	(35) 43 50 50	(35) 24 01 76	●	●	●	●	●	●
Oissel				●				
Paris St-Lazare	(1) 538 52 29 (1) 261 50 50	(1) 387 91 70	●	●	●		●	●
Rouen	(35) 98 50 50	(35) 70 16 34	●	●	●	●	●	●
Le Vaudreuil V-Nlle								
Vernon	(32) 38 50 50	(32) 51 01 72	●		●	●		
Yvetot	(35) 98 50 50			●	●			

Numéro du train	3131	3133	131	3163	3139	309	8051	8053	3165	3141	3145	3167	3147	8059	3169	8065	8065	13149	3149
Notes à consulter	1	2	3	4	5	6	7	8	9	10	11	12	13	4	14	14	15	16	1
Paris Saint-Lazare D	06.45	07.35	07.45	08.15	09.15	10.55			12.00	12.35	13.45	14.20	15.15		16.28			16.53	17.02
Vernon D	07.26			09.04					12.50		14.30	15.09			17.13				
Gaillon-Aubevoye D									13.00										
Le Vaudreuil V-Nelle D				09.22					13.13			15.27			17.31				
Oissel D				09.33					13.24		14.55	15.37			17.41				
Rouen A	07.57	08.47	08.53	09.46	10.26	12.06			13.37	13.44	15.07	15.50	16.24		17.53			18.09	18.14
Rouen D	07.58	08.49	08.54		10.28		12.14	12.35	13.46	15.09		16.26	17.10	17.58	18.06	18.11	18.16
Yvetot	08.19	09.10	09.15		10.48		12.42	13.11	14.07	15.30		16.47	17.48	18.41	18.42	18.35	18.38
Bréauté-Beuzeville A	08.34	09.25			11.04		12.56	13.32		15.45		17.02	18.11		19.04	18.49	18.53
Le Havre A	08.49	09.40	09.40		11.19		13.11	14.00	14.33	16.00		17.17	18.39		19.31	19.05	19.08

Tous les trains comportent des places assises en 1ʳᵉ et 2ᵉ Cl. sauf indication contraire dans les notes.

Notes :

1. Circule tous les jours sauf le sam., dim. et fêtes. Corail.

2. Circule les dim. et fêtes. Corail.

3. Circule tous les jours sauf dim. et fêtes et sauf les 31 oct., 30 avril, 7 mai et 1ᵉʳ juin. Corail. Train à supplément l'Albatros ☐ 1ʳᵉ cl. sauf sam. .

4. Circule tous les jours sauf dim. et fêtes.

5. Circule tous les jours. Corail.

6. Circule tous les jours. (Dessert Vernon à 11 h 35 les dim. et fêtes). Corail. .

7. Circule tous les jours sauf dim. et fêtes. Horaire modifié le sam. Rouen 12 h 27, Yvetot 12 h 56, Bréauté 13 h 10, Le Havre 13 h 25.

8. Circule les dim. et fêtes. Autorail.

9. Circule tous les jours sauf dim. et fêtes. (Train prolongé Le Havre les 31 oct., 30 avril et 7 mai. Dép. Rouen 13 h 46, Yvetot 14 h 07, Le Havre 14 h 33).

10. Circule tous les jours sauf dim. et fêtes et sauf les 31 oct., 30 avril et 7 mai. Corail. ☐ 1ʳᵉ classe .

11. Circule les sam., dim. et fêtes. (Dessert Le Vaudreuil V/N à 14 h 45 les dim. et fêtes). Corail.

12. Circule tous les jours sauf dim. et fêtes et sauf les 31 oct., 30 avril et 7 mai.

13. Circule tous les jours sauf dim. et fêtes. Corail.  sauf sam.

14. Circule tous les jours sauf les sam., dim. et fêtes.

15. Circule les dim. et fêtes.

16. Circule les ven. et les 10 nov., 30 mai sauf les 11 nov. et 1ᵉʳ juin.

17. Circule les sam. Corail.

18. Circule les ven. et les 10 nov., 30 mai sauf le 11 nov.

Avez-vous suivi?

1. Vous projetez *(plan)* un voyage de Paris au Havre. Consultez l'horaire pour trouver quels trains partent l'après-midi.
2. À quelle heure arriveriez-vous au Havre si vous partiez de Paris à 15h15?
3. Quels services trouvez-vous dans le train 3141?
4. Vous faites un voyage en famille de Rouen à Paris. Vous voulez arriver à Paris avant 17h et vous voulez manger en route. Quel est le meilleur train pour votre voyage?
5. Vous faites un voyage d'affaires entre Paris et Rouen. Vous voulez voyager le plus rapidement possible. Quel train allez-vous choisir pour votre départ? et pour votre retour?
6. Vous voyagez de Paris au Havre. Vous voulez partir le plus tard possible, mais vous devez arriver avant 18h. Quel train allez-vous choisir?

⚜ Lecture II

LE GUIDE MICHELIN

Avant de lire

La légende. Vous allez consulter *le Guide Michelin* pour trouver un hôtel pendant une visite à Chartres. Regardez la légende pour déterminer le sens des symboles utilisés.

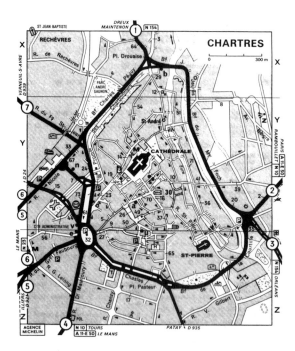

Notre classement est établi à l'usage de l'automobiliste de passage. Dans chaque catégorie les établissements sont cités par ordre de préférence.

CLASSE ET CONFORT

🏰	Grand luxe et tradition	XXXXX
🏯	Grand confort	XXXX
🏨	Très confortable	XXX
🏠	De bon confort	XX
🏡	Assez confortable	X
🏘	Simple mais convenable	
Ⓜ	Dans sa catégorie, hôtel d'équipement moderne	
sans rest	L'hôtel n'a pas de restaurant	
	Le restaurant possède des chambres	avec ch

L'INSTALLATION

Les hôtels des catégories 🏰, 🏯 et 🏨 possèdent tout le confort et assurent en général le change, les symboles de détail n'apparaissent donc pas dans le texte de ces hôtels.

Dans les autres catégories, nous indiquons les éléments de confort existants mais certaines chambres peuvent ne pas en être pourvues.

30 ch	Nombre de chambres
🛗	Ascenseur - Air conditionné
📺	Télévision dans la chambre
	Hôtel entièrement ou en partie réservé aux non-fumeurs
⊁ ch	Chambres réservées aux non-fumeurs
⊁ rest	Salle de restaurant réservée aux non-fumeurs
🛁 wc 🛁	Salle de bains et wc privés, Salle de bains privée sans wc
🚿wc 🚿	Douche et wc privés, Douche privée sans wc
📞	Téléphone dans la chambre relié par standard
☎	Téléphone dans la chambre, direct avec l'extérieur (cadran)
♿	Chambres accessibles aux handicapés physiques
🌳	Repas servis au jardin ou en terrasse
⚊	Piscine : de plein air ou couverte
🏖	Plage aménagée - Jardin de repos - Tennis à l'hôtel
🅰 25 à 150	Salles de conférences : capacité des salles
🚗 🚗	Garage gratuit (une nuit) aux porteurs du Guide de l'année - Garage payant
🅿	Parc à voitures réservé à la clientèle
	Accès interdit aux chiens :
🐕	dans tout l'établissement
🐕 rest	au restaurant seulement
🐕 ch	dans les chambres seulement
mai-oct.	Période d'ouverture, communiquée par l'hôtelier
sais.	Ouverture probable en saison mais dates non précisées

Les établissements ouverts toute l'année sont ceux pour lesquels aucune mention n'est indiquée.

LES CURIOSITÉS

	Intérêt
★★★	Vaut le voyage
★★	Mérite un détour
★	Intéressant
	Situation
Voir	Dans la ville
Env.	Aux environs de la ville
N, S, E, O	La curiosité est située : au Nord, au Sud, à l'Est, à l'Ouest
②, ④	On s'y rend par la sortie ② ou ④ repérée par le même signe sur le plan du Guide et sur la carte
2 km	Distance en kilomètres
	Les musées sont généralement fermés le mardi

CHARTRES ⚑ **28000** E.-et-L. **60** ⑦⑧. **196** ㉟ G. Ile de France − 39 243 h Grand pèlerinage des étudiants (fin avril-début mai).

Voir Cathédrale★★★ Y − Vieux Chartres★ YZ − Église St-Pierre★ Z − ≤★ sur l'église St-André, des bords de l'Eure Y − ≤★ du Monument des Aviateurs militaires Y Z − Musée : émaux★ YM.

🛈 Office de Tourisme pl. Cathédrale ℘ 37 21 54 03 − A.C.O. 10 av. Jehan-de-Beauce ℘ 37 21 03 79.

Paris 88 ① − Évreux 77 ① − ◆Le Mans 115 ④ − Orléans 77 ③ − Tours 140 ④.

CHARTRES

🏨 **Poste**, 3 r. Gén. Koenig ℘ 37 21 04 27, Télex 760533 − 🛗 ⊁ ch 🛁 rest 📺 ☎ − 🅰 30. 🅰 🅴 ⓪ 🅴 ⅤⅠⅤⅠⅤⅠ
R 82/130 ⅜, enf. 39 − ⊡ 31 − **60 ch** 170/240 − ½ P 198/233. Y v

🏨 **Ibis** Ⓜ, 14 pl. Drouaise ℘ 37 36 06 36, Télex 783533 − 🛗 📺 ☎ ♿ 🅿 − 🅰 35. 🅴 ⅤⅠⅤⅠ
R carte 80 à 120 ⅜ − ⊡ 27 − **79 ch** 255/285. X b

XXX **La Vieille Maison**, 5 r. au Lait ℘ 37 34 10 67 − 🅴 ⓪ 🅴 ⅤⅠⅤⅠ Y s
fermé dim. soir et mardi − **R** 170 bc/300.

XXX **Henri IV**, 31 r. Soleil d'Or ℘ 37 36 01 55 − 🛗 🅴 ⓪ 🅴 ⅤⅠⅤⅠ Y a
fermé fév., lundi soir et mardi − **R** 165 bc/275 bc, enf. 60.

XX **Buisson Ardent**, 10 r. au Lait ℘ 37 34 04 66 − 🅰 🅴 ⓪ 🅴 ⅤⅠⅤⅠ Y s
fermé dim. soir, mardi soir et merc. − **R** 75/190.

XX **Normand**, 24 pl. Épars ℘ 37 21 04 38 − 🅴 ⅤⅠⅤⅠ Z e
fermé lundi sauf fêtes − **R** 82/190 ⅜.

XX **Le Minou**, 4 r. Mar. de Lattre de Tassigny ℘ 37 21 10 68 − 🅴 ⅤⅠⅤⅠ 🐕 YZ u
fermé 4 au 31 juil., 5 au 20 fév., dim. soir et lundi − **R** 95/130 ⅜.

à St-Prest par ① et D 6 : 8 km − ⊠ **28300** St-Prest :

🏨 **Manoir du Palomino** Ⓜ ⊱, ℘ 37 22 27 27, ≤, « Dans un parc au bord de l'Eure », − 🛗 📺 🅿 🅴 ⅤⅠⅤⅠ
fermé 15 janv. au 15 fév. − **R** *(fermé dim. soir et lundi)* 120/195, enf. 40 − ⊡ 35 −
12 ch 150/500.

par ② : N 10 − ⊠ **28630** Chartres :

🏨 **Novotel** Ⓜ, à 4 km ℘ 37 34 80 30, Télex 781298, Fax 37 34 80 30, 🌳, ⚊, 🏖 − 🛗
R rest 🛗 ♿ 🅿 − 🅰 200. 🅰 🅴 ⓪ 🅴 ⅤⅠⅤⅠ
R snack carte environ 130, enf. 48 − ⊡ 38 − **78 ch** 330/360.

à Thivars par ④ : 7,5 km N 10 − ⊠ **28630** Chartres :

XXX **La Sellerie**, ℘ 37 26 41 59 − 🅿 🅴 ⅤⅠⅤⅠ
fermé 30 juil. au 23 août, 9 au 23 janv., dim. soir du 30 nov. au 31 mars, lundi soir et mardi − **R** 115/260.

Avez-vous suivi?

A. **Visite à Chartres.** Vous faites une petite visite à Chartres. Consultez le texte pour répondre aux questions suivantes.

1. Quelle est la population de Chartres?
2. Quelle curiosité vaut le voyage?
3. Quelle est l'adresse de l'office de tourisme?
4. Quelle est la ville principale la plus proche de Chartres?
5. Si vous voulez éviter les groupes d'étudiants, quand est-ce qu'il ne faut pas aller à Chartres?
6. Après avoir visité la cathédrale, vous voulez voir autre chose. Où est-ce que vous iriez si vous aimiez: (a) les vieux quartiers, (b) les églises, (c) l'histoire des deux guerres mondiales?

B. **Encore une visite.** Choisissez un hôtel à Chartres ou dans les environs pour les personnes suivantes.

1. Vous faites un voyage d'affaires et vous avez besoin d'une salle de conférences. Il vous faut un téléphone direct.
2. Vous voyagez en famille au mois d'août. Les enfants aiment regarder la télévision. Vous paierez avec votre *Carte Bleue*.
3. Vous avez assez d'argent pour un hôtel confortable. Vous aimez les petits hôtels tranquilles et vous aimez la nature.
4. Vous êtes étudiant/e et vous voulez l'hôtel le moins cher.
5. Vous voyagez avec un ami handicapé. Vous voulez un hôtel avec un restaurant.

C. **Retour à Chartres.** Vous avez un/e ami/e qui va visiter Chartres. Il/Elle vous demande de recommander un hôtel et un restaurant. Décrivez un hôtel où vous êtes resté/e et un bon restaurant où vous avez mangé. Indiquez aussi un restaurant qu'il faut éviter et expliquez pourquoi.

Lecture III

JE SUIS AGENT DE COMPTOIR

Avant de lire

A. **De quoi s'agit-il?** Vous allez lire une interview avec un agent de voyages. Avant de lire, essayez d'anticiper certains éléments du texte. Répondez aux questions suivantes.

1. Quelles sont les responsabilités d'un agent de voyages?
2. Quels sont les avantages de cet emploi? les inconvénients?
3. Quelle formation est nécessaire pour devenir agent de voyages?

B. **Familles de mots.** Quel mot n'appartient (*belong*) pas à la série?

1. voyage, vacances, client, loisirs
2. prix, programme, tarif, coût
3. conseils, informations, suggestions, comptoir
4. circuit, étranger, itinéraire, tournée

C. **Devinez!** Utilisez le contexte pour deviner la signification de l'expression en italique. Les questions entre parenthèses vous aideront.

1. Mon rêve, ce serait d'accompagner, au moins de temps en temps, des gens à l'étranger. Ici, quelquefois, j'ai envie de *prendre l'air.*
   (Question: Quel rapport logique est-ce qu'il y a entre les deux phrases?)
2. Oui, Monsieur, oui, *vous êtes bien tombé*: nous sommes «tour operators» sur la Tunisie *justement.*
   (Question: Est-ce que le client a fait un bon choix quand il a appelé cette agence?)
3. Non, Monsieur, vous n'aurez rien à dépenser en plus, *tout est compris.*
   (Question: Est-ce que l'expression en italique signifie **tout est gratuit, tout est payé** ou **tout est cher?**)
4. Il faut de la pratique aussi, *la billetterie* par exemple; il ne faut pas se tromper quand on rédige un billet ou quand on organise un itinéraire.
   (Question: Quel autre mot dans la phrase est apparenté (*related*) au mot **billetterie?**)

Lisons

je suis agent de comptoir

... Vous ne comprenez peut-être pas bien ce que ça veut dire ? Bon, ben,° je suis une de ces personnes qui, derrière le comptoir d'une agence de voyages, comme vous le voyez, reçoivent les clients. Ils ont déjà, le plus souvent une idée de voyage dans la tête. C'est à moi de leur donner des conseils, des informations, des prix, et pour finir, de leur vendre, si possible, un voyage qui plaise...°

... Je vois beaucoup de gens et ce sont, le plus souvent, des gens heureux parce qu'ils préparent leurs vacances. Je les aide à organiser leurs loisirs et il me semble° que j'en prends une petite part...

... Mon rêve, ce serait d'accompagner, au moins de temps en temps, des gens à l'étranger. Ici, quelquefois, j'ai envie de prendre l'air...

... Mais, pour le moment, je ne regrette rien...

... Excusez-moi une minute, on m'appelle. «Allô? 763.22.58, «Le Point», j'écoute... Oui, Monsieur, oui, vous êtes bien tombé: nous sommes «tour-operators» sur la Tunisie justement... Si j'ai bien compris, vous pensez à un séjour à Tunis de quelques jours, suivi d'un circuit d'une semaine dans le Sud ?... Ah, pour les tarifs, il faudrait passer me voir à l'agence... Oui, quand vous voudrez, nous avons trois ou quatre programmes à vous offrir... Oui, le tarif dépend beaucoup du prix des hôtels... Non, Monsieur, vous n'aurez rien à dépenser° en plus, tout est compris. À bientôt, Monsieur, quand vous voudrez...»

... Qu'est-ce que je disais ? Oui, j'aime bien mon travail quotidien.° Je suis encore presque débutante, c'est vrai...

... Les deux années que j'ai passées à l'École m'ont appris, de toutes façons, beaucoup de choses, et pas seulement sur le tourisme; en histoire de l'art et en langues surtout. Il faut savoir deux langues étrangères, l'anglais avant toute autre. Et puis de la pratique aussi, la billetterie par exemple; il ne faut pas se tromper quand on rédige° un billet ou quand on organise un itinéraire. Jusqu'ici tout va bien avec mon patron, comme avec mes clients. Surtout quand ils sont sympathiques..., comme vous.

well

that they might like

it seems to me

spend

daily

makes out

A. **Une petite annonce.** Vous recherchez un agent de voyages. Complétez la petite annonce en vous basant sur le texte.

AGENCE DE VOYAGES RECHERCHE
Agent de comptoir

Responsabilités:

_____

_____

_____

_____

Formation:

_____

_____

_____

Envoyer lettre manuscrite et C.V. à

_____

B. **Formulez la question.** Dans *Je suis agent de comptoir*, seules les réponses de l'agent sont données. Quelles questions est-ce que l'intervieweur a posées?

C. **Portrait de l'agent.** Trouvez une/des phrase/s dans le texte qui indique/nt...

1. que c'est une femme
2. qu'elle aime son travail
3. qu'elle s'entend bien avec son patron
4. qu'elle aimerait faire quelque chose d'autre un jour

Activités

A. **Les ordinateurs.** Expliquez à un/e de vos amis comment utiliser un ordinateur: Où est-ce qu'on met la disquette? Comment est-ce qu'on ouvre un programme? etc.

B. **Dans une agence de voyages.** Vous travaillez dans une agence de voyages. Un jeune couple vous demande des conseils pour leur lune de miel *(honeymoon)*. Ils ont seulement deux semaines pour leur voyage, et ils n'ont pas beaucoup d'argent. Qu'est-ce que vous leur proposez?

C. **Dans le train.** Vous faites un long voyage en train. Vous commencez à parler avec votre voisin/e. Vous lui demandez d'où il/elle vient, où il/elle va et ce qu'il/elle va faire à sa destination. Puisque vous êtes américain/e, il/elle a beaucoup de questions pour vous aussi!

D. **Problèmes.** Votre meilleur/e ami/e vient de se disputer avec son/sa petit/e ami/e. Il/Elle vous explique le problème et vous essayez de lui donner des conseils.

Vocabulaire actif

une **administration**	administration	un **contrôle**	(customs) check
les **affaires** (f.)	business	**(douanier)**	
un **aller et retour**	round-trip (ticket)	un/e **copain/copine**	pal, friend
un **aller simple**	one-way (ticket)	une **couchette**	sleeping berth
à mi-temps	part-time	un **curriculum vitæ**	résumé
à pied	on foot	une **déclaration**	declaration
à plein temps	full-time	**dentaire**	dental
l' **argent de poche** (m.)	pocket money	un **départ**	departure
		disponible	available
une **arrivée**	arrival	une **disquette**	disquette
l' **assurance (vie)** (f.)	(life) insurance	la **douane**	customs
un **autocar**	inter-city bus	une **douche**	shower
un **avantage**	advantage	un **écran**	screen
un **avion**	airplane	**embaucher**	to hire
une **belle-mère**	mother-in-law	un **emploi**	job
un **billet**	ticket	un/e **employé/e**	employee
une **brochure**	brochure	**enregistrer**	to save (computer)
une **chambre (d'hôtel)**	(hotel) room	**être amoureux/**	to be in love with
un **clavier**	keyboard	**amoureuse de**	
une **clé**	key	une **expérience**	experience
une **coïncidence**	coincidence	**faire de la voile**	to go sailing
le **commerce**	business	**faire du camping**	to go camping
un **compartiment**	compartment	**faire une randonnée**	to go hiking
complet/complète	full	**donnée**	
composter	to validate	**faire un safari**	to go on a safari
compris/e	included	des **formalités**	(customs) formalities
une **conseil**	piece of advice	**(douanières)** (f.)	
conseiller	to advise	une **formation**	training

La vie est dure **365**

fumer	to smoke	plaire à	to please, to like
(non-)fumeur	(non-)smoking	une porte	gate
une gare	train station	se présenter	to present, introduce oneself
un genre	kind, type		
la gestion	management	profiter de	to take advantage of
un guichet	ticket window	un programme	program
un horaire	timetable	un quai	platform
il vaut mieux	it is better, it is preferable	une qualification	qualification
une imprimante	printer	rappeler	to call back
l' informatique (f.)	computer science	la réception	reception desk
une interview	interview	une recommandation	recommendation
un jour de congé	day off	réduit/e	reduced
un lecteur (interne/ externe)	(internal/external) drive	renvoyer	to fire
		réserver	to reserve
une location	rental	un retard	delay
le logiciel	software	un salaire	salary
une machine à traite- ment de texte	word processor	se servir de	to use
		suivre	to follow, to take (a course)
le marketing	marketing	taper à la machine	to type
le matériel	hardware	un tarif	fare
médical/e	medical	le TGV	TGV (fastest train in France)
un métro	subway		
une montagne	mountain	une touche	key (on a keyboard)
négocier	to negotiate	tout de suite	immediately
s' occuper de	to take care of	un train	train
un ordinateur	computer	un vélo	bicycle
une ouvreuse	usher	un visa	visa
un panneau indicateur	sign indicating arrival and departure times	visiter	to visit (a place)
		une voie	track
un passeport	passport	une voiture	car
un/e patron/ne	boss	un voyage organisé	tour
une photocopie	photocopy	un wagon-bar	lounge car (on a train)
une pièce d'identité	identification document	un wagon-lit	sleeping car
une place	seat	un wagon-restaurant	dining car
une plage	beach	un W.-C.	toilet, water closet

Chapitre 13

Préparatifs

1 ## Bientôt le départ!

JEAN-PHILIPPE:	Quelle est cette enveloppe qui est sur la table?
ANNE:	C'est mon billet d'avion.
SYLVIE:	Tu pars dans combien de temps?
ANNE:	Dans trois semaines.
SYLVIE:	Oh, non! Déjà?
ANNE:	Je n'arrive pas à le croire° moi-même. Ce que le temps passe vite!
JEAN-PHILIPPE:	Tu ne nous oublieras pas, dis? On s'écrira?
ANNE:	Bien sûr. La première lettre que je vous écrirai sera assez courte, juste pour vous faire savoir que je suis bien rentrée. Mais quelques jours après, je vous en écrirai une deuxième, qui sera beaucoup plus longue. D'accord?
SYLVIE:	Ne t'inquiète pas. Si on n'a pas de tes nouvelles, on n'aura qu'à demander° à Pierre Beaulieu! Il nous lira tes lettres.
ANNE:	À Pierre Beaulieu? Quelle drôle d'idée! Pourquoi lui?
SYLVIE:	L'autre jour, je cherchais un stylo et j'ai vu la photo de Pierre que tu caches dans ton tiroir.
ANNE:	Tais-toi°, Sylvie.
JEAN-PHILIPPE:	Mais sérieusement, Anne, tu vas nous manquer.
ANNE:	Tu as raison, je penserai beaucoup à vous.

believe

we will only have to ask

Be quiet

SYLVIE: Non, non «tu vas nous manquer», ça veut dire
           que nous allons penser à toi!... Et c'est la vérité,
           Anne.

ANNE: Ah, je comprends! Eh bien, vous aussi, vous allez
           beaucoup me manquer. Je vais souvent penser à
           vous.

Avez-vous suivi?

1. Dans combien de temps est-ce qu'Anne va partir?
2. Pourquoi est-ce qu'elle écrira deux lettres?
3. À qui pourrait-on demander des nouvelles d'Anne?
4. Est-ce qu'Anne est vraiment en colère quand elle dit «Tais-toi» à Sylvie?
5. Que veut dire l'expression: *Vous allez me manquer?*

Autrement dit
Les exclamations et les compliments

Ce que le temps passe vite!
Ce que les jeunes ont changé!

Quelle drôle d'idée!
Quelle affaire!

Que tu es ennuyeuse, Sylvie!
Que la vie est dure!

Qu'est-ce qu'il est beau, ton costume!
Qu'est-ce qu'il fait chaud aujourd'hui!

Pour accepter un compliment

Quelle jolie robe!   Tu trouves?
                      Oh, vraiment?
                      Tu es gentil.
                      C'est gentil de le dire.

Pour exprimer l'incrédulité

Oh, non! Déjà?
Je n'arrive pas à le croire moi-même.
Ce n'est pas possible, ça!
Ce n'est pas croyable, ça!
Ce n'est pas vrai!
C'est incroyable!
◇ Sans blague!

La lecture

Qu'est-ce que vous aimez lire? Les **romans**?° Les **magazines**? Les   novels
  journaux?
Jean-Philippe aime les **romans policiers** et les **aventures**.
Sylvie aime les **albums** pour enfants et les **histoires d'amour**.
Anne aime les **drames psychologiques** et les **mystères**.
Elle cherche dans un **dictionnaire** quand elle ne connaît pas un mot
  en français.
Et Mme Chevalley? Elle adore les **histoires** tristes et sentimentales.
M. Bordier doit lire beaucoup de **rapports**.°   reports
Mme Bordier doit lire les **brochures publicitaires**.

Le journal

Dans le journal on trouve...

> les gros titres   *headlines*
> l'éditorial
> le carnet du jour
> les faits divers
> les nouvelles à la une...   *front page news*

Pratique et conversation

A. **Une conversation avec Mme Chevalley.** Vous parlez avec Mme
   Chevalley. Répondez à ses commentaires en employant une ex-
   clamation.

   1. Autrefois, je pouvais laisser ma porte ouverte, mais mainte-
      nant, avec tous ces crimes...
   2. Je viens d'acheter une nouvelle robe pour 200 francs seule-
      ment!
   3. Il est déjà 5 heures?!

4. Ce M. Péreira! Il a voulu décorer son appartement tout en violet!
5. On dit qu'il va faire 30° aujourd'hui.
6. Et Mme Lalout qui est vraiment Valérie DuLouche!
7. Après tous mes efforts, mon petit chaton Minet a toujours des puces!

B. **Des compliments.** Faites des compliments à votre professeur ou à un/e camarade de classe qui répondra comme il faut. Faites un compliment sur...

1. sa chemise/robe
2. son accent en français
3. ses progrès en français
4. sa voiture
5. ???

C. **Sondage.** Demandez à votre partenaire...

1. quel journal il/elle préfère et pourquoi
2. quelle partie du journal il/elle préfère
3. quel genre de roman il/elle préfère
4. quel est son roman favori
5. s'il/elle a un dictionnaire français-anglais

D. **Le journal.** Dans quelle partie du journal est-ce que vous trouveriez les titres suivants?

1. *L'énergie nucléaire: les risques augmentent*
2. *Naissances et mariages*
3. *Meurtre à Cannes: assassin appréhendé*
4. *Le Président des États-Unis en France*
5. *Français: la pollution nous concerne tous*

E. **Une rencontre.** Vous rencontrez un/e ami/e dans le couloir, qui porte de nouveaux vêtements vraiment à la mode. Vous lui faites des compliments. Il/Elle vous dit qu'il/elle est maintenant millionnaire, et vous explique comment. Exprimez votre incrédulité.

Structure I
Talking about everyday activities
The verb *écrire*

	ÉCRIRE (TO WRITE)			STEM +	ENDING
	J'	**écris**	des cartes postales.	écri	s
	Tu	**écris**	à tes parents?	écri	s
Present	Anne	**écrit**	à la famille Bordier.	écri	t
	Nous	**écrivons**	à nos amis.	écriv	ons
	Écrivez-		vous la réponse?	écriv	ez
	Elles	**écrivent**	en français.	écriv	ent
Passé Composé	Qui	**a écrit**	à Anne?		
Imperfect	Je leur	**écrivais**	très souvent.		
Future	On s'	**écrira?**			
Conditional	On s'	**écrirait**	si tu partais.		

Décrire (*to describe*) is conjugated like **écrire.**

Pratique et conversation

A. Correspondance. Donnez la forme correcte du verbe **écrire.**

1. Tu/écrire/la phrase au tableau?
2. Hier, Anne/écrire/une lettre à ses parents.
3. Vous/écrire/la réponse.
4. Demain, on/écrire/dans le cahier d'exercices.
5. Je/écrire/très souvent à mes amis.
6. Les Bordier/écrire/beaucoup.

B. **Interview.** Demandez à votre partenaire...

1. s'il/elle vous écrira cet été
2. s'il/elle écrira ses mémoires quand il sera vieux/vieille
3. à qui il/elle a écrit récemment, et pourquoi il/elle a écrit à cette personne
4. s'il/elle a écrit à ses parents quand il/elle était en vacances
5. s'il/elle vous écririez même si vous ne répondiez pas
6. de décrire un membre de sa famille

C. **Êtes-vous graphologue?** Quelqu'un dans la classe écrira deux ou trois phrases en français. Ensuite, le professeur donnera ces phrases à plusieurs étudiants qui essaieront d'en analyser l'écriture, et de deviner l'étudiant qui les a écrites. Qui est le meilleur graphologue?

Structure II
Talking about everyday activities
The verb *lire*

		LIRE (TO READ)		STEM	+	ENDING
Present	Je	lis	le journal.	li		s
	Tu	lis	les petites annonces?	li		s
	Anne	lit	une lettre.	li		t
	Nous	lisons	la question.	lis		ons
	Vous	lisez	le magazine.	lis		ez
	Ils	lisent	cette histoire.	lis		ent
Passé Composé	Hier, j'	**ai lu**	le journal.			
Imperfect	Elle	**lisait**	un livre quand j'ai téléphoné.			
Future	Il nous	**lira**	tes lettres.			
Conditional	Il nous	**lirait**	tes lettres si tu écrivais.			

Pratique et conversation

A. **La lecture.** Donnez la forme correcte du verbe **lire.**

1. Nous/lire/le journal tous les jours.
2. Mme Bordier/lire/une brochure publicitaire.
3. Hier, je/lire/un roman.
4. Sylvie/lire/une histoire pour enfants.
5. Jean-Philippe! Qu'est-ce que tu/lire?
6. Demain, vous/lire/ce magazine.
7. Les enfants Bordier/lire/le journal tous les jours.

B. **Interview.** Demandez à votre partenaire...

1. s'il/elle lit régulièrement un magazine et quel magazine il/elle préfère
2. s'il/elle a lu un roman récemment
3. s'il/elle a déjà lu un livre en français
4. s'il/elle lira le journal ce dimanche
5. s'il/elle lirait un roman au lieu d'aller *(instead of going)* au cinéma

C. **Dans une librairie.** Vous travaillez dans une librairie, et vous essayez d'aider un client à choisir un livre. Demandez-lui quel genre de livre il/elle aime lire, et quels livres il/elle a lus récemment. Suggérez des titres.

Structure III

Referring to someone or something already mentioned
The relative pronouns *qui* and *que*

a. Notice that the following statements are talking about the noun, **Pataud.**

Je vois Pataud.
Pataud est le chien des Bordier.

Such statements may be combined into a single, complex sentence by means of a relative pronoun.

Je vois Pautaud **qui** est le chien des Bordier.
*I see Pataud, **who** is the Bordiers' dog.*

b. Complex sentences are those that consist of two clauses. Relative pronouns link the relative clause to the main clause.

La photo **qui** est dans le tiroir est celle de Pierre Beaulieu.
*The picture **that** is in the drawer is of Pierre Beaulieu.*

c. The relative pronoun has two roles: it refers back to a word in the main clause, and it fills a grammatical slot in the relative clause.

Quelle est cette enveloppe *qui* est sur la table?

(subject in relative clause refers back to **enveloppe**)

J'ai vu la photo de Pierre *que* tu caches dans ton tiroir.

(object in relative clause refers back to **photo**)

d. The relative pronoun **qui** is used for the subject of a relative clause. The relative pronoun **que** is used for the direct object of a relative clause. Both **qui** and **que** are used for referring back to either people or things.

RELATIVE PRONOUNS		
	Subject	Direct Object
People	qui	que
Things	qui	que

e. **Que** becomes **qu'** before another word beginning with a vowel. **Qui** does not change.

L'homme **qui** attend est mon voisin.
Voilà la lettre **qu'**il a envoyée.

f. In the example above, note that the past participle agrees with the preceding direct object.

Pratique et conversation

A. **Dans l'agence de voyages de Mme Bordier.** Faites une seule phrase de chaque paire en utilisant un pronom relatif.

1. Mme Bordier aide une cliente.
   La cliente cherche un hôtel pas cher à Tahiti.
2. Mme Bordier propose plusieurs hôtels.
   Les hôtels sont trop chers pour la cliente.
3. Mme Bordier propose un autre hôtel.
   Cet hôtel est beaucoup moins cher et près de la mer.
4. La cliente accepte l'hôtel.
   L'hôtel est près de la mer.
5. Pierre rédige un billet d'avion.
   Le billet d'avion est pour Anne Williams.
6. Ensuite, Pierre essaie de réserver une place dans le train.
   Le train part à 1h00.
7. Le train est complet.
   Ce train est un TGV.
8. Finalement, Pierre réserve une place dans un autre train.
   La place est près du wagon-restaurant.

B. **Anne part bientôt.** Mettez le pronom relatif correct dans la phrase.

1. L'enveloppe _____ est sur la table contient le billet d'Anne.
2. L'année _____ elle passe en France sera bientôt finie.
3. Elle regrettera beaucoup la famille _____ l'a adoptée.
4. La première lettre _____ Anne écrira sera courte.
5. Mais on peut demander de ses nouvelles à Pierre, _____ est son petit ami.
6. La photo _____ Anne cache dans le tiroir est celle de Pierre.
7. Aujourd'hui, Sylvie et Anne iront à la banque _____ est dans le quartier.
8. Ensuite, Anne ira dans les grands magasins: la valise _____ elle a maintenant est trop petite.
9. Il y a des magasins _____ ont des soldes maintenant.
10. Elle va prendre le métro, _____ va plus vite que l'autobus.

C. **Magda, la diseuse de bonne aventure.** Vous venez de faire un rêve (*dream*) assez troublant: un grand homme brun frappe à votre porte et vous donne une statuette en or, une bouteille vide et une photo. Ensuite, une femme blonde et voluptueuse arrive. Elle vous demande tous ces objets, et vous laisse un disque. Vous allez chez Magda, la gitane (*gypsy*). Vous lui racontez les personnes et les objets que vous avez vus dans votre rêve. Elle vous en donne une interprétation.

MODÈLE   Vous: **J'ai vu un homme brun et mystérieux.**
          Magda: **L'homme que vous avez vu signifie l'aventure.**

D. **Malentendus.** Vous avez commandé une robe ou une chemise du catalogue *Cadeaux-Express* mais on vous a envoyé la mauvaise taille et la mauvaise couleur. Par dessus le marché (*On top of everything*), on a envoyé le colis à la mauvaise adresse. Heureusement que le facteur vous connaît et il vous l'a livré! Vous téléphonez à *Cadeaux-Express* et essayez de régler le problème.

E. **Photos.** Apportez trois photos en classe. Pour chaque photo, identifiez les personnes et les objets sur la photo en utilisant un pronom relatif. Ensuite, parlez un peu de la photo. À quel moment est-ce qu'on l'a prise? Où étiez-vous? Que faisiez-vous?

MODÈLE   **L'homme qui est à droite est mon père, et la femme que vous voyez à sa gauche est ma mère. Nous étions en vacances à la plage et...**

La petite banque du coin

Dans le quartier où habitent les Bordier, il y a une toute petite banque. Anne y est allée plusieurs fois pour changer des dollars, ou encaisser des chèques de voyage. Mais elle n'y est jamais allée à l'heure du déjeuner. À cette heure-là, il y a un monde fou°... comme Anne et Sylvie vont bientôt l'apprendre.

a large crowd

PREMIER CLIENT: Monsieur, il faut que je demande un emprunt à la banque. Mais avant, il faudrait que je me renseigne sur le taux d'intérêt...

DEUXIÈME CLIENT: Je voudrais ouvrir un compte courant, mais je ne sais pas si j'ai assez d'argent. Est-ce qu'il faut que je dépose un minimum?

TROISIÈME CLIENT: Excusez-moi... C'est ici, pour les demandes d'hypothèque? Oh là là! Il faut vraiment que j'accomplisse toutes ces formalités?

QUATRIÈME CLIENT: Pardon, Monsieur, je désirerais changer des devises étrangères. Où faut-il que je m'adresse? Au guichet numéro trois? Merci.

CINQUIÈME CLIENT: Ah! Il faut que vous changiez des francs suisses? Moi aussi! Vous savez quel est le taux du change? Hier, c'était très avantageux...

ANNE:	Hum... Sylvie, ça n'avance pas. Il y a trop de monde. On ferait mieux de revenir demain.
SYLVIE:	D'accord... mais pas à midi, Anne!
ANNE:	Tu as raison. À l'avenir, il vaut mieux que nous évitions l'heure du déjeuner.

[handwritten annotations: SUBJUNCTIF, FUTURE, AVOID]

Avez-vous suivi?

1. Pourquoi est-ce qu'il y a un monde fou à la banque?

2. Pourquoi est-ce que vous feriez les transactions suivantes à la banque?
   a. faire un emprunt
   b. faire une demande d'hypothèque
   c. changer des devises

3. Qu'est-ce qu'il faut savoir avant de...
   a. faire un emprunt
   b. ouvrir un compte-courant
   c. changer des francs suisses

Autrement dit

À la banque

Quand Anne est arrivée en France, elle est allée à la banque pour ouvrir **un compte.** Elle a dû remplir des formulaires et montrer des pièces d'identité et **un justificatif de domicile.**° Une semaine après, on lui a envoyé son **chéquier.**° Puisqu'Anne n'est pas une résidente permanente en France, elle a dû ouvrir **un compte étranger:** elle n'a pas le droit de déposer d'argent liquide français sur son compte, mais des chèques et des mandats peuvent être déposés, bien sûr. Pour retirer de l'argent, il suffit de faire un chèque **payable** à elle-même qu'elle **endossera** par la suite. Anne décide de demander **une carte de crédit,** qu'elle pourra utiliser à tous les **distributeurs automatiques de billets.**

> proof of residency
> checkbook

Jean-Philippe aimerait partir en vacances avec ses copains cet été. Il a décidé de **faire des économies** et d'ouvrir un compte à **la caisse d'épargne.**° À la fin de l'année, il a réussi à **mettre** à peu près trois mille francs **de côté.**°

> savings bank
> put away, save

✳ Les expressions impersonnelles

Il est nécessaire que nous changions cet argent.
Il faut
Il est essentiel
Il est important
Il est possible
Il est bon
Il vaut mieux

Pratique et conversation

A. **À la banque.** Complétez les dialogues suivants.

1. Bonjour, Mademoiselle.

   _____

   Vous êtes française?
   Non, _____
   Dans ce cas, il faut que vous ouvriez un compte étranger.

   _____

   Cela veut dire que vous ne pouvez pas déposer d'argent liquide français sur votre compte.

2. Bonjour, Monsieur. _____
   Pour changer les devises étrangères, il faut remplir ce formu-
   laire.
   Très bien. _____
   Le dollar est à six francs trente aujourd'hui.

3. Bonjour, Mademoiselle. _____
   Pour ouvrir un compte courant, il faut présenter une pièce
   d'identité.

   _____

   Non, il n'y a pas de minimum.

   _____

   Pour les emprunts, allez au guichet numéro trois.

   _____

   Les taux d'intérêt changent tous les jours; vous pouvez demander au guichet numéro trois.

B. **Transactions.** Vous êtes à la banque. Vous voulez changer des
   dollars en francs français. Après, vous ouvrez un compte étranger.
   Jouez la scène avec un partenaire.

C. **Expressions.** Indiquez quelles expressions impersonnelles corre-
   spondent à quelle catégorie: **il faut, il est important, il est bon, il
   est probable, il vaut mieux, il est possible, il est essentiel, il est
   nécessaire.**

Nécessité	Préférence	Probabilité	Jugement

Structure IV
Talking about what is necessary or important
The present subjunctive of regular verbs

Il est nécessaire que nous **changions** cet argent.
Il faut vraiment que j'**accomplisse** toutes ces formalités?
Ah! Il faut que vous **changiez** des francs suisses?
À l'avenir, *il vaut mieux que* nous **évitions** l'heure du déjeuner.

a. To form the present subjunctive, drop the ending – **ons** of the **nous** form of the present indicative and add the subjunctive endings below.

THE PRESENT SUBJUNCTIVE					
– er verbs		**– ir verbs**		**– re verbs**	
Stem + **Ending**		**Stem** + **Ending**		**Stem** + **Ending**	
que je parl	e	que je finiss	e	que je répond	e
que tu parl	es	que tu finiss	es	que tu répond	es
qu'il parl	e	qu'il finiss	e	qu'il répond	e
que nous parl	ions	que nous finiss	ions	que nous répond	ions
que vous parl	iez	que vous finiss	iez	que vous répond	iez
qu'elles parl	ent	qu'elles finiss	ent	qu'elles répond	ent

b. The subjunctive mood occurs in a clause introduced by **que** after a limited number of expressions. In general, these expressions show that the speaker has a subjective attitude with regard to what he/she is saying.

c. Impersonal expressions indicating necessity, preference, appropriateness or doubt are followed by the subjunctive (see *Autrement dit* for a list of these expressions). The subjunctive is not used after impersonal expressions indicating certainty.

Il est important (préférable, bon, possible) que vous **apportiez** assez d'argent.

But:

Il est sûr (certain, probable) que vous **apportez** assez d'argent.

However, when expressions of certainty are in the negative, the subjunctive is used.

Il n'est pas sûr (certain, probable) que vous **apportiez** assez d'argent.

d. Some verbs that are irregular in the present indicative form their present subjunctive like regular verbs. Among these are **connaître, dire, écrire, lire, mettre, plaire, suivre** and – **ir** verbs like **dormir.**

Il est important que vous
- lisiez ce livre.
- écriviez une lettre.
- connaissiez Paris.
- dormiez.
- disiez la vérité.

e. In the examples above, there are two different subjects involved in the action: the impersonal **il** and a personal subject **vous** in the clause introduced by **que.** The infinitive rather than the subjunctive is used after impersonal expressions if the person doing the action is not specified.

Il faut **que je demande** un emprunt à la banque.
Il faut **demander** un emprunt à la banque.

Il est nécessaire **que nous changions** cet argent.
Il est nécessaire **de changer** cet argent.

Il vaut mieux **que nous évitions** l'heure du déjeuner.
Il vaut mieux **eviter** l'heure du déjeuner.

Note that except for **il faut** and **il vaut mieux,** the infinitive is introduced by the preposition **de** after impersonal expressions.

Pratique et conversation

A. **Une journée chargée.** Mettez la forme correcte du verbe.

1. Il est essentiel que M. Bordier/arriver/au bureau à l'heure.
2. Il faut que Sylvie et moi/finir/nos devoirs.
3. Il est important que Mme Bordier et Pierre/aider/leurs clients.
4. Il serait bon que Jean-Philippe/rentrer/tôt.
5. Il est possible que je/sortir/ce soir.
6. Il sera préférable que vous/travailler/toute la journée.
7. Il est possible que Mme Chevalley/partir/aujourd'hui.
8. Il faut que nous/donner/à manger à Pataud ce soir.
9. Il est évident que Pataud/aimer/manger.
10. Il n'est pas sûr que Mme DuLouche/répondre/au téléphone: elle déteste la publicité.
11. Il est possible que nous/sortir/plus tard.
12. Il faut que tu/écrire/des lettres.

B. **Mme Bordier parle à ses clients.** Mettez les verbes entre parenthèses à l'indicatif ou au subjonctif.

MME OLIVIER: Vous comprenez, Madame, il est essentiel que nous _____ (trouver) un hôtel pas cher.

MME BORDIER: Il est certain que ces hôtels _____ (exister) mais il faut que je _____ (regarder) dans ces brochures.

MME OLIVIER: Il est préférable que nous _____ (payer) le moins possible.

MME BORDIER: Oui, je comprends. Ah, voilà un hôtel, mais il n'est pas sûr que vous l'_____ (aimer).

MME OLIVIER: Vous avez raison. Je ne l'aime pas.

MME BORDIER: Mais, Madame. Il est évident que je ne _____ (trouver) pas d'hôtel pour vous. Vous demandez l'impossible.

MME OLIVIER: Je vois qu'il serait préférable que nous _____ (parler) à un autre agent de voyages.

MME BORDIER: Moi, je pense qu'il serait bon que vous _____ (rester) à Paris.

C. **Conseils.** En groupes de deux, donnez des conseils à votre partenaire. Dites-lui comment réussir dans le cours de français, comment rencontrer un/e petit/e ami/e, comment organiser une bonne boum et comment préparer un bon repas.

MODÈLE **Pour réussir en français, il est essentiel que tu étudies et il faut répéter beaucoup.**

D. **Chez le médecin.** Vous allez chez le médecin parce que vous êtes très stressé/e et fatigué/e tout le temps. Il vous pose des questions et vous répondez. Il vous donne des conseils.

MODÈLE Le Médecin: **Combien d'heures est-ce que vous travaillez par jour?**
Vous: **Je travaille seize heures par jour.**
Le Médecin: **Il est essentiel que vous travailliez moins.**

E. **Difficultés en amour.** Vous avez des difficultés avec votre petit/e ami/e: il/elle est peut-être jaloux/jalouse, ou il/elle a des habitudes personnelles que vous n'aimez pas. Vous en parlez à votre meilleur/e ami/e, qui vous conseille.

MODÈLE Vous: **Ma petite amie est très jalouse.**
Votre ami/e: **Il faut que tu lui dises que tu l'aimes.**

Rencontre dans le métro

[Anne est en train de regarder un plan du métro quand elle voit Pierre qui descend l'escalier.]

ANNE: Pierre, quelle surprise!

PIERRE: Bonjour, Anne! Tu as l'air perplexe!

ANNE: J'ai du mal à déchiffrer° ce plan de métro. Je n'ai toujours   to figure out
            pas l'habitude de prendre le métro. Je préfère explorer
            Paris à pied.

PIERRE: Tu veux que je t'aide? Où veux-tu aller?

ANNE: D'abord, il faut que j'aille dans les grands magasins pour
            acheter une nouvelle valise.

PIERRE: Rien de plus facile! D'ici, il faut que tu prennes la ligne
            Mairie de Montreuil et que tu descendes à la station
            Chaussée d'Antin. C'est tout près des Galeries Lafayette.

ANNE: Et de là au Quartier Latin?

PIERRE: Prends la ligne Mairie d'Ivry, tu vois?

ANNE: Il faut finalement que je fasse une course du côté Place
            des Vosges.

PIERRE: Alors, prends la ligne Fort D'Aubervilliers, mais il va
            falloir que tu prennes la correspondance à Châtelet.

ANNE: Prendre la correspondance?

PIERRE: Oui, cela veut dire changer de ligne. De Châtelet, tu prendras la direction Château de Vincennes. Écoute, tu veux que je t'accompagne?

ANNE: Merci, tu es gentil. Mais il faut que nous nous dépêchions! Ce soir, il y aura des invités à la maison. Et il serait bon que je sois de retour avant six heures; je ne veux pas que Mme Bordier fasse tous les préparatifs elle-même.

Avez-vous suivi?

1. Pourquoi est-ce qu'Anne n'a pas l'habitude de prendre le métro?
2. Pourquoi est-ce qu'elle veut aller dans les grands magasins?
3. À quelle station faut-il descendre pour les grands magasins?
4. Que veut dire l'expression *prendre la correspondance?*
5. Pourquoi faut-il qu'Anne rentre avant six heures?
6. Anne habite dans le seizième arrondissment, métro Iéna. Tracez son voyage sur le plan trouvé à la page 391.

Autrement dit
Une visite guidée

La ville de Beaulieu est **entouré°** de **ramparts°** qui datent du XIVème **siècle.°** Sa **cathédrale** est une des plus belles du pays. Au **centre-ville,°** il y a une **zone piétonnière.°** Le Monument aux Morts se trouve dans la Place Carnot, près de la **mairie.°** La **ban-lieue° s'étend°** dans toutes les directions.

surrounded; ramparts
century
downtown; pedestrian zone
city hall
suburbs; extends

Paris

Paris est divisé en vingt **arrondissements**.° Chaque arrondissement a son **maire**, son **commissariat de police**, sa **caserne des sapeurs-pompiers**° et d'autres services municipaux. Chaque arrondissement est composé de nombreux **quartiers**.°

districts

fire station
neighborhoods

Parmi les monuments les plus connus de Paris il y a:

LA PYRAMIDE DU LOUVRE

LE SACRÉ-CŒUR

BEAUBOURG (LE CENTRE POMPIDOU)

LE MUSÉE D'ORSAY

L'OPÉRA (LE PALAIS GARNIER)

L'OPÉRA BASTILLE

L'ARC DE TRIOMPHE

LA PLACE DES VOSGES

Pour trouver son chemin

Les questions
Pardon, Monsieur, pourriez-vous m'indiquer où se trouve le musée
   Rodin?
Pardon, Madame. Où est la gare, s'il vous plaît?
Excusez-moi, Mademoiselle, pour aller au cinéma Rex?
Excusez-moi, Monsieur. Il y a un bureau de poste par ici?

Les réponses
Allez/Continuez **tout droit.**°   straight ahead
Suivez cette rue, et tournez à **gauche.**°   left
Prenez la première rue à **droite.**°   right
Le bureau de poste sera sur votre droite.
Vous suivrez cette rue, et ensuite, vous tournerez à gauche.
Vous continuerez tout droit et la gare sera sur votre gauche.

Le métro

Mme Bordier regarde **le plan du métro.** Elle trouve la bonne ligne, et
achète **un carnet**° **de tickets** au guichet. Le métro arrive et elle fait   book
bien attention de **monter** dans **une voiture** de deuxième. Elle descend à sa destination. Heureusement qu'elle n'a pas perdu son ticket,
parce qu'elle en aura besoin à la sortie, et pour le montrer aux con-
trôleurs° au cas où il y aurait **un contrôle.**°   enforcement agents; check

Pratique et conversation

A. **Trouvez votre chemin.** Vous visitez la ville de Beaulieu, et vous demandez votre chemin à un passant patient. Posez-lui les questions suivantes. Il répondra en consultant le plan. Demandez-lui...

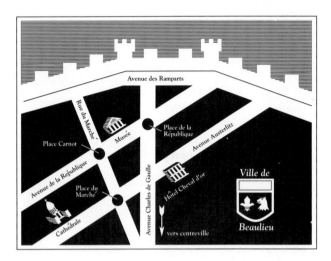

1. comment aller de l'hôtel Cheval d'Or à la cathédrale
2. de la cathédrale au musée
3. du musée aux remparts
4. des remparts au centre-ville
5. du centre-ville à l'hôtel Cheval d'Or

B. **Un étudiant étranger.** Vous rencontrez un/e étudiant/e dans le couloir. Il/Elle vous pose des questions sur votre campus. Vous lui répondez. Il/Elle vous demande comment aller...

1. au restaurant universitaire
2. à la résidence universitaire
3. à la clinique
4. à la bibliothèque
5. au laboratoire des langues

C. **Le métro.** Vous passez deux semaines à Paris. Votre hôtel est dans le cinquième arrondissement, métro Cardinal Lemoine. Comment allez-vous aux monuments suivants en métro? N'oubliez pas d'indiquer où il faut prendre la correspondance.

1. la place de l'Étoile
2. la tour Eiffel
3. le Louvre
4. Notre-Dame
5. Beaubourg

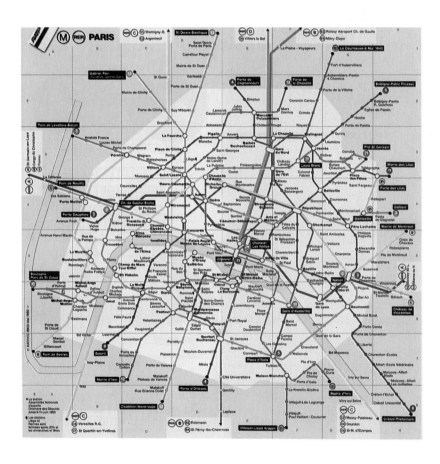

Structure V
Talking about what is necessary or important
The present subjunctive of irregular verbs

D'abord, il faut que j'**aille** dans les grands magasins pour
  acheter une nouvelle valise.
D'ici, il faut que tu **prennes** la ligne Mairie de Montreuil.
Il faut finalement que je **fasse** une course du côté Place des Vosges.
Et il serait bon que je **sois** de retour avant six heures.

a. Irregular verbs in the present subjunctive may have one, or two
   stems. With the exception of **être** and **avoir,** all use the endings
   you have learned for regular verbs.

b. The following are one-stem irregular verbs in the present subjunctive.

FAIRE		POUVOIR		SAVOIR	
Stem	+ Ending	Stem	+ Ending	Stem	+ Ending
que je fass	e	que je puiss	e	que je sach	e
que tu fass	es	que tu puiss	es	que tu sach	es
qu'elle fass	e	qu'elle puiss	e	qu'elle sach	e
que nous fass	ions	que nous puiss	ions	que nous sach	ions
que vous fass	iez	que vous puiss	iez	que vous sach	iez
qu'ils fass	ent	qu'ils puiss	ent	qu'ils sach	ent

c. Two-stem verbs in the present subjunctive take the third-person
   indicative stem for all forms except **nous** and **vous.** For **nous** and
   vous, use the **nous** indicative stem.

que je **prenne**	que nous *pren* ions
que tu **prennes**	que vous *pren* iez
qu'il **prenne**	qu'elles **prennent**

Other two-stem verbs which follow the same pattern as **prendre** are listed below, with their stems.

INFINITIVE	STEM 1	STEM 2
boire	que je boive	que nous buvions
envoyer	que j'envoie	que nous envoyions
venir	que je vienne	que nous venions
voir	que je voie	que nous voyions

d. **Avoir, être, aller,** and **vouloir** have irregular two-stem conjugations in the subjunctive.

ÊTRE	
que je sois	que nous soyons
que tu sois	que vous soyez
qu'il soit	qu'ils soient

ALLER	
que j'aille	que nous allions
que tu ailles	que vous alliez
qu'il aille	qu'ils aillent

AVOIR	
que j'aie	que nous ayons
que tu aies	que vous ayez
qu'elle ait	qu'elles aient

VOULOIR	
que je veuille	que nous voulions
que tu veuilles	que vous vouliez
qu'elle veuille	qu'elles veuillent

Pratique et conversation

A. **Une journée chez les Bordier.** Mettez la forme correcte du verbe dans la phrase.

1. Il est essentiel que je/être/au bureau à 8:00.
2. Il est très important que ma secrétaire/envoyer/cette lettre aujourd'hui.
3. Sylvie, il faut que tu/faire/tes devoirs ce soir.
4. Jean-Philippe et Anne, il est important que vous/aller/dans les grands magasins.
5. Charles, faut-il qu'ils/prendre/la direction Mairie de Montreuil pour y aller?
6. N'oubliez pas que nous aurons des invités ce soir. Il serait bon que vous/revenir/avant six heures.
7. Il est possible que je/pouvoir/rentrer tôt.
8. Il serait bon que nous/boire/ce vin rouge avec nos invités ce soir.
9. Jean-Philippe! Ne parle plus de Mme DuLouche à Mme Chevalley! Faut-il que tu/savoir/tout de sa vie?
10. Solange, il serait préférable que nous/avoir/un peu de patience avec nos enfants.

B. **Interview.** Employez une expression de la colonne de gauche et une expression de la colonne de droite pour poser une question à votre partenaire. Ensuite, votre partenaire répondra.

MODÈLE Vous: **Est-il essentiel que tu fasses toujours tes devoirs?**

Votre partenaire: **Oui, il est essentiel que je fasse toujours mes devoirs.**

il faut	être toujours à l'heure
il est essentiel	faire toujours ses devoirs
il vaut mieux	aller au laboratoire de langues
il est bon	avoir toujours de la patience
il est possible	venir en classe tous les jours
	savoir toujours la bonne réponse
	pouvoir répondre à toutes les questions

C. **Problèmes.** Vous avez beaucoup de difficultés en français et le professeur vous demande de venir à son bureau pour en parler. Il vous pose des questions et vous répondez. Ensuite, il vous donne des conseils.

MODÈLE Le professeur: **Est-ce que vous allez au labo tous les jours?**

Vous: **Euh... non. Est-ce qu'il faut que j'aille au labo?**

Le professeur: **Ah, oui! Il est essentiel que vous alliez au labo.**

1. faire vos devoirs
2. lire les leçons
3. venir au cours tous les jours
4. faire attention
5. écrire les réponses
6. prendre des notes
7. savoir étudier

D. **Encore des conseils.** Quels conseils est-ce que vous donneriez à un/e ami/e pour...

1. une interview
2. le premier jour de travail
3. la première fois qu'il/elle sort avec quelqu'un
4. le premier jour en France

Structure VI

Talking about what you want someone to do
The subjunctive after verbs of will and preference

Tu veux que je t'aide?
Écoute, tu veux que je t'accompagne?
Je ne veux pas que Mme Bordier fasse tous les préparatifs elle-même.

a. The subjunctive is used in a clause introduced by **que** after a verb of will or preference such as **aimer mieux** (*to prefer*), **demander**, **désirer**, **exiger** (*to demand*), **préférer**, and **vouloir**.

b. Note that this construction is only possible when there are two subjects involved. With a single subject, these verbs are followed by the infinitive.

Elle préfère que **nous** explorions Paris à pied.
Je préfère explorer Paris à pied.

Où veux-**tu** que **nous** allions?
Où veux-**tu** aller?

Pratique et conversation

A. **À l'agence de voyages.** Faites des phrases en employant le subjonctif ou l'infinitif.

MODÈLE   Je préfère... tu/venir à huit heures.
Je préfère que tu viennes à huit heures.

1. Bonjour, Madame. Je voudrais... je/faire des réservations.
2. Bien sûr, Monsieur. Quel hôtel voulez-vous... je/réserver?
3. Moi, je préfère... ce/être un hôtel de luxe. Et toi, chérie?
4. Toi, tu veux toujours... nous/dépenser notre argent.
5. Moi, je préfère... je/avoir une chambre simple mais propre.
6. Mais toi, tu exiges toujours... la chambre/avoir un téléphone et une douche. Ce n'est pas toujours possible.
7. Excusez-moi, Mme Bordier. Voulez-vous... je/aller à la poste maintenant?
8. S'il vous plaît, Pierre. Et est-ce que vous pourriez leur demander... ils nous renvoyer/ce paquet?

B. **Mme Bordier n'est pas contente.** Qu'est-ce qu'elle dirait pour résoudre les situations suivantes?

MODÈLE   Jean-Philippe parle trop au téléphone.
Jean-Philippe, je préfère que tu ne parles pas trop au téléphone.

1. Jean-Philippe rentre très tard tous les soirs.
2. Sylvie ne fait pas attention en classe.
3. Pataud ne répond pas quand on l'appelle.
4. Sylvie ment très souvent.
5. Jean-Philippe dit des bêtises à Sylvie.
6. Pataud est toujours dans la cuisine.

C. **Quelle vie!** Les professeurs et les parents sont trop exigeants (*demanding*)! Qu'est-ce qu'ils veulent que vous fassiez? Qu'est-ce qu'ils demandent que vous ne fassiez pas? Nommez cinq choses.

 Lecture I

UN CHÈQUE

Avant de lire

A. **Vocabulaire de la banque.** Choisissez la définition correcte pour
les mots suivants.

1. _____ le montant
2. _____ le bénéficiaire
3. _____ en chiffres et en lettres
4. _____ endosser un chèque
5. _____ le tireur
6. _____ chéquier

a. signer au dos du chèque
b. un carnet de chèques
c. écrit en caractères alphanumériques
d. la personne qui fait le chèque
e. la somme écrite sur un chèque
f. la personne qui reçoit le chèque comme titre
de paiement

Lisons

Série	B.P.F. \\3453,75\\
N° 7654 321	**BANQUE NORMALE**

PAYEZ CONTRE CE CHÈQUE
NON ENDOSSABLE *sauf au profit d'une banque, d'une caisse d'épargne ou d'un établissement assimilé*

Trois Mille Quatre
Somme en toutes lettres

Cent Cinquante Deux Francs Soixante Quinze Centimes

A *Monsieur Duval Jean*

A *Longjumeau*, LE *15 Septembre* 19 *80*

┌─ Payable ─┐
PLACE DES HALLES
ARPAJON
TEL. : 61.23.45.67

Compensable
PARIS

Compte n° 76543
M. JEAN PIERRE MARTIN
4 RUE DE LA REPUBLIQUE
91160 LONGJUMEAU

JMartin

⑆7654321 ⑈000009001993⑉ 21098765432⑉ 00000000000⑆

Avez-vous suivi?

A. **Deux mondes.** Quelles différences est-ce que vous remarquez
entre un chèque français et un chèque américain? Regardez surtout où et comment on écrit les choses suivantes.

1. la date
2. le montant
3. la signature
4. le nom et l'adresse du tireur
5. le nom du bénéficiaire
6. les éléments qu'on voit sur un chèque français et qu'on ne
trouve pas sur un chèque américain

B. **Un compte étranger.** Vous êtes étudiant/e étranger/étrangère en France et vous ouvrez un compte étranger. Demandez à l'employé/e de vous expliquer comment faire un chèque en France. Votre partenaire va jouer le rôle de l'employé/e.

 Lecture II
ASSUREZ L'ARGENT DE VOS VACANCES

Avant de lire

A. **Vocabulaire.** Devinez la signification des mots suivants en utilisant d'autres mots de vocabulaire que vous avez déjà apprise.

1. contresignature
2. validité illimitée
3. un achat
4. encaisser
5. à votre convenance
6. en payement
7. garanti

B. **Avantages.** Regardez les catégories dans le texte. Sous quelle catégorie est-ce qu'on parle des avantages suivants?

1. Les chèques de voyage sont acceptés dans le monde entier.
2. On peut les acheter immédiatement.
3. Les chèques de voyage sont garantis contre la perte ou le vol.
4. Les chèques de voyage sont toujours valables.
5. Il est facile d'utiliser les chèques de voyage.

┌─ LE CHÈQUE DE VOYAGE AMERICAN EXPRESS EN FRANCS FRANÇAIS ─┐

ses avantages et la sécurité qu'il vous offre

Disponibilité° immédiate
Un choix de différentes coupures°
délivrées avec un minimum
de délai auprès de la plupart
des établissements financiers.

Formalités simples
Une signature sur le Chèque de Voyage au
moment de l'achat. Une contresignature sur
le Chèque de Voyage au moment de
l'encaissement.

Souplesse° d'utilisation
Vous négociez vos Chèques de Voyage à votre
convenance et le plus souvent à de meilleures
conditions que pour les billets de banque.

Acceptation universelle
Vos Chèques de Voyage sont acceptés en
payement par de nombreux commerçants et
encaissés par presque toutes les Banques
dans la plupart des pays.

Validité illimitée
Les Chèques de Voyage ont une validité
illimitée. Vous pouvez donc conserver ceux
que vous n'avez pas utilisés pour un prochain
voyage.

Tranquillité d'esprit
Un moyen de payement sécurisant pour tous,
particulièrement pour les Jeunes dès qu'°ils
savent signer.

Assurance tous risques
Vos Chèques de Voyage sont garantis contre
la perte ou le vol et vous seront remplacés
dans les plus bref délais.

Service après-vente international
assuré
American Express, avec ses 1500 Agences,
Représentants et correspondants assurera le
remplacement de vos Chèques de Voyage
volés ou perdus dans plus de 130 pays.
De plus, cinq services entièrement gratuits
sont mis à votre disposition en cas de perte
ou de vol de vos Chèques de Voyage.

Availability
denominations

as soon as

Ease

Avez-vous suivi?

A. **Les chèques de voyage.** Répondez aux questions suivantes d'après le texte.

1. Quels sont quelques avantages des chèques de voyage?
2. Combien de fois est-ce qu'on signe un chèque de voyage?
3. Quand est-ce que vous les signez?
4. Qui accepte les chèques de voyage?

B. **Au cas de vol...** Vous avez perdu vos chèques de voyage. Téléphonez pour aviser la banque où vous les avez achetés. Votre partenaire jouera le rôle de l'employé/e de banque.

 # Lecture III

PARIS, REINE DU MONDE?

Many foreigners are attracted to Paris because of its reputation as a center for writers, artists, and intellectuals. In this reading, three writers, a Yugoslav, a Peruvian, and an Italian, give their opinions about Paris.

Avant de lire

A. **Les mots apparentés.** Quelle est la signification des mots suivants?

1. simplifié
2. annexe
3. poignant
4. imaginaire
5. approche
6. contraire

B. **Vocabulaire.** Il y a plusieurs manières de transformer un nom en adjectif. Étudiez les exemples ci-dessous et donnez-en une traduction.

Nom	→	Adjectif
1. esprit		spirituel
2. livre		livresque
3. querelle		querelleur
4. bruit		bruyant

C. **Encore du vocabulaire.** Pour faire un nom d'un adjectif, on ajoute le suffixe **-ité: grave** → **gravité.** Que veulent dire les noms suivants?

Adjectif	→	Nom
1. réel		réalité
2. vivace		vivacité
3. partiel		partialité

D. **Devinez.** Certains mots indiquent que la phrase qui suit est une explication. C'est le rôle des mots tels que **où, c'est-à-dire** et **autrement dit.**

Paris est une ville habitable, **c'est-à-dire (autrement dit),** c'est une ville avec des proportions humaines.

Paris est une ville habitable, **où** les proportions sont humaines.

Essayez de deviner la signification des mots en italique dans les phrases suivantes.

1. Je n'aime pas *le nombrilisme* parisien, c'est-à-dire l'idée que le reste du monde gravite autour de Paris.
2. Je n'aime pas *le manichéisme* parisien où tout est réduit à la formule simplifiée droite/gauche.
3. J'aime *la tolérance* de Paris, où il y a place pour chaque tendance.

E. **D'autres devinettes.** En utilisant d'autres éléments de la phrase, essayez de deviner la signification des mots en italique.

1. Livre ouvert, *inachevé,* il continue à être écrit.
2. Je *passe sous silence* tant de choses que l'on pourrait dire sur le Paris de tous les jours.
3. Les écrivains ont *greffé* sur la ville réelle une ville imaginaire.

F. **Qui est-ce?** Connaissez-vous les noms suivants? Classez-les sous les rubriques données.

	HOMME POLITIQUE	PHILOSOPHE	ÉCRIVAIN	PSYCHANALYSTE
Marx				
Mao				
Freud				
Sartre				
Montaigne				
Baudelaire				
Flaubert				
Camus				

Lisons

Le Yougoslave

J'aime beaucoup la façon dont Paris réagit° aux événements du moment: avec vivacité, passion, partialité; je n'aime pas le nombrilisme parisien, français, le manichéisme où tout est réduit à la formule simplifiée et insensée droite/gauche, comme au jour du Jugement dernier. the way in which Paris reacts

J'aime passionnément la bibliothèque ambulante du métro, cette annexe de la Bibliothèque nationale sur rails; je n'aime pas entendre l'intelligentsia parisienne user jusqu'à l'ennui des éternelles mêmes références: Marx, Mao, Freud, Sartre, et jamais, ou presque jamais, Montaigne, Baudelaire, Flaubert, Camus...; j'aime la tolérance de Paris, où il y a place pour chaque tendance spirituelle, politique et littéraire, ce large spectre de pensées contradictoires qui vivent° sous le même toit,° comme une grande famille bruyante et querelleuse. live
roof

Le Péruvien

Paris est donc pour moi une ville littéraire. Ce qui° la distingue d'autres villes — plus grandes, plus belles ou plus habitables —, ce sont les milliers d'écrivains qui y ont vécu,° écrit et qui ont laissé sur elle des témoignages° tellement puissants° ou poignants qu'ils ont greffé sur la ville réelle une ville imaginaire qui nous interpelle° et nous appelle à la lire comme un livre. Livre ouvert, inachevé, il continue à être écrit. what

lived
personal testimonial, record;
  powerful; calls out

Cette approche de Paris, il va sans dire, est très subjective et, à la limite, livresque. Je passe sous silence tant de choses que l'on pourrait dire sur le Paris de tous les jours! Tant pis.° Après tout, les villes disparaissent° mais les livres demeurent.° Les villes demeurent dans les livres. Too bad.

disappear; remove

L'Italien

À Paris, le grand homme, c'est l'hostie° que le petit avale° pour être sanctifié dans le temple de la culture. C'est comme si chacun° disait: les grands hommes se trouvent ici, et puisque je m'y trouve je suis grand. host (religious); swallows
each one

À Rome, c'est le contraire qui arrive: entre grands et petits, c'est la guerre°; les petits, eux, pensent: si ces gens n'étaient pas là, c'est nous qui serions les grands. war

Avez-vous suivi?

A. **Qui l'a dit?** Qui a exprimé les opinions suivantes: l'écrivain yougoslave, péruvien ou italien?

1. Les Parisiens sont égoïstes.
2. Paris est une ville littéraire.
3. Paris est une ville tolérante.
4. Paris est un centre intellectuel.
5. Les Parisiens adorent discuter des idées et des événements.

B. **Opinions.** Qu'est-ce que ces auteurs pensent de Paris?

1. Le Yougoslave aime... mais il n'aime pas...
2. Le Péruvien aime...
3. L'Italien pense que...

C. **Et les Américains?** Qu'est-ce que les Américains pensent de Paris et des Parisiens?

Activités

A. **Le jeu du métro.** Votre professeur va distribuer des morceaux de papier avec le nom d'une station de métro écrit dessus. Vous en choisirez un, et votre partenaire un autre. Ensuite, vous expliquerez à votre partenaire comment aller de votre station à sa station. Utilisez le plan à la page 391.

B. **Les tâches ménagères.** Vos parents vous ont demandé à vous et à votre frère ou sœur (joué/e par votre partenaire) de faire certaines tâches ménagères. Essayez de faire une division logique du travail.

MODÈLE   faire la vaisselle
Vous: **Je ferai la vaisselle./Je veux que tu fasses la vaisselle.**
Votre partenaire: **Je ne veux pas que tu fasses la vaisselle./Si je fais la vaisselle, toi, tu nettoieras.**

1. faire la lessive
2. ranger la salle de séjour
3. préparer le dîner
4. aller au supermarché
5. faire les lits

C. **Perdu sur le campus.** Vous venez d'arriver sur le campus. Vous êtes dans le parking, et il faut que vous alliez de là à la bibliothèque, au restaurant universitaire et au laboratoire de langues. Demandez à un/e autre étudiant/e comment aller à ces différents endroits.

Vocabulaire actif

accompagner	to accompany	être de retour	to be back
accomplir	to complete, to accomplish	éviter	to avoid
à la une	on the front page	gauche	left (direction)
l' argent liquide (m.)	cash	les gros titres (m.)	headlines
arriver à	to be able to, to manage to	une habitude	habit
un arrondissement	district	une hypothèque	mortgage
avantageux/	advantageous	il suffit	it suffices, all one has to do is
avantageuse			
avoir du mal à	to have difficulty in	s' inquiéter	to be worried
avoir le droit de	to have the right to	un justificatif de	proof of residency
une banque	bank	domicile	
cacher	to hide	une ligne	line
une caisse d'épargne	savings bank	lire	to read
un carnet	book (of tickets)	un magazine	magazine
une caserne des	fire station	un maire	mayor
sapeurs-pompiers		une mairie	city hall
une cathédrale	cathedral	manquer à	to be missed by someone
le centre-ville	downtown	quelqu'un	
un chèque	check	mettre (de l'argent)	to save (money)
un chéquier	checkbook	de côté	
un coin	corner	un minimum	minimum
un commissariat de	police station	monter	to go up, to get on (a vehicle)
police			
un compte	account	un monument	monument
un compte courant	checking account	nécessaire	necessary
continuer	to continue	penser à	to think about
décrire	to describe	perplexe	confused
une demande	application, request	une photo	picture
déposer	to deposit	une place	plaza, square
descendre	to go down, to get off (a vehicle)	un plan	map (city, subway)
		prendre la corre-	to transfer
une devise	currency	spondance	
un dictionnaire	dictionary	un préparatif	preparation
une direction	direction	un quartier	neighborhood
un distributeur auto-	automatic teller, ATM	un rapport	report
matique de billets		un rempart	rampart
droit/e	right (direction)	se renseigner	to inform oneself
des économies (faire	savings (to save money)	retirer	to withdraw
des économies)		un roman	novel
écrire	to write	un roman policier	detective novel
s' écrire	to write one another	une station	station (subway)
un éditorial	editorial	Tais-toi!	Be quiet!
un emprunt	loan	un taux d'intérêt	interest rate
encaisser	to deposit	le taux du change	exchange rate
endosser	to endorse	le tiroir	drawer
une enveloppe	envelope	tourner	to turn
un escalier	staircase	tout droit	straight ahead
essentiel/le	essential		

Chapitre 14

Le départ

vols nationaux **porte 1** vols internationaux
domestic flights **gate 1** international flights

1

Au revoir et... à bientôt

Vols Internationaux

[Nous sommes à l'aéroport. Malgré les protestations d'Anne, tous les membres de la famille Bordier ont insisté pour venir lui dire au revoir et lui souhaiter bon voyage.]

ANNE:	Vraiment, c'est trop gentil. Je ne veux pas que vous vous dérangiez comme ça.
MME BORDIER:	C'est normal, Anne. Maintenant, tu es de la famille.
ANNE:	Attendez, je ne trouve pas mon passeport!
JEAN-PHILIPPE:	Tu me l'as montré tout à l'heure. Il y a à peine° dix minutes.
ANNE:	Je te l'ai montré, mais après ça, où est-ce que je l'ai mis? Ah! Le voilà! Heureusement!
SYLVIE:	Tu as la petite poupée que je t'ai donnée? Je suis triste que tu nous quittes, Anne!
MME BORDIER:	On est tous désolés que tu partes, mais nous espérons que tu reviendras nous voir bientôt.
JEAN-PHILIPPE:	Mais, écoute! Peut-être que tu ne partiras pas après tout! Je suis sûr que tu devras payer une surtaxe si tu veux enregistrer tes deux valises et tes quatre sacs de voyage!

hardly, scarcely

ANNE:	Je pourrais peut-être les prendre avec moi, dans l'avion.
JEAN-PHILIPPE:	Sûrement pas. Les hôtesses de l'air détestent qu'on soit trop chargé° quand on entre dans l'avion. Elles veulent que tu aies un seul bagage à main, pas quatre!
SYLVIE:	Est-ce que tu peux mettre les uns dans les autres, comme des boîtes russes? Tiens, donne-les-moi! Tu vois, c'est possible: ils sont de tailles différentes.
ANNE:	Excellente idée, Sylvie! Ouf! Ça y est! Maintenant... j'aurai... seulement... un... sac... à porter... si vous... m'aidez... à le soulever!°

loaded down

to lift

[Anne Williams est bien partie. Et les Bordier sont rentrés chez eux bien tristes d'avoir perdu leur gentille pensionnaire.°]

boarder

Avez-vous suivi?

1. Pourquoi est-ce qu'Anne devra payer une surtaxe?
2. Normalement, combien de valises est-ce qu'on peut enregistrer?
3. Pourquoi est-ce qu'elle ne pourrait pas les prendre avec elle?
4. Normalement, combien de bagages à main est-ce qu'on peut prendre dans l'avion?
5. Quelle solution est-ce que Sylvie propose?
6. Est-ce que cette solution est pratique? Pourquoi ou pourquoi pas?

Autrement dit
Pour exprimer son regret, sa tristesse

Je suis triste que tu nous quittes.
   Je regrette
Je suis désolé
C'est dommage
  ◇ C'est bête

Pour exprimer son contentement

Je suis heureuse que tu décides de rester!
Je suis contente
   Je suis ravie

Pour exprimer sa surprise

Je suis étonné que l'avion soit en avance.
Je suis surpris

À la veille du départ

Le moment est arrivé: Anne doit partir demain. Elle **fait** ses deux **valises** qu'elle ferme avec difficulté. Elle a accumulé pas mal de **souvenirs** pendant son séjour en France. Les Bordier vont l'accompagner à l'aéroport. Ils téléphoneront à Air France avant de quitter l'appartement, pour voir si l'avion partira **à l'heure** ou s'il est **retardé** ou **annulé.**°

canceled

À l'aéroport

Excusez-moi, Monsieur. Pourriez-vous me dire...

  Où est le comptoir Air France?
        l'agence Europcar
        le car Air France
        la porte 12
        l'aérogare 2
        la navette
        le bureau de change
Où sont les toilettes?
        les consignes

LE COMPTOIR AIR FRANCE

L'AGENCE EUROPCAR

L'AÉROGARE NO. 2

L'AÉROGARE NO. 2

LA CONSIGNE AUTOMATIQUE

LA NAVETTE

LE BUREAU DE CHANGE

Dans l'avion: le décollage°

takeoff

«Bonjour Mesdames et Messieurs. Le commandant Aymonet et son **équipage**° vous souhaitent la bienvenue à bord du vol Air France 003 à destination de Los Angeles. Nous vous prions d'attacher vos **ceintures de sécurité,** de **redresser vos sièges**° et de relever vos **tablettes.**° Nous vous rappelons qu'**il est interdit de fumer**° tant que le signal lumineux est allumé et dans les toilettes. Merci.»

crew

put your seats in the upright position; tray tables; smoking is forbidden

Dans l'avion: l'atterrissage°

landing

«Nous commençons notre descente sur l'aéroport international de Los Angeles. Nous vous demandons de bien vouloir attacher votre ceinture, redresser votre siège, relever votre tablette et de ne pas fumer jusqu'a l'extinction du signal lumineux. Merci. Le commandant Aymonet et son équipage vous souhaite un agréable séjour à Los Angeles et espère vous revoir bientôt sur nos lignes.»

Pratique et conversation

A. **À l'aéroport.** Vous travaillez au bureau de renseignements à l'aéroport. En vous servant du plan ci-dessous, répondez aux questions des passagers (joués par vos camarades de classe).

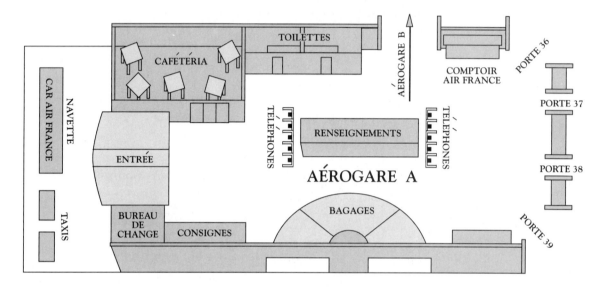

MODÈLE Un passager: **Excusez-moi, Monsieur. Pourriez-vous me dire où se trouve le comptoir Air France?**

Vous: **Le comptoir Air France se trouve près de la porte numéro 36.**

B. **Au comptoir Air France.** Vous travaillez au comptoir Air France. Répondez aux questions des personnes qui attendent des passagers en utilisant le tableau qui suit.

DÉPART AÉROPORT DE TOULOUSE-BLAGNAC				
Compagnie aérienne	Numéro de vol	Provenance	Horaire	Observations
Air Inter	047	ORLY OUEST	7h55	retardé 5mns
Air Inter	785	CHARLES DE GAULLE	8h10	retardé 10mns
Air Inter	147	ORLY OUEST	8h20	
Britair	6581	RENNES	8h30	retardé 7mns
Air Inter	573	LYON	9h25	retardé 8mns
Air Inter	247	ORLY OUEST	10h15	annulé
Air France	1581	BARCELONE	10h20	
Lufthansa	5598	FRANCFORT	11h30	retardé 15mns
Air Inter	465	CHARLES DE GAULLE	11h35	retardé 9mns
Air Inter	062	NICE	12h25	
Air Inter	347	ORLY OUEST	12h40	
Air France	1749	FRANCFORT	13h00	retardé 20mns
Air Inter	045	BORDEAUX	13h20	retardé 30mns

MODÈLE   Un homme: **Est-ce que le vol en provenance d'Orly Ouest est à l'heure?**
Vous: **Air inter 047?**
L'homme: **Oui, c'est ça.**
Vous: **Non, il est retardé de 5 minutes. L'atterrisage est prévu** (expected) **pour 8 heures.**

C. **Conseils aux passagers.** Mettez le mot qui convient.

1. Les passagers sur ce vol sont limités à deux valises et un _____ .

2. Nous demandons aux passagers de bien vouloir mettre leurs bagages à main sous leur _____ .

3. Il est _____ de fumer pendant le décollage ou _____ .

4. Nous vous prions de bien vouloir attacher vos _____ .

5. Nous regrettons d'informer nos passagers que le vol 162 a été _____ à cause du mauvais temps.

Structure I
Talking about your feelings
The subjunctive after verbs of emotion

Je suis triste que tu nous **quittes,** Anne.
On est tous désolés que tu **partes...**

a. The subjunctive is used in a clause introduced by **que** when the main clause contains an expression of emotion, and there is a different subject in each clause. The principal expressions of emotion are given in the *Autrement dit* section (pp. 407–408).

b. The indicative, usually the future tense, is used after the verb **espérer.**

Mais nous espérons que tu **reviendras** nous voir bientôt.

c. When only one subject is involved in the action, the expression of emotion is followed by **de** + infinitive.

Je suis triste **de partir.**
Anne serait contente **de rester.**

Pratique et conversation

A. **Le jour du départ.** Mettez les deux phrases ensemble en ajoutant **que** ou **de** et la forme correcte du verbe.

1. Anne est triste/partir.
2. Elle est contente/la famille Bordier/l'accompagner à l'aéroport.
3. Jean-Philippe dit: «C'est dommage/l'avion/partir à l'heure.»
4. «Je préférerais/le vol/être/retardé ou annulé.»
5. Je regrette beaucoup/tu ne... pas/rester/à Paris.
6. Mme Bordier dit: «Je suis étonnée/tu/avoir/seulement deux valises. Avec toutes les courses que nous avons faites ensemble!»
7. Anne dit: «Je serai contente/revoir ma famille.»
8. «Mais je suis très triste/dire au revoir à tous mes amis.»

B. **Commérages.** *(Gossip.)* Vous parlez avec Mme Chevalley. Elle vous raconte des histoires au sujet de ses locataires. Vous répondez comme il faut.

MODÈLE   Mme Chevalley: **M. Péreira est malade.**
          Vous: **Je suis triste qu'il soit malade.**

1. Les Ibn Hassam ont une nouvelle voiture.
2. Mme Silvestri quitte son mari.
3. M. Silvestri veut divorcer.
4. Mme DuLouche fait un nouveau film.
5. Jean-Philippe Bordier est le premier de sa classe.
6. L'agence de voyages de Mme Bordier a beaucoup de clients en ce moment.
7. Anne Williams part demain.
8. Les Bordier vont à l'aéroport avec elle.

C. **Le bulletin trimestriel.** *(Report card.)* Vous venez de recevoir le bulletin trimestriel de Sylvie Bordier. Parmi les commentaires sont les suivants:

- Elle fait beaucoup de progrès en sciences naturelles.
- Elle ne travaille pas assez en français.
- Elle est bonne en maths.
- Elle a les meilleures notes de la classe en dessin.
- Elle pourrait faire mieux en anglais.

En employant des expressions de volonté (**Je veux que,** etc.) et des expressions d'émotion (**Je suis content que,** etc.), donnez-lui votre réaction et conseillez-lui de mieux travailler.

D. **Enfin, rentrée.** Anne rentre enfin à Los Angeles. Ses parents sont à l'aéroport pour l'accueillir *(welcome)* et ils sont contents de la revoir. Anne pour sa part est contente, mais elle est triste aussi parce qu'elle a laissé beaucoup d'amis à Paris. Anne essaie d'expliquer son émotion à ses parents. Ses parents comprennent sa tristesse et essaient de la réconforter. Jouez la scène.

Structure II
Referring to someone or something already mentioned
Double object pronouns

Tu **me** l'as montré tout à l'heure. Il y a à peine dix minutes.
Je **te** l'ai montré, mais après ça, où est-ce que je l'ai mis?
Tiens, donne-**les-moi**!

a. The order of double object pronouns before the verb is:

me (m')										
te (t')		**le (l')**								
se (s')	BEFORE	**la (l')**	BEFORE	**lui**	BEFORE	**y**	BEFORE	**en**	+ verb	
nous		**les**		**leur**						
vous										

Remember that these pronouns precede the verb of which they are the object. If a verb is in the **passé composé,** the object pronouns will precede the auxiliary. **Ne... pas** surrounds the pronoun + verb phrase.

Nous vous en avons donné.
Je ne le lui ai pas donné.

b. The order of double object pronouns in the affirmative imperative is:

				moi (m')					
	le		**lui**	**toi (t')**					
verb +	**la**	BEFORE	**leur**	**nous**	(BEFORE **y**)	BEFORE	**en**		
	les			**vous**					

Note that the combination pronoun + **y** in the affirmative imperative is avoided.

c. **Moi** and **toi** become **m'** and **t'** before **en.**

Donnez-**m'en.**

d. The following verbs frequently take double objects.

dire
donner
expliquer
montrer ⎬ quelque chose à quelqu'un
raconter
rendre
servir

Pratique et conversation

A. **À la douane.** Remplacez les mots en italique par des pronoms de complément direct ou indirect.

1. M. Bordier explique *les formalités douanières à Anne*.
2. Les touristes devant Anne montrent *leur passeport et leur visa au douanier*.
3. Le douanier explique *les formalités aux touristes*.
4. Anne donne *son passeport au douanier*.
5. Le douanier rend *le passeport à Anne*.
6. Anne raconte *l'histoire de son voyage aux touristes*.

B. **Un accident.** Jean-Philippe a pris la voiture de son père sans la lui demander et il a eu un petit accident. M. Bordier lui pose des questions. Prenez le rôle de Jean-Philippe et répondez aux questions de M. Bordier. Employez un pronom pour remplacer les mots en italique.

1. Est-ce qu'on t'a demandé *des pièces d'identité*?
2. Est-ce qu'on t'a demandé *ton adresse*?
3. Est-ce que tu m'as rendu *les clés de la voiture*?
4. Est-ce que tu m'as dit *la vérité*?
5. Ou bien, est-ce que tu m'as raconté *des histoires*?

C. **Encore un problème.** Sylvie a menti à ses parents. Ils lui posent des questions. Prenez le rôle de Sylvie et répondez aux questions. Employez un pronom pour remplacer les mots en italique.

1. Tu nous as dit *des mensonges (lies)*?
2. Tu nous dis *la vérité* maintenant?
3. Tu as raconté *des mensonges à Mme Chevalley* aussi?
4. Tu peux nous expliquer *cette histoire*?
5. Tu vas nous dire encore *des mensonges*?

D. **À l'agence de voyages.** Mme Bordier est très occupée aujourd'hui. Elle demande à Pierre de faire certaines choses pour elle. Remplacez les mots en italique par un pronom.

1. Pierre, fais-moi *une réservation.*
2. Montre-moi *la réservation.*
3. Explique *ce billet aux clients.*
4. Donne *cette brochure à Monsieur Hébert.*
5. Rends *cette disquette à Nicole.*

E. **Cadeaux.** Vous venez d'acheter beaucoup de cadeaux de Noël. Votre ami/e vous demande pourquoi vous avez décidé d'offrir tel ou tel cadeau, et vous le lui expliquez.

MODÈLE cousin/disque

Votre ami: **Pourquoi est-ce que tu offres ce disque à ton cousin?**

Vous: **Je le lui offre parce qu'il aime la musique classique.**

1. mère/blouse verte
2. père/vidéos
3. grands-parents/livres
4. cousins/chaussettes
5. professeur/fromages français

Une lettre d'Anne

Los Angeles, le 3 juillet 19...

Chers amis,

Deux lignes pour vous faire savoir que je suis bien rentrée,
après un vol tranquille et sans histoire: l'avion est parti à
l'heure, et arrivé en avance! Un vrai miracle de nos jours!
L'équipage a pris grand soin° de nous: d'abord, on nous a servi
le déjeuner; puis ils ont passé un film qui m'a bien fait rire et
m'a fait oublier ma tristesse. Enfin, après un dîner copieux, on
est arrivé à Los Angeles, où mes parents m'attendaient à
l'aéroport. Ils m'ont tout de suite demandé de vos nouvelles.

Ne répondez pas à cette lettre: comme je vous l'ai dit, je
vous en écrirai une autre, beaucoup plus longue, dans quelques
jours, avant que les cours ne recommencent, et vous pourrez
répondre à celle-là, d'accord?

Vous me manquez beaucoup, j'ai l'intention de trouver un
emploi à mi-temps, afin de pouvoir retourner en France
aussitôt que possible.°

Pour l'instant, donc, je vous embrasse tous très fort, et
vous remercie encore de votre gentillesse et de votre générosité.

Affectueusement,

Anne

care

as soon as possible

Avez-vous suivi?

1. Pourquoi est-ce qu'Anne écrit aux Bordier?
2. Que veut dire l'expression *un vol sans histoires*?
3. Décrivez le vol d'Anne.
4. Pourquoi Anne veut-elle un emploi à mi-temps?
5. Quand est-ce qu'elle écrira une autre lettre?

Autrement dit
La correspondance

	SALUTATION INITIALE	SALUTATION FINALE
Aux amis:	Cher Jean-Philippe Chère Sylvie Chers amis	Amitiés Amicalement Bien à vous/toi
À votre petit/e ami/e ou à votre mari ou femme:	Mon (Pierre) chéri Ma (Françoise) chérie Mon amour	Je t'embrasse fort Je t'aime (de tout mon cœur)
Une lettre d'affaires:	Monsieur Madame Mademoiselle	Je vous prie d'agréer Monsieur/Madame/Mademoiselle l'expression de mes sentiments distingués.

L'entrée en matière

Pour informer
Un petit mot pour vous dire...
Un mot rapide afin de te faire savoir...
Juste un mot pour vous dire...

Pour remercier
Je vous remercie de votre gentillesse...
J'ai passé de très bons moments en votre compagnie...

Pour commander
Je voudrais commander...

Pour poser sa candidature

J'ai l'honneur de porter/poser ma candidature au poste d'[enseignant]...

Suite à votre annonce, je vous écris afin de vous faire savoir que la place de [secrétaire] qui est vacante m'intéresserait...

Pour raconter une série d'événements

D'abord, on nous a servi le déjeuner.
Au début
Pour commencer

Puis ils ont passé un film qui m'a bien fait rire.
Alors
Ensuite
Tout de suite après
En même temps

Enfin, après un dîner copieux, on est arrivé.
Finalement
À la fin

Pratique et conversation

A. **Lettres.** Mettez la formule qui convient.

1. _____ *Pierre,*
   Juste un mot pour te dire que je suis bien arrivée à Los Angeles.
   :
   :
   Tu me manques beaucoup et je pense bien souvent à toi.
   _____
   Anne

2. _____
   J'ai l'honneur de poser ma candidature au poste d'informaticien annoncé dans Le Monde *du 3 janvier.*
   :
   :
   _____
   Pierre Beaulieu

3. _____

Je voudrais commander trois boîtes de disquettes Superfin

.
.
.

_____

Solange Bordier

4. _____ *amis,*
Un mot rapide afin de vous faire savoir que j'ai bien reçu le
paquet que vous m'avez envoyé.

.
.
.

_____

Valérie

B. **Ma journée.** Racontez votre journée en employant les expressions **d'abord, puis, enfin** et leurs équivalents.

MODÈLE   Ce matin
D'abord, je me suis levé/e. Ensuite j'ai pris le petit déjeuner. Enfin, j'ai quitté l'appartement.
Ce soir
D'abord, je ferai mes devoirs. Puis, je regarderai la télé. Finalement, je me coucherai.

C. **Comment fait-on?** En employant les expressions **d'abord, ensuite, enfin** et leurs équivalents, dites comment on...

1. ouvre un compte à la banque
2. se prépare pour un voyage à l'étranger
3. téléphone à l'étranger
4. trouve un emploi

Structure III
Talking about temporal and causal relationships
The subjunctive after certain conjunctions

> ... je vous en écrirai une autre, beaucoup plus longue, dans quelques jours, **avant que** les cours **ne recommencent.**

a. The subjunctive is used after the following conjunctions:

avant que (*before*)
Elle va partir **avant que** je **ne revienne**

afin que = **pour que** (*in order to, so that*)
Mes parents travaillent **afin que/pour que** je **puisse** aller à l'université.

jusqu'à ce que (*until*)
Je resterai **jusqu'à ce qu'**il **arrive.**

bien que (*although*)
Bien qu'elle **veuille** partir en vacances, elle ne peut pas.

b. As the examples above illustrate, **ne** precedes a verb in the subjunctive after the conjunction **avant que.** This is not the negation **ne** and does not negate the verb.

c. When there is only one subject involved in the action, **avant que, afin que,** and **pour que** become **avant de, afin de,** and **pour.** These forms are followed by the infinitive:

Deux lignes **pour** vous **faire savoir** que je suis bien rentrée...
Vous me manquez beaucoup, j'ai l'intention de trouver un emploi à mi-temps, **afin de pouvoir** retourner en France aussitôt que possible.

d. Note, however, that even without a change of subject, **bien que** and **jusqu'à ce que** must be followed by a clause with a verb in the subjunctive.

Bien qu'**il** n'**ait** pas beaucoup d'argent, **il** est heureux.
Je travaillerai jusqu'à ce que **je** finisse.

Pratique et conversation

A. **Les derniers jours.** Faites une seule phrase en utilisant l'expression entre parenthèses.

MODÈLE   Anne va dans les grands magasins. (afin de)
             Anne achète une valise.
             Anne va dans les grands magasins afin d'acheter une valise.

1. Anne doit partir. (bien que)
   Anne est triste.
2. Ses parents lui envoient de l'argent. (pour que)
   Anne peut acheter des souvenirs.
3. Anne prend le métro. (pour)
   Anne va dans les grands magasins.
4. Pierre va avec elle. (afin que)
   Anne ne se perd pas dans le métro.
5. Anne cherche une valise. (afin de)
   Anne peut rapporter tous ses souvenirs.
6. Une seule valise lui plaît. Anne l'achète. (avant que)
   On la vend.
7. Anne se dépêche. (pour)
   Anne rentre avant six heures.
8. Sylvie regarde la télé. (avant de)
   Sylvie se couche.
9. Anne entre dans la cuisine. (afin de)
   Anne aide Mme Bordier.

B. **Ma journée.** Reliez les phrases en utilisant les expressions **avant/ avant que** ou **pour/pour que**.

MODÈLE   Je regarde la télé.
         Je fais mes devoirs.
         Avant de faire mes devoirs, je regarde la télé.

1. Je m'habille.
   Je prends une douche.
2. Je prépare mon examen.
   Je vais à la bibliothèque.
3. Je rentre.
   Mon père/ma mère prépare le dîner.
4. Mes amis arrivent.
   Je m'habille.
5. Nous allons au cinéma.
   Nous allons voir un nouveau film.
6. Je me couche.
   Je lis.
7. Je vais en France.
   J'étudie le français.
8. Je travaille.
   Je peux gagner de l'argent.

C. **Préparations et précautions.** Qu'est-ce que vous faites avant les activités suivantes?

MODÈLE Vous passez un examen.
        Avant de passer un examen, j'étudie.

1. Vous partez en vacances.
2. Vous passez la douane.
3. Vous prenez le métro.
4. Vous sortez avec un/e ami/e.
5. Vous allez dîner chez des amis.

D. **Je vous accuse!** On vous accuse d'avoir volé un collier d'une boutique de luxe. En fait, vous fréquentez ce magasin, et vous y êtes allé/e ce matin, mais vous n'avez rien acheté. Expliquez vos actions et essayez de prouver votre innocence en répondant aux questions du détective.

1. Pourquoi êtes-vous allé/e à la boutique *Le Cœur d'or*?
2. Où êtes-vous allé/e avant?
3. Où êtes-vous allé/e après?
4. Décrivez votre journée hier.
5. Qu'est-ce que vous pouvez dire pour prouver votre innocence?

E. **Un voyage.** Racontez un voyage que vous avez fait récemment: vos préparations, le jour du départ, une journée typique, le jour du retour.

Structure IV
Having something done for you
Faire + infinitive

Deux lignes pour vous **faire savoir** que je suis bien rentrée, après un vol tranquille et sans histoire.
Puis ils ont passé un film qui m'a bien **fait rire** et m'a **fait oublier** ma tristesse.

a. To describe an action that you are having performed for you, rather than perform yourself, use a conjugated form of **faire** followed by the infinitive.

Je **fais réserver** une chambre d'hôtel.
I am having a hotel room reserved.
J'ai fait envoyer une lettre aux clients.
I had a letter sent to the customers.

b. The person whom you are having perform the action, the agent, is introduced by the preposition **par**.

Je fais envoyer une lettre **par** ma secrétaire.
I am having a letter sent by my secretary.
I am having my secretary send a letter.

c. In the **faire** + infinitive construction, all pronouns precede the conjugated form of **faire**.

Je fais envoyer la lettre aux clients.
Je **la leur** fais envoyer.

There is no agreement of the past participle in the **faire** + infinitive construction.

Je la leur ai fait envoyer.

d. **Faire** + infinitive is also used to express causality.
Ce livre m'a fait pleurer.
This book made me cry. (It caused me to cry.)

e. Note the following translations:

faire savoir = *to cause to know, to let [someone] know, to inform*
faire venir = *to cause to come, to send for*
faire voir = *to cause to see, to show*

Pratique et conversation

A. **Je n'ai pas le temps!** Vous n'avez pas le temps de faire les actions suivantes. Dites que vous les faites faire.

MODÈLE   Vous faites la vaisselle?
          Non, je n'ai pas le temps! Je fais faire la vaisselle [par ma fille].

1. Vous nettoyez votre chambre?
2. Vous faites votre lit?
3. Vous préparez vos repas?
4. Vous envoyez le colis?
5. Vous tapez vos lettres?
6. Vous faites vos courses?

B. **Interview.** Posez les questions suivantes à votre partenaire. Demandez-lui...

1. quel livre/film l'a fait rire
2. quel livre/film l'a fait pleurer
3. quelle musique le/la fait danser
4. s'il/elle fait faire son lit ou s'il/elle le fait lui-même/elle-même
5. s'il/elle prépare lui-même/elle-même ses repas, ou s'il/elle les fait préparer
6. s'il/elle réserve lui-même/elle-même ses chambres d'hôtel ou s'il/elle les fait réserver
7. s'il/elle fait lui-même/elle-même ses devoirs, ou s'il/elle les fait faire

C. **Qu'est-ce que vous faites faire?** Si vous pouviez, qu'est-ce que vous feriez faire par...

1. votre secrétaire
2. votre professeur
3. femme de ménage (*cleaning lady*)
4. vos parents
5. votre camarade de chambre

Des nouvelles de Paris

Paris, le 21 juillet 19...

Bien chère Anne,

Nous avons reçu ta première lettre et aussi ta seconde, quelques jours après. Elles nous ont fait, toutes deux, un immense plaisir, et je me hâte de° te répondre, parce que je crois que dans quelques jours, je vais être très occupé, moi aussi, avec la rentrée des classes. Cette année, je vais m'inscrire à un cours avancé d'anglais. J'ai fait pas mal de progrès cette année, surtout avec une Américaine chez nous!

I hasten to

Tu manques beaucoup à Papa: il ne peut pas croire que tu es partie. Maman ne sait pas ce qu'elle va faire sans toi et Sylvie insiste pour que tu reviennes demain! Il y a des charters assez bon marché.° Maman pourrait t'aider à ce sujet. Qu'est-ce que tu en penses? Bien sûr, moi aussi, j'aimerais énormément aller aux États-Unis. S'il me restait encore des vacances d'été, je voudrais bien y aller, crois-moi! Hélas,° il faudrait que j'attende au moins l'été prochain pour profiter de ton invitation.

cheap

Unfortunately

Que te dire de plus, Anne? Valérie DuLouche a dû déménager parce que Mme Chevalley a parlé d'elle à tout le monde et finalement quelqu'un a averti° la presse. Une foule° de journalistes la suivait constamment, ce qui rendait° sa vie impossible ici. Quant à° Pierre Beaulieu, il parle de toi tout le temps!

Eh bien, Anne, c'est tout pour aujourd'hui. Est-ce que tu pourrais m'écrire en anglais? Ça me ferait du bien.

notified; crowd
which made
As for

Bien à toi,

Jean-Philippe

Avez-vous suivi?

1. Combien de lettres est-ce qu'Anne a envoyées aux Bordier?
2. Pourquoi est-ce que Jean-Philippe répond tout de suite à la lettre d'Anne?
3. Qu'est-ce qu'on veut qu'Anne fasse?
4. Pourquoi est-ce que Jean-Philippe ne peut pas aller aux États-Unis cet été?
5. Pourquoi Jean-Philippe veut-il qu'Anne lui écrive en anglais?

Autrement dit
La rentrée°

Return to school

ENSEIGNEMENT DU PREMIER DEGRÉ		
Âge	**Institution**	**Diplôme**
2–6 ans	*École maternelle*	
	École primaire	
6–7 ans	• Cours préparatoire	
7–8 ans	• Cours élémentaire 1ère année	
8–9 ans	• Cours élémentaire 2ème année	
9 ans	• Cours moyen 1ère année	
10 ans	• Cours moyen 2ème année	

ENSEIGNEMENT SECONDAIRE ET TECHNIQUE: PREMIER CYCLE		
Âge	**Institution**	**Diplôme**
	C.E.S. (Collège d'Enseignement Secondaire)	*B.E.P.C. (Brevet d'Études du Premier Cycle)*
11–12 ans	• Sixième	
12–13 ans	• Cinquième	
13–14 ans	• Quatrième	
14–15 ans	• Troisième	

ENSEIGNEMENT SECONDAIRE ET TECHNIQUE: SECOND CYCLE		
Âge	**Institution**	**Diplôme**
	Lycée	*Baccalauréat*
15–16 ans	• Seconde	
16–17 ans	• Première	
17–18 ans	• Terminale	

Sylvie va à l'**école primaire.** Elle est en CE 2. Elle a de très bonnes **notes** dans toutes les **matières.**

Jean-Philippe va au lycée. Il est en seconde. Pour **recevoir son diplôme,** il sera obligé de **passer des épreuves**° à la fin de la **terminale.** S'il **est reçu,**° il aura un **baccalauréat**° (◇ le bac). S'il **échoue,**° il aura la possibilité de **se présenter** l'année suivante.

to take tests

passes; diploma awarded at the end of the **lycée;** fails

ÉTUDES LITTÉRAIRES: UNIVERSITÉ	
Année	**Diplôme**
Deuxième année	*D.E.U.G. (Diplôme d'Études Universitaires Générales)*
Troisième année	*Licence ès Lettres*
Quatrième année	*Maîtrise ès Lettres*
Cinquième année	*D.E.A. (Diplôme d'Études Approfondies)* *D.E.S.S. (Diplôme d'Études Supérieures Spécialisées)*
Sixième → huitième année	*Doctorat*

Il y a plusieurs séries de bacs avec des orientations et des épreuves différentes: les bacs littéraires, scientifiques et techniques. Si on a le bac, on a le droit d'entrer dans une université. L'étudiant **s'inscrit**° aux cours, accumule des **unités de valeur**° jusqu'au moment où il reçoit sa **licence**° en anglais/sociologie/chimie, etc. Après la licence vient **la maîtrise** suivie d'une **thèse** qui aboutit° au doctorat. Il y a aussi **les grandes écoles,** qui sont très prestigieuses. Pour y entrer, il faut réussir à un **concours**° rigoureux.

registers
credits
approximate equivalent of the bachelor's degree; leads to

competitive exam

Pour demander son opinion

Qu'est-ce que vous pensez de ce film?
Qu'est-ce que vous en pensez?
Comment le trouvez-vous?
Que pensez-vous de Mme Chevalley?
Que pensez-vous d'elle?
Comment la trouvez-vous?
Quelle est votre opinion?
Quel est votre avis?

Pour donner son opinion

Je crois que ce film est excellent.
Je trouve que ce film est excellent.
Je trouve ce film excellent.
Je le trouve excellent.
À mon avis, Madame Chevalley est un peu folle.
  Selon moi,
  Pour moi,
J'ai l'impression que M. Péreira est malheureux.
  Il me semble

Pratique et conversation

A. **L'enseignement en France.** Regardez le tableau à la page 428.
   Ensuite, répondez aux questions.

   1. À quel âge est-ce qu'on commence l'école maternelle? À quel
      âge est-ce qu'on finit le lycée? La dernière année du lycée
      correspond à quelle année dans le système scolaire américain?
   2. Donnez un équivalent approximatif pour les écoles ou les
      classes suivantes.

      a. l'école maternelle
      b. le cours élémentaire première année
      c. le cours moyen deuxième année
      d. la troisième

   3. Qu'est-ce qu'il faut faire pour obtenir un diplôme en France?
      et aux États-Unis?
   4. Donnez le mot qui correspond aux définitions suivantes.

      a. diplôme qui vient après le bac
      b. équivalent du *credit* américain
      c. réussir à un examen
      d. diplôme qui vient après la licence
      e. le document qu'il faut écrire pour recevoir son doctorat
      f. évaluation écrite

B. **L'emploi du temps.** Regardez bien l'emploi du temps de Jean-
   Philippe et celui de Françoise. Ensuite, répondez aux questions.

	lundi	mardi	mercredi	jeudi	vendredi	samedi
8 h 30 à 10 h 00	math. orthographe grammaire récréation	lecture et explication orthographe récréation		math. conjugaison lecture récréation	exercices orthographe lecture récréation	math conjugaison expression écrite
10 h 15 11 h 30 à 13 h 00 à 16 h 00	grammaire cantine récréation sciences poésie lecture vocabulaire (jeux)	conjugaison cantine récréation math. histoire leçon vocabulaire vocabulaire (jeux)		poésie cantine récréation sport géographie chant vocabulaire (jeux)	dictée cantine récréation dessin bibliothèque informatique vocabulaire (jeux)	

Françoise

	LUNDi	MARDi	MERCREDi	JEUDi	VENDREDi	SAMEDi
8 H 30 à 9 H 30	TECHNOLOGIE sciences naturelles	MATH.		E.P.S.	GEOGRAPHIE	MATH.
9 H 30 à 10 H 30	sciences Physiques	Sciences Physiques		E.P.S.	MATH	FRAANÇAIS
10 H 30 11 H 30	GEOGRAPHiE	ESPAGNOL		sciences Naturelles	ANGLAiS	E.P.S
11 H 30 12 H 30	MATH.	FRANÇAIS		ESPAGNOL	HISTOIRE ANGLAIS	ANGLAiS
14 à 15 H	FRANÇAIS	ANGLAIS		TECHNOLOGIE	ESPAGNOL	
15 à 16 H	FRANÇAIS	MUSiQUE			FRANÇAIS	
16 à 17 H	EDUCATION CiViQUE	DESSiN				

Jean-Philippe

1. Combien de cours suivent-ils?
2. Quels cours est-ce qu'ils ont le samedi matin?
3. Quels jours est-ce qu'ils n'ont pas de cours?
4. Combien d'heures de maths est-ce que Françoise a par semaine? et Jean-Philippe?
5. Si tu étais Jean-Philippe, quel jour est-ce que tu préférerais le plus? le moins?

C. **Exprimez votre opinion!** Demandez à votre partenaire son opinion sur les choses et les personnes suivantes. Il vous répondra, et il vous demandera votre opinion à vous!

1. le journal des étudiants
2. son professeur de chimie (biologie, histoire, etc.)
3. le président des États-Unis
4. l'équipe de football de votre université
5. le film *La Guerre des étoiles* ou un autre film qu'il vient de voir
6. un livre qu'il a lu récemment (demandez-lui-en le titre)

Structure V
Linking ideas
The relative pronouns *ce qui* and *ce que*

> Maman ne sait pas **ce qu**'elle va faire sans toi.
> Une foule de journalistes la suivait constamment, **ce qui**
>   rendait sa vie impossible ici.

a. Whereas **qui** and **que** refer to specific nouns which precede, the relative pronouns **ce qui** and **ce que** refer back to previously stated ideas, sentences, or situations. **Ce qui** is used as the subject of the relative clause, **ce que** as the object.

> Il ne sait pas **ce qui** est important!
>   [subject]
> *He doesn't know what is important.*

> Ce qu'il a acheté est inutile.
> [object]
> *What he bought is useless.*

b. **Ce qui** and **ce que** may also be used to anticipate elements in a sentence. This construction adds emphasis. The element to be emphasized is introduced by **c'est.**

> **Ce qui** est important, **c'est** la santé.
> *What is [really] important is health.*
> **Ce que** tu dois acheter, **c'est** un cadeau.
> *What you [really] must buy is a present.*

c. **Ce qui** and **ce que** are often used in indirect questions. The following transformations take place.

DIRECT QUESTION	INDIRECT QUESTION
qu'est-ce qui?	ce qui
que?, qu'est-ce que?	ce que

Qu'est-ce qui est important?   Il demande **ce qui** est important.

Qu'est-ce que tu veux?   Elle demande **ce que** tu veux.
Que veux-tu?

Pratique et conversation

A. **Réponses.** Choisissez une réponse de la liste à droite qui correspond aux situations décrites dans la liste à gauche.

1. _____ Mme Bordier parle à Pierre Beaulieu de ses responsabilités. Elle lui dit...

2. _____ Sylvie réussit à son cours d'art, mais elle ne fait pas très bien dans son cours de science. Mme Bordier lui dit...

3. _____ Pataud dort sur le sofa. M. Bordier lui dit...

4. _____ Tout le monde bavarde à l'aéroport pendant qu'on annonce les départs. Anne dit...

5. _____ Anne est très triste au moment de son départ. Les Bordier lui disent...

6. _____ Anne est très déprimée après son retour. Son père s'inquiète mais sa mère le rassure. Elle lui dit...

a. Chut! Ce qu'on annonce est important!

b. Ce que tu fais n'est pas permis!

c. Ce qui est essentiel, c'est que vous soyez à l'heure!

d. Non, non, ce qu'elle a, c'est de la nostalgie pour la France!

e. Ce qui est important, c'est de rester en contact.

f. Le dessin, c'est très bien, mais ce qui compte dans la vie, ce sont les études pratiques!

B. **Jean-Philippe, tu m'agaces.** Mme Bordier is exasperated by her son's lack of common sense. Express her frustration according to the model.

MODÈLE   Qu'est-ce qu'il veut faire dans la vie? Il ne sait pas...
Il ne sait pas ce qu'il veut faire dans la vie.

1. Qu'est-ce qu'il veut étudier à la faculté? Il ne sait pas...
2. Qu'est-ce qui est utile? Il oublie toujours...
3. Qu'est-ce qu'il pense? Il ne sait pas...
4. Qu'est-ce qui lui est important? Il ignore...
5. Qu'est-ce qui est nécessaire? Il oublie toujours...

C. **Interview.** Posez des questions à votre camarade. Demandez-lui...

MODÈLE   ce qu'on fait dans la classe de français.
Vous: **Qu'est-ce qu'on fait dans la classe de français?**
Votre partenaire: **On parle, on apprend et on s'amuse.**

1. ce qu'il/elle fera après la classe
2. ce qu'il/elle fera ce week-end
3. ce qu'il/elle fait pendant un vol de plusieurs heures
4. ce qui est important dans la vie
5. ce qui lui plaît dans cette classe
6. ce qu'il aimerait dire à son professeur de français

D. **Conseils et consolation.** Consolez ou conseillez votre partenaire qui se trouve dans les situations suivantes. Employez une phrase qui commence par **ce qui.**

MODÈLE   Il/Elle a eu un accident, mais il/elle ne s'est pas fait mal.
Ce qui compte, c'est que tu vas bien.

1. Il/Elle a bien préparé un examen, mais il/elle n'y a pas réussi.
2. Il/Elle a beaucoup de malchance, mais il/elle est en bonne santé.
3. Il/Elle refuse de parler à un/e ami/e parce qu'il/elle est en colère.
4. Il/Elle est gravement malade, mais il/elle refuse d'écouter le médecin.
5. Il/Elle a reçu deux offres d'emploi, mais pas pour son poste préféré.
6. Il/Elle a oublié de mettre tous les souvenirs pour ses amis dans sa valise.

Structure VI
Expressing beliefs
The verb *croire*

		CROIRE (TO BELIEVE)		STEM	+	ENDING
Present	Je	crois	qu'elle est folle.	croi		s
	Tu	crois	en Dieu.	croi		s
	Il	croit	que tu as raison.	croi		t
	Nous	croyons	cette histoire.	croy		ons
	Vous	croyez	qu'il dit la vérité?	croy		ez
	Elles	croient	à l'astrologie.	croi		ent
Passé Composé	Qui l'	a cru?				
Imperfect	Je	croyais	à son innocence.			
Future	Je le	croirai	quand je le verrai.			
Conditional	Le	croiriez-	vous s'il vous le disait?			

a. The verb **croire,** *to believe,* may be followed by a direct object or a clause introduced by **que.**

b. To say *to believe in*, use **croire à** except in the expression **croire en Dieu.**

c. Some speakers may use the subjunctive after a negative form of **croire** or **penser.**

Je ne crois pas qu'il **ait** raison.
Elle ne pense pas que cette histoire **soit** vraie.

d. Other verbs which are used to express beliefs and opinions are:

douter (+ subjunctive)
ne pas douter (+ indicative)
nier (+ subjunctive)
ne pas nier (+ indicative)

Pratique et conversation

A. **Est-ce qu'elle reviendra?** Indiquez si les personnes suivantes pensent qu'Anne reviendra en France ou non. Employez le verbe **croire.**

1. Mme Chevalley
2. les Bordier
3. Pierre Beaulieu
4. vous
5. vous et le professeur

B. **Qu'est-ce qu'ils croient?** Composez des phrases avec les éléments suivants qui indiquent l'opinion de ces personnages historiques.

Christophe Colomb	croire	en Dieu
Galilée	penser	il ne fallait jamais mentir
Alexandre le Grand		le soleil était au centre de l'univers
les Grecs		aux dieux païens
George Washington		il était un dieu
Jeanne d'Arc		la terre était ronde

C. **Interview.** Demandez à votre partenaire...

1. s'il/elle croit que Jean-Philippe visitera les États-Unis
2. s/il elle doute que Jean-Philippe réussisse à son bac
3. s'il/elle pense que Mme Chevalley est trop curieuse
4. s'il/elle nie que Mme X soit Valérie DuLouche
5. s'il/elle croyait au père Noël quand il/elle était petit/e
6. ce qu'il/elle pense de notre président
7. s'il/elle croit qu'il est important de parler une langue étrangère
8. s'il/elle doute de savoir parler français un de ces jours

 # Lecture I

UNE LETTRE DE CAROLINE

Une lettre personnelle. La filleule (*godchild*) des Bordier, Caroline, est partie pour la Tunisie. Voici la lettre qu'ils viennent de recevoir d'elle.

Avant de lire

A. **Une lettre de qui? Une lettre d'où?** Consider the following questions.

    1. What sort of relationship exists between a godchild and her godparents? What sort of things might Caroline include in her letter?

    2. Where is Tunisia? What language is spoken there? What kind of climate does it have?

    3. What is the **Bac?** What year of high school would **seconde** be equivalent to? Caroline mentions that she received her **BEPC** and then discusses what **Bac** she will take. What could a **BEPC** be?

B. **En contexte.** Analysez les phrases suivantes pour répondre aux questions.

    1. «Nous nous déplaçons grâce aux transports en commun (car, train).» Que veulent dire **transports en commun?** Est-ce qu'un car est la même chose qu'une voiture?

    2. «Le but de ce voyage n'est pas de fréquenter les lieux touristiques, mais au contraire de les éviter et de voir les coins isolés typiques de la Tunisie.» Quels sont les éléments contrastés dans la phrase? Quel verbe fait contraste avec le verbe **fréquenter?** Quel est le sens de ces deux verbes?

    3. «Nous avons logé dans des auberges de jeunesse surtout, à l'hôtel parfois, et rarement chez l'habitant.» Caroline mentionne trois sortes de logement dans cette phrase; identifiez-les. Où est-ce que le groupe reste le plus souvent? le moins souvent?

C. **Famille du mot *ménage*.** Le mot **ménage** signifie *household*. Devinez le sens des mots suivants.

une femme de ménage
faire le ménage
une ménagère

D. **Le préfixe dé –**. Analysez les contraires suivants. Quel est le sens du préfixe **dé –**?

embarquer ≠ débarquer
encourager ≠ décourager
empaqueter ≠ dépaqueter

Maintenant, devinez le sens des mots **emménager** et **déménager**.

Lisons

صباح الخير (bonjour)   le 17 juillet

Charles et Solange,

  Je vous écris de Tunisie où il fait vraiment très chaud. Je suis partie le 4/07 pour trois semaines de camp itinérant à travers tout le pays. Nous sommes un groupe de onze adolescents, sacs sur le dos, et nous nous déplaçons grâce aux transports en commun (car, train).

  Ce pays est vraiment très beau, mais nous découvrons aussi beaucoup de coins pauvres car le but° de ce voyage n'est pas de fréquenter les lieux touristiques, mais au contraire de les éviter et de voir les coins isolés typiques de la Tunisie. goal

  Nous avons logé dans des auberges de jeunesse surtout, à l'hôtel parfois, et rarement chez l'habitant.

  Que faites-vous cet été? Passez-vous par notre bonne petite banlieue parisienne?

  Nous allons agrandir la maison pendant les mois d'août et septembre en aménageant° un étage dans les combles°. Nous avons longuement hésité entre cette solution et le déménagement et puis les parents se sont enfin décidés. Ils devraient déjà avoir commencé de casser° le bureau quand je rentrerai. fix up, arrange / attic / tear up

  J'ai eu mon BEPC cette année et je passe en seconde à la rentrée. Je n'ai pas encore choisi de branche bien définie, mais je pense me diriger vers un bac littéraire, comme ma sœur adorée. Elle a passé cette année son bac A2, a été au rattrapage°, et elle l'a took it a second time

obtenu avec 40 points d'avance°. Je ne sais pas   to spare
encore dans quelle école elle ira mais
j'espère de tout cœur qu'elle pourra vivre
à la maison car sans elle, je suis perdue!
     Envoyez-moi vite de vos nouvelles, si
vous avez un peu de temps, pour me dire ce
que vous faites.
     Je vous souhaite à tous les deux
de passer de très agréables vacances. Je vous
embrasse bien fort.
          À bientôt j'espère.

     Votre filleule bien aimée:

          كَارُولِين = Caroline

Avez-vous suivi?

A. **En Tunisie.** Répondez aux questions suivantes d'après la lettre de Caroline.

   1. Quel temps fait-il en Tunisie?
   2. Quand est-ce que Caroline est partie pour la Tunisie? Depuis combien de temps est-elle en Tunisie?
   3. Combien d'adolescents est-ce qu'il y a dans son groupe?
   4. Comment est-ce qu'on se déplace?
   5. Comment est-ce qu'elle trouve ce pays?
   6. Quel est le but de son voyage?
   7. Où est-ce qu'on est logé?
   8. Qu'est-ce qu'on va faire avec sa maison à Paris pendant les mois d'août et de septembre?
   9. Est-ce qu'elle a choisi une spécialisation? Vers quel bac est-ce qu'elle pense se diriger?
   10. Est-ce que sa sœur a réussi au bac?
   11. Qu'est-ce que Caroline pense de sa sœur?

B. **Une réponse.** Imaginez que vous êtes le parrain (*godfather*) ou la marraine (*godmother*) de Caroline. Répondez à sa lettre.

C. **Autour du monde francophone.** Imaginez que vous travaillez dans une agence de voyages. Essayez d'encourager les autres à visiter un pays francophone (la Tunisie, par exemple). Parlez des avantages du climat, des prix, des plages, des endroits exotiques, d'une langue partagée (*shared*), etc.

⚜ Lecture II

UNE LETTRE DE LA C.C.I.P.

Quelques années plus tard à l'université, Anne a décidé de suivre un cours de français commercial. Voici la lettre que son professeur a reçue de la Chambre de commerce et d'industrie de Paris (C.C.I.P.).

Avant de lire

A. **Deux mondes.** Quelles différences est-ce que vous remarquez entre le style des lettres d'affaires françaises et américaines? Comparez: 1) la date, 2) l'adresse, 3) les salutations, et 4) la formule finale.

B. **Formules.** Choisissez l'infinitif qui exprime pourquoi on utilise les expressions suivantes. Parfois, il y a plus d'une réponse correcte.

1. _____ J'ai bien reçu votre lettre.
2. _____ Nous ne pouvons pas retenir votre dossier.
3. _____ Nous accédons à votre demande.
4. _____ Les documents nécessaires vous parviendront la première semaine de mars.
5. _____ Votre lettre m'est bien parvenue.
6. _____ Il y a 12 candidats pour le certificat.
7. _____ Je vous donne mon accord...
8. _____ La composition de votre jury d'oral a reçu l'agrément de la C.C.I.P.
9. _____ Je vous félicite pour votre succès.

a. informer
b. accorder la permission
c. approuver
d. féliciter
e. remercier
f. refuser
g. confirmer

Lisons

Chambre de commerce et d'industrie de Paris

Paris, le 20 février

ENSEIGNEMENT
—
RELATIONS INTERNATIONALES
—
LE DIRECTEUR
JC/NF/JH/402/87

Madame Jo-Ann RECKER
OHIO STATE UNIVERSITY
Dept. of Romance Languages and
Literatures
1841 Millikin Road
COLUMBUS, OHIO 43210-1229
ETATS-UNIS

Madame,

J'ai bien reçu le 16 courant les fiches d'inscription de vos 12 candidats au CERTIFICAT PRATIQUE DE FRANCAIS COMMERCIAL ET ECONO-MIQUE.

Je vous donne mon accord pour que cette session ait lieu le 14 mars et les documents nécessaires vous parviendront la première semaine de mars.

La composition de votre jury d'oral reçoit l'agrément de la C.C.I.P..

Je vous prie de croire, Madame, à l'expression de mes sentiments les meilleurs.

Jacques CARTIER

A. **Dans la lettre.** Répondez aux questions suivantes d'après la lettre de la C.C.I.P.

   1. Quand est-ce qu'on a reçu les fiches d'inscription des 12 candidats?
   2. Quand est-ce que la session pour la partie écrite de cet examen va avoir lieu?
   3. Quand est-ce que la C.C.I.P. va envoyer les documents nécessaires?
   4. Est-ce que la C.C.I.P. approuve la composition du jury pour l'examen oral?

B. **Le professeur du cours de français commercial.** Vous êtes le professeur de ce cours de français commercial. Expliquez à la classe quelques différences entre la correspondance commerciale française et la correspondance commerciale américaine.

C. **Les lettres ou le commerce?** Quels sont les avantages et les inconvénients de l'étude des lettres et du commerce.

Activités

A. **Lettres.** Rédigez une des lettres suivantes.

   1. une lettre de remerciement à un/e ami/e chez qui vous avez dîné
   2. une demande d'emploi
   3. une commande

B. **L'arrivée.** Vous venez d'arriver à l'aéroport Charles de Gaulle à Paris. Vous allez à l'accueil *(information desk)* pour demander où vous pouvez laisser vos bagages pendant que vous allez chercher votre voiture de location. Vous demandez aussi où se trouvent le bureau de change et les toilettes.

C. **Une mauvaise nouvelle.** Vous arrivez au comptoir Air France et on vous informe que votre vol a été annulé. Vous essayez d'arranger un autre vol ou une nuit dans un hôtel!

Vocabulaire actif

une **aérogare**	terminal	**finalement**	finally
un **aéroport**	airport	une **hôtesse de l'air**	stewardess
afin de	in order to	**il est interdit**	it is prohibited
afin que	in order that, so that	**il me semble**	it seems to me
l' **agrégation** (f.)	advanced degree which follows the **maîtrise**	une **impression**	impression
		s' **inscrire à**	to register
à la fin	finally	**insister**	to insist
alors	then	**jusqu'à ce que**	until
annulé/e	canceled	la **licence**	approximate equivalent of the bachelor's degree
un **atterrissage**	landing		
au début	first of all	la **maîtrise**	approximate equivalent of the master's degree
avant que	before		
un **avis**	opinion	**malgré**	in spite of
le **baccalauréat** (◇ **bac**)	diploma awarded at the end of the **lycée**	une **matière**	subject (of studies)
		un **miracle**	miracle
des **bagages à main** (m.)	hand luggage	une **navette**	shuttle
bien que	although	une **note**	grade
une **boîte**	box	une **opinion**	opinion
un **bureau de change**	foreign currency exchange	**passer un examen**	to pass an examination
une **candidature**	candidacy	**penser de**	to think about (to have an opinion)
une **ceinture de sécurité**	seat belt		
un **charter**	charter	une **poupée**	doll
cher/chère	dear	**pour**	in order to
un **comptoir**	counter	**pour que**	in order that, so that
un **concours**	competitive exam	se **présenter à un examen**	to take an exam
une **consigne**	locker		
copieux/copieuse	generous, large	la **presse**	press, journalists
croire	to believe	des **progrès** (m.)	progress
d'abord	first of all	**puis**	then
un **décollage**	takeoff	**recevoir un diplôme**	to get a degree, to graduate
déménager	to move	la **rentrée**	beginning of classes
un **diplôme**	degree, diploma	**retourner**	to go back
le **doctorat**	doctorate	un **sac de voyage**	tote bag
échouer à	to fail	**selon**	according to
embrasser	to hug	un **siège**	seat
enfin	finally	un **souvenir**	souvenir
en même temps	at the same time	un **steward**	steward
ensuite	then	**surtout**	especially
une **épreuve**	test	une **thèse**	thesis
un **équipage**	crew	**tout à l'heure**	just now
espérer	to hope	**tout de suite après**	right afterward
être reçu à	to pass (an exam, a course)	une **unité de valeur**	credit
faire du bien	to do good	un **vol**	flight

Appendix I

Regular verbs

Infinitive	Present Indicative	Imperative	Passé composé
parler	je parle tu parles il/elle/on parle nous parlons vous parlez ils/elles parlent	parle parlons parlez	j'ai parlé tu as parlé il a parlé nous avons parlé vous avez parlé ils ont parlé
finir	je finis tu finis il/elle/on finit nous finissons vous finissez ils/elles finissent	finis finissons finissez	j'ai fini tu as fini il a fini nous avons fini vous avez fini ils ont fini
dormir	je dors tu dors il/elle/on dort nous dormons vous dormez ils/elles dorment	dors dormons dormez	j'ai dormi tu as dormi il a dormi nous avons dormi vous avez dormi ils ont dormi
répondre	je réponds tu réponds il/elle/on répond nous répondons vous répondez ils/elles répondent	réponds répondons répondez	j'ai répondu tu as répondu il a répondu nous avons répondu vous avez répondu ils ont répondu

Imperfect	Future	Conditional	Present Subjunctive
je parlais	je parlerai	je parlerais	que je parle
tu parlais	tu parleras	tu parlerais	que tu parles
il parlait	il parlera	il parlerait	qu'il parle
nous parlions	nous parlerons	nous parlerions	que nous parlions
vous parliez	vous parlerez	vous parleriez	que vous parliez
ils parlaient	ils parleront	ils parleraient	qu'ils parlent
je finissais	je finirai	je finirais	que je finisse
tu finissais	tu finiras	tu finirais	que tu finisses
il finissait	il finira	il finirait	qu'il finisse
nous finissions	nous finirons	nous finirions	que nous finissions
vous finissiez	vous finirez	vous finiriez	que vous finissiez
ils finissaient	ils finiront	ils finiraient	qu'ils finissent
je dormais	je dormirai	je dormirais	que je dorme
tu dormais	tu dormiras	tu dormirais	que tu dormes
il dormait	il dormira	il dormirait	qu'il dorme
nous dormions	nous dormirons	nous dormirions	que nous dormions
vous dormiez	vous dormirez	vous dormiriez	que vous dormiez
ils dormaient	ils dormiront	ils dormiraient	qu'ils dorment
je répondais	je répondrai	je répondrais	que je réponde
tu répondais	tu répondras	tu répondrais	que tu répondes
il répondait	il répondra	il répondrait	qu'il réponde
nous répondions	nous répondrons	nous répondrions	que nous répondions
vous répondiez	vous répondrez	vous répondriez	que vous répondiez
ils répondaient	ils répondront	ils répondraient	qu'ils répondent

Stem-changing verbs

Infinitive	Present Indicative	Imperative	Passé composé
préférer	je préfère tu préfères il/elle/on préfère nous préférons vous préférez ils/elles préfèrent	préfère préférons préférez	j'ai préféré
acheter	j'achète tu achètes il/elle/on achète nous achetons vous achetez ils/elles achètent	achète achetons achetez	j'ai acheté
appeler	j'appelle tu appelles il/elle/on appelle nous appelons vous appelez ils/elles appellent	appelle appelons appelez	j'ai appelé
payer	je paie tu paies il/elle/on paie nous payons vous payez ils/elles paient	paie payons payez	j'ai payé
manger	je mange tu manges il/elle/on mange nous mangeons vous mangez ils/elles mangent	mange mangeons mangez	j'ai mangé

Imperfect	Future	Conditional	Present Subjunctive
je préférais	je préférerai	je préférerais	que je préfère
			que tu préfères
			qu'il préfère
			que nous préférions
			que vous préfériez
			qu'ils préfèrent
j'achetais	j'achèterai	j'achèterais	que j'achète
			que tu achètes
			qu'il achète
			que nous achetions
			que vous achetiez
			qu'ils achètent
j'appelais	j'appellerai	j'appellerais	que j'appelle
			que tu appelles
			qu'il appelle
			que nous appelions
			que vous appeliez
			qu'ils appellent
je payais	je paierai	je paierais	que je paie
			que tu paies
			qu'il paie
			que nous payions
			que vous payiez
			qu'ils paient
je mangeais	je mangerai	je mangerais	que je mange
tu mangeais			que tu manges
il mangeait			qu'il mange
nous mangions			que nous mangions
vous mangiez			que vous mangiez
ils mangeaient			qu'ils mangent

Irregular verbs

Infinitive	Present Indicative	Imperative	Passé composé
aller	je vais tu vas il/elle/on va nous allons vous allez ils/elles vont	va allons allez	je suis allé/e
boire	je bois tu bois il/elle/on boit nous buvons vous buvez ils/elles boivent	bois buvons buvez	j'ai bu
connaître	je connais tu connais il/elle/on connaît nous connaissons vous connaissez ils/elles connaissent	connais connaissons connaissez	j'ai connu
croire	je crois tu crois il/elle/on croit nous croyons vous croyez ils/elles croient	crois croyons croyez	j'ai cru
devoir	je dois tu dois il/elle/on doit nous devons vous devez ils/elles doivent	dois devons devez	j'ai dû
dire	je dis tu dis il/elle/on dit nous disons vous dites ils/elles disent	dis disons dites	j'ai dit

Imperfect	Future	Conditional	Present Subjunctive
j'allais	j'irai	j'irais	que j'aille que tu ailles qu'il aille que nous allions que vous alliez qu'ils aillent
je buvais	je boirai	je boirais	que je boive que tu boives qu'il boive que nous buvions que vous buviez qu'ils boivent
je connaissais	je connaîtrai	je connaîtrais	que je connaisse que tu connaisses qu'il connaisse que nous connaissions que vous connaissiez qu'ils connaissent
je croyais	je croirai	je croirais	que je croie que tu croies qu'il croie que nous croyions que vous croyiez qu'ils croient
je devais	je devrai	je devrais	que je doive que tu doives qu'il doive que nous devions que vous deviez qu'ils doivent
je disais	je dirai	je dirais	que je dise que tu dises qu'il dise que nous disions que vous disiez qu'ils disent

Irregular verbs

Infinitive	Present Indicative	Imperative	Passé composé
écrire (décrire)	j'écris tu écris il/elle/on écrit nous écrivons vous écrivez ils/elles écrivent	écris écrivons écrivez	j'ai écrit
envoyer	j'envoie tu envoies il/elle/on envoie nous envoyons vous envoyez ils/elles envoient	envoie envoyons envoyez	j'ai envoyé
faire	je fais tu fais il/elle/on fait nous faisons vous faites ils/elles font	fais faisons faites	j'ai fait
lire	je lis tu lis il/elle/on lit nous lisons vous lisez ils/elles lisent	lis lisons lisez	j'ai lu
mettre (permettre, promettre)	je mets tu mets il/elle/on met nous mettons vous mettez ils/elles mettent	mets mettons mettez	j'ai mis
ouvrir (couvrir découvrir, offrir, souffrir)	j'ouvre tu ouvres il/elle/on ouvre nous ouvrons vous ouvrez ils/elles ouvrent	ouvre ouvrons ouvrez	j'ai ouvert

Imperfect	Future	Conditional	Present Subjunctive
j'écrivais	j'écrirai	j'écrirais	que j'écrive que tu écrives qu'il écrive que nous écrivions que vous écriviez qu'ils écrivent
j'envoyais	j'enverrai	j'enverrais	que j'envoie que tu envoies qu'il envoie que nous envoyions que vous envoyiez qu'ils envoient
je faisais	je ferai	je ferais	que je fasse que tu fasses qu'il fasse que nous fassions que vous fassiez qu'ils fassent
je lisais	je lirai	je lirais	que je lise que tu lises qu'il lise que nous lisions que vous lisiez qu'ils lisent
je mettais	je mettrai	je mettrais	que je mette que tu mettes qu'il mette que nous mettions que vous mettiez qu'ils mettent
j'ouvrais	j'ouvrirai	j'ouvrirais	que j'ouvre que tu ouvres qu'il ouvre que nous ouvrions que vous ouvriez qu'ils ouvrent

Irregular verbs

Infinitive	Present Indicative	Imperative	Passé composé
plaire (déplaire)	il plaît		il a plu
pouvoir	je peux tu peux il/elle/on peut nous pouvons vous pouvez ils/elles peuvent		j'ai pu
prendre (apprendre, comprendre)	je prends tu prends il/elle/on prend nous prenons vous prenez ils/elles prennent	prends prenons prenez	j'ai pris
recevoir	je reçois tu reçois il/elle/on reçoit nous recevons vous recevez ils/elles reçoivent	reçois recevons recevez	j'ai reçu
savoir	je sais tu sais il/elle/on sait nous savons vous savez ils/elles savent	sache sachons sachez	j'ai su
suivre	je suis tu suis il/elle/on suit nous suivons vous suivez ils/elles suivent	suis suivons suivez	j'ai suivi

Imperfect	Future	Conditional	Present Subjunctive
il plaisait	il plaira	il plairait	qu'il plaise
je pouvais	je pourrai	je pourrais	que je puisse que tu puisses qu'il puisse que nous puissions que vous puissiez qu'ils puissent
je prenais	je prendrai	je prendrais	que je prenne que tu prennes qu'il prenne que nous prenions que vous preniez qu'ils prennent
je recevais	je recevrai	je recevrais	que je reçoive que tu reçoives qu'il reçoive que nous recevions que vous receviez qu'ils reçoivent
je savais	je saurai	je saurais	que je sache que tu saches qu'il sache que nous sachions que vous sachiez qu'ils sachent
je suivais	je suivrai	je suivrais	que je suive que tu suives qu'il suive que nous suivions que vous suiviez qu'ils suivent

Irregular verbs

Infinitive	Present Indicative	Imperative	Passé composé
venir (devenir, revenir, se souvenir, tenir)	je viens tu viens il/elle/on vient nous venons vous venez ils/elles viennent	viens venons venez	je suis venu/e
voir	je vois tu vois il/elle/on voit nous voyons vous voyez ils/elles voient	vois voyons voyez	j'ai vu
vouloir	je veux tu veux il/elle/on veut nous voulons vous voulez ils/elles veulent	veuille veuillons veuillez	j'ai voulu

Imperfect	Future	Conditional	Present Subjunctive
je venais	je viendrai	je viendrais	que je vienne que tu viennes qu'il vienne que nous venions que vous veniez qu'ils viennent
je voyais	je verrai	je verrais	que je voie que tu voies qu'il voie que nous voyions que vous voyiez qu'ils voient
je voulais	je voudrai	je voudrais	que je veuille que tu veuilles qu'il veuille que nous voulions que vous vouliez qu'ils veuillent

Appendix II

Verbs that take **être** in the *passé composé*.

aller	rentrer
arriver	rester
descendre	retourner
devenir	revenir
entrer	sortir
monter	tomber
partir	venir

French–English Vocabulary

The French–English and English–French vocabularies contain all words taught for active use in *Situations et Contextes*. Number references in the French–English vocabulary indicate the chapter where words are first introduced. Both the masculine and feminine forms are given for adjectives and nouns as well as irregular plural forms. Verbs are listed in the infinitive.

The following abbreviations are used:

adj	adjective	*pl*	plural
f	feminine	**qqch**	quelque chose
invar	invariable	**qqn**	quelqu'un
m	masculine		

à to, until, 1
accepter to accept, 7
accessible accessible, 9
accompagner to accompany, 7
accomplir to complete, accomplish, 13
achat *m*, purchase, 6
acheter to buy, 6
action *f*, action, 7
addition *f*, check, 5
administration *f*, administration, 12
adorer to adore, 2
adresse *f*, address, 6
aérogramme *m*, aerogram, air letter, 11
aéroport *m*, airport, 14
affaire *f*, bargain, 6; business, matter, 11
affiche *f*, poster, 1
affranchir to affix postage, stamp, 11
afin: afin de in order to, 14; **afin que** in order that, 14
agaçant/e annoying, aggravating, 8
agacer to annoy, aggravate, 8
âge *m*, age, 6

agence de voyages *f*, travel agency, 3
agent de police *m*, policeman, 9
agent de voyage *m*, travel agent, 3
aggrégation *f*, advanced degree after the *maîtrise*, 14
agneau *m*, lamb, 5
agréable pleasant, 4
agresseur *m*, mugger, 9
agression *f*, mugging, 9
aider to help, 8
aimable friendly, 4
aimer to like, love, 2; **aimer mieux** to prefer, 13
air: marché en plein air *m* uncovered, open market, 6
ajouter to add, 5
Algérie *f*, Algeria, 4
algérien/ne *adj*, Algerian, 4
Allemagne *f*, Germany, 4
allemand *m*, German language, 2
allemand/e *adj*, German, 4
aller to go, 3; **aller à pied** to walk, go on foot, 3; **aller à vélo** to go by bicycle, 3; **aller bien** to go well, 6; **aller et retour** *m*, round-trip ticket, 12; **aller simple** *m*, one-way ticket, 12

alliance *f*, wedding ring, 9
allô hello (*on the telephone*), 9
alors then, 14
amener to bring, 8
ami/e friend, 3
amphithéâtre *m*, lecture hall, 2
amuse-gueule *m*, *invar*, snack, 8
amuser (qqn) to amuse someone, 10; **s'amuser** to have a good time, 10
Andorre *f*, Andorra, 4
angine *f*, sore throat, 10
anglais *m*, English language, 2
Angleterre *f*, England, 4
animal (*pl* **animaux**) *m*, animal, 2
année *f*, year, 3
anniversaire *m*, birthday, 8
annonce *f*, announcement, 12; **petites annonces** classified ads, 12
annuaire *m*, telephone book, 11
annuler to cancel, 14
antibiotique *m*, antibiotic, 10
antihistaminique *m*, antihistamine, 10
antipathique unfriendly, unpleasant, 4
août *m*, August, 3
appeler (qqn) to call (someone), 10; **s'appeler** to be named, 10
apporter to bring, 11
apprendre to learn, 10
après after, 3
après-midi *m*, afternoon, 3
architecte *m/f*, architect, 3
argent *m*, money, 6; **argent de poche** pocket money, 12; **argent liquide** cash, 13
Armistice: l'Armistice *m*, Armistice Day, 3
arrêter to stop, 2
arrivée *f*, arrival, 12
arriver to arrive, come, 2; to happen, 11; **arriver à** to be able to, manage, 13
arrogant/e arrogant, 9
arrondissement *m*, district, 13
arroser to water, 8
ascenseur *m*, elevator, 2
Ascension: l'Ascension *f*, the Ascension, 3
aspirateur *m*, vacuum cleaner, 8
aspirine *f*, aspirin, 10
assez enough, 6

assiette *f*, dish, 2
assistant/e social/e *m/f*, social worker, 9
Assomption: l'Assomption *f*, the Assumption, 3
assurance *f*, insurance, 12; **assurance dentaire** dental insurance; **assurance vie** life insurance
assurer to assure, 10
attendre to wait for, 11
atterrissage *m*, landing (*of a plane*), 14
aujourd'hui today, 3
aussi also, 1; **aussi... que** as . . . as, 8
autobus *m*, bus, 3
autocar *m*, intercity bus, 12
automne *m*, autumn, 7
autrefois formerly, 9
avance: (être) en avance (to be) early, 3
avant before, 1; **avant que** before, 14
avantage *m*, advantage, 12
avantageux/avantageuse advantageous, 13
avion *m*, airplane, 3
avis *m*, opinion, 14
avocat/e *m/f*, lawyer, 3
avoir to have, 3; **avoir besoin de** to need, 6; **avoir bonne mine** to look good, 10; **avoir chaud** to be hot, 5; **avoir de la chance** to be lucky, 8; **avoir du mal à** to have difficulty in, 13; **avoir envie de** to want, desire, 7; **avoir faim** to be hungry, 5; **avoir froid** to be cold, 5; **avoir horreur de** to hate, 11; **avoir l'air** (+*adj*) to look (+*adj*), 9; **avoir le droit de** to have the right, 13; **avoir mal (à)** to have an ache, pain, 10; **avoir mal au cœur** to be nauseated, 10; **avoir mal au foie** to have indigestion, 10; **avoir mauvaise mine** to look bad, 10; **avoir quelque chose** to have something wrong, 10; **avoir raison** to be right, 8; **avoir soif** to be thirsty, 5; **avoir sommeil** to be sleepy, 5; **avoir tort** to be wrong, 10; **avoir un bon/mauvais sens de**

l'humour to have a good/bad sense of humor, 9

avril *m*, April, 3

baccalauréat *m*, diploma at the end of *lycée*, 14

bagage *m*, baggage, luggage, 14; **bagage à main** *m*, hand luggage, 14

bague *f*, ring, 6

bal *m*, dance, 7

balai *m*, broom, 8

balayer to sweep, 8

banlieue *f*, suburbs, 2

banque *f*, bank, 13

basket *f*, basketball shoe, 6

basket-ball (basket) *m*, basketball, 7

bateau *m*, boat, 11

bâtiment *m*, building, 2

beau/belle (*pl* **beaux/belles**) beautiful, 4

beaucoup a lot, 2

beaujolais *m*, beaujolais (*a type of red wine*), 5

Belgique *f*, Belgium, 4

belle-mère *f*, mother-in-law, 12

bête stupid, 4

beurre *m*, butter, 5

bibliothèque *f*, library, 2

bicyclette *f*, bicycle, 7

bien well, 1; **bien que** although, 14; **bien sûr** of course, 2

bientôt: à bientôt see you soon, 1

bière *f*, beer, 5

bifteck *m*, steak, 5

bijou (*pl* **bijoux**) *m*, jewel, 9

bijouterie *f*, jewelry, 6

billet *m*, ticket, 3

biologie *f*, biology, 2

biscuit sec *m*, cookie, 8

blague *f*, joke, 11

blanc/blanche white, 5

bleu/e blue, 4

blond/e blond, 4

blouson *m*, jacket, 6

bœuf *m*, beef, 5

boire to drink, 5

boîte *f*, box, 14

bon/bonne good, 4

bonjour hello, 1

bon marché *invar*, cheap, 6

bonne nuit good night, 1

bonsoir good evening, 1

botte *f*, boot, 6

bouche *f*, mouth, 10

bouché/e stuffed up, blocked, 10

boucherie *f*, butcher's shop, 6

boucle d'oreille *f*, earring, 6

boulangerie *f*, bakery, 6

boum *f*, party, 7

bouquiner to read, 7

bouteille *f*, bottle, 8

bracelet *m*, bracelet, 6

bras *m*, arm, 10

bricoler to putter, 7

bridge *m*, bridge (*card game*), 7

brie *m*, brie (*type of cheese*), 5

brioche *f*, brioche (*type of roll*), 5

brochure *f*, brochure, 12

bronchite *f*, bronchitis, 10

brosse *f*, brush, 10; **brosse à dents** *f*, toothbrush, 10

brosser to brush, 10; **se brosser (les dents)** to brush one's (teeth), 10

brun/e brown, 4

buffet *m*, sideboard, 2

bureau (*pl* **bureaux**) *m*, desk(s), 1; office, 3; **bureau de change** foreign currency exchange, 14; **bureau de poste** post office, 11

ça this, that, 2; **ça suffit** that's enough, 10

cabine: cabine téléphonique *f*, telephone booth, 11

cacahuète *f*, peanut, 8

cacher to hide, 11

cadeau (*pl* **cadeaux**) *m*, present, 3

cadre *m/f*, executive, 3

café *m*, coffee; café, 5; **café crème** coffee with steamed milk, 5

cahier *m*, notebook, 1

caisse *f*, cash register, 3; **caisse d'épargne** savings bank, 13

caissier/caissière *m/f*, cashier, 3

camarade *m/f*, friend, 2

cambriolage *m*, break-in, 9

cambrioleur *m*, burglar, 9

camembert *m*, camembert (*type of cheese*), 5

campagne *f*, country(side), 2

camping *m*, camping, 7

Canada *m*, Canada, 4

canadien/ne *adj*, Canadian, 4

candidature *f*, candidacy, 14

capitale *f*, capital, 4

carie *f*, cavity, 10

carnet *m*, book (of tickets), 13;
carnet du jour *m*, birth, death
announcements, 8
carotte *f*, carrot, 5
carreaux: à carreaux checkered, 6
cartable *m*, book bag, briefcase, 1
carte *f*, menu, 5; card, 6; **Carte
Bleue** Visa, 6; **carte de
crédit** credit card, 6; **carte
postale** postcard, 11; **jouer
aux cartes** to play cards, 7
caserne *f*, fire station, 13
casser to break, 10; **se casser (la
jambe)** to break one's (leg), 10
cassette *f*, cassette tape, 1
cathédrale *f*, cathedral, 13
cause; à cause de because of, 9
ce, cet, cette, ces this, that,
these, those, 6
ceinture *f*, belt, 14; **ceinture de
sécurité** safety belt, 14
célibataire *m/f*, bachelor, unmarried man/woman, 9
celui, celle, ceux, celles this,
that, these, those ones, 10
cent hundred, 8
centaine *f*, around one hundred, 8
centre *m*, center, 6; **centre
commercial** shopping center,
6; **centre-ville** downtown, 13
chablis *m*, chablis (*type of white
wine*), 5
chaîne stéréo *f*, stereo, 2
chaise *f*, chair, 1
chaleureux/chaleureuse warm,
open, 9
chambre *f*, bedroom, 2; **chambre
d'hôtel** hotel room, 12
champagne *m*, champagne, 5
chance *f*, luck, 8
chapeau *m*, hat, 6; **chapeau!**
congratulations!, 8
chapitre *m*, chapter, 1
charcuterie *f*, delicatessen, 6
charmant/e charming, 4
charter *m*, charter flight, 14
châtain/e brown (*hair*), 4
chaud hot, 5
chaussette *f*, sock, 6
chaussure *f*, shoe, 6; **chaussure
à talon haut** high-heeled shoe,
6; **chaussure de tennis** tennis
shoe, 6
chemise *f*, shirt, 6

chemisier *m*, blouse, 6
chèque *m*, check, 6
chéquier *m*, checkbook, 13
cher/chère expensive, 6; dear, 14
chercher to look for, 2
cheveux *m pl*, hair, 4
chic *invar*, nice, great, 8
chimie *f*, chemistry, 2
chip *f*, potato chip, 8
chirurgie *f*, surgery, 10
chirurgien *m*, surgeon, 10
chocolat *m*, hot chocolate, 5;
chocolate, 8
choisir to choose, 7
chômage *m*, unemployment, 9
chouette nice, great, 8
ciao bye, 1
ciné-club *m*, film series, 7
cinq five, 1
citron *m*, lemon, 5
civilisé/e civilized, 9
classe *f*, class, 1
clavier *m*, keyboard, 12
clé *f*, key, 12
client/e *m/f*, client, customer, 3
coca *m*, cola, 5
cochon *invar*, sloppy, 8
cocktail *m*, cocktail party, 3
cœur *m*, heart, 10
cognac *m*, cognac, 5
coiffeur/coiffeuse *m/f*, hairdresser, 3
coin *m*, corner, 13
coïncidence *f*, coincidence, 12
colère *f*, anger, 8
colis *m*, package, 11
collier *m*, necklace, 6
combien how many, 3; **combien
de** how many, how much, 6
comédie *f*, comedy, 7
comme as, like, 2; **comme ci
comme ça** OK, so-so, 1
comment how, 3
commerce *m*, business, 2
commissariat de police *m*,
police station, 13
compartiment *m*, compartment,
12
complet/complète full, 12
complexé/e timid, unsure of
oneself, 9
compliment *m*, compliment, 2
composter to validate, 12
comprendre to understand, 10
compris/e included, 5

compte *m*, account, 13; **compte courant** *m*, checking account, 13

comptoir *m*, counter, 14

concert *m*, concert, 7

concierge *m/f*, super, janitor, 4

concours *m*, competitive exam, 14

confiture *f*, jam, 5

connaître to be acquainted with, 11

conseil(s) *m*, advice, 12

conseiller (qqch à qqn) to advise, 9

consigne *f*, locker, 14

content/e happy, 4

continuer (à) to continue, 13

contrôle douanier *m*, customs check, 12

copain/copine pal, friend, 7

copieux/copieuse generous, large, 14

costume *m*, suit, 6

côté: à côté de compared to, next to, 3

coton *m*, cotton, 6

coucher (qqn) to put (someone) to bed, 10; **se coucher** to go to bed, 10

couchette *f*, sleeping berth, 12

couler to drip, run, 10

couleur *f*, color, 6

couloir *m*, corridor, 4

couper to cut, 8

courrier *m*, mail, 11

cours *m*, course, 2

course *f*, errand, 4

court/e short, 4

cousin/e *m/f*, cousin, 4

couteau *m*, knife, 5

coûter to cost, 6

couvrir to cover, 10

cravate *f*, tie, 6

crayon *m*, pencil, 1

crevette *f*, shrimp, 5

crime *m*, crime, 9

crise de nerfs *f*, anxiety attack, 10

croire to believe, 13

croissant *m*, croissant (*type of roll*), 5

croque-Monsieur *m*, grilled ham and cheese sandwich, 5

croyable believable, 11

crudités *f*, raw vegetables, 5

cuillère *f*, spoon, 5

cuillerée *f*, spoonful, 6; **cuillerée à café** teaspoonful; **cuillerée à soupe** tablespoonful

cuisine *f*, kitchen, 2

cuisinière *f*, stove, 8

curriculum vitae *m*, résumé, 12

d'abord first of all, 7

d'accord OK, 7

dame *f*, lady, 4

Danemark *m*, Denmark, 4

danois/e *adj*, Danish, 4

dans in, within, 2

danser to dance, 2

de of, to, 2

débarrasser to clear, 8

début *m*, beginning, 14; **au début** first of all, 14

décembre *m*, December, 3

décider to decide, 6

décision *f*, decision, 7

déclaration *f*, declaration, 12

décollage *m*, take-off, 14

décontracté/e relaxed, at ease, 9

découvrir to discover, 10

décrire to describe, 13

déguiser: se déguiser to disguise oneself, 11

déjeuner to have lunch, 3; *m*, lunch, 3

délicieux/délicieuse delicious, 5

délinquance juvénile *f*, juvenile delinquency, 9

délinquant/e juvénile *m/f*, juvenile delinquent, 9

demain tomorrow, 1; **à demain** see you tomorrow, 1

demande *f*, application, request, 13

demander to ask, 3

déménager to move, 14

dent *f*, tooth, 10

dentaire dental, 12

dentifrice *m*, toothpaste, 10

dentiste *m/f*, dentist, 10

départ *m*, departure, 12

dépêcher: se dépêcher to hurry, 10

déposer to deposit, 13

dépression *f*, depression, 10

déprimé/e depressed, 10

depuis for, since, 10

déranger to bother, 11

dernier/dernière last, 6

derrière behind, 2

des some, 1

désagréable unpleasant, 4
descendre to go down, get off, 13
désolé/e sorry, 7
désordre *m*, disorder, 8
dessert *m*, dessert, 5
dessin animé *m*, cartoon, 7
dessous: en dessous de underneath, 4
dessus: au dessus de above, 4
destinataire *m/f*, receiver, 11
détective *m*, detective, 9
détendu/e relaxed, 9
détester to hate, 2
deux two, 1
deuxième second, 4
devant in front of, 2
déveine *f*, bad luck, 8
devenir to become, 10
devise *f*, currency, 13
devoir to owe; to have to, 11; *m*, homework assignment, 1; *pl*, homework, 1
diagnostic *m*, diagnosis, 10
dictionnaire *m*, dictionary, 13
difficile difficult, 4
dimanche *m*, Sunday, 3
dîner to have dinner, 3; *m*, dinner, 3
diplôme *m*, diploma, degree, 14
dire to say, tell, 8
direction *f*, direction, 13
discothèque *f*, discothèque, 7
disponible available, 12
disque *m*, record, 1
disquette *f*, disquette, 12
distant/e distant, 9
distributeur automatique de billets *m*, automatic teller, ATM, 13
dix ten, 1
dix-huit eighteen, 1
dix-neuf nineteen, 1
dix-sept seventeen, 1
dizaine *f*, around ten, 8
doctorat *m*, doctorate, 14
doigt *m*, finger, 10
dommage *m*, shame, 9
donc so, 5
donner to give, 2
dormir to sleep, 7
dos *m*, back, 10
douane *f*, customs, 11
douche *f*, shower, 12
douzaine *f*, dozen, 8
douze twelve, 1

drame *m*, drama, 7
droite *f*, right (direction), 13; **à droite** to the right, 4
drôle funny, 9
du, de la, de l' some, any (*may not be translated*), 5
dur/e hard, 5

eau (*pl* **eaux**) *f*, water, 5; **eau minérale** mineral water, 5
échecs *m pl*, chess, 7
échouer (à) to fail, 14
école *f*, school, 2; **école maternelle** nursery school, 3; **école primaire** elementary school, 2
économies *f pl*, savings, 13
écossais/e Scottish, 4
Écosse *f*, Scotland, 4
écouter (qqch) to listen, 2
écran *m*, screen, 12
écrire to write, 13; **s'écrire** to write to one another, 13
éditorial *m*, editorial, 13
éducation physique *f*, physical education, 2
elle she, it, 2; **elles** they, 2
embaucher to hire, 12
embêtant/e annoying, aggravating, 8
embêter to annoy, aggravate, 8
embrasser to hug, kiss, 14
emploi *m*, job, 3; **emploi du temps** schedule, 3
employé/e employee, 6
emprunt *m*, loan, 13
encaisser to deposit, 13
enchanté/e pleased to meet you, 2
endormir: s'endormir to fall asleep, 10
endosser to endorse, 13
énergie *f*, energy, 7
énervant/e annoying, aggravating, 7
énerver to annoy, aggravate, 8
enfin finally, 14
ennuyer: s'ennuyer to be bored, 10
ennuyeux/ennuyeuse boring, annoying, 7
enregistrer to check in, 12
ensuite next, 7
entendre to hear, 11; **s'entendre bien avec** to get along well with, 11

entrer (dans) to come in, enter, go in, 2

enveloppe *f*, envelope, 13

envoyer to send, 11

épicerie *f*, grocery store, 6

épreuve *f*, test, 14

équipage *m*, crew, 14

erreur *f*, error, 9

escalier *m*, staircase, 4

Espagne *f*, Spain, 4

espagnol *m*, Spanish language, 2

espagnol/e *adj*, Spanish, 4

espèces *f pl*, cash, 6

espérer to hope, 8

essentiel/le essential, 13

est *m*, east, 4; à l'est de to the east of, 4

est-ce que *used to form a question*, 2

estomac *m*, stomach, 10

et and, 1

étage *m*, floor, 4

été *m*, summer, 7

étiquette *f*, label, 11

étonnant/e astonishing, surprising, 11

étonner to astonish, surprise, 11

étranger/étrangère foreign, 7

être to be, 2; être amoureux/ amoureuse de to be in love with, 12; être au régime to be on a diet, 5; être d'accord to be in agreement, agree, 10; être de bonne humeur to be in a good mood, 9; être de mauvaise humeur to be in a bad mood, 9; être de retour to be back, 13; être désolé/e to be sorry, 11; être divorcé/e to be divorced, 9; être en avance to be early, 3; être en bonne forme to feel great, be in good shape, 10; être en colère to be angry, 8; être en deuil to be in mourning, 9; être en mauvaise forme to be in bad shape, 10; être en pleine forme to feel great, be in good shape, 10; être en retard to be late, 3; être en train de to be in the midst of, 11; être fiancé/e to be engaged, 9; être marié/e to be married, 9; être reçu/e à to pass, 14; être souffrant/e to be ill, 10

études *f*, studies, 2

étudiant/e *m/f*, student, 1

étudier to study, 2

EuroCard *f*, Mastercard, 6

européen/ne *adj*, European, 4

éviter to avoid, 13

exact/e exact, right, 10

examen *m*, exam, 3

examiner to examine, 11

excuser to excuse, 10; s'excuser to excuse oneself, 11

exiger to demand, 13

ex-mari *m*, ex-husband, 9

expédier to send, 11

expéditeur *m*, sender, 11

expérience *f*, experience, 12

expliquer to explain, 11

express *m*, espresso, 5

extraverti/e extroverted, 9

facile easy, 4

facteur *m*, mailman, 3

faculté (fac) university, 2

faire to make, do, 4; faire beau to be nice weather, 7; faire chaud to be hot, 7; faire de la bicyclette to go bicycling, 7; faire de la course à pied to do track, 7; faire de la natation to go swimming, 7; faire de la voile to go sailing, 12; faire des achats to go shopping, 4; faire des courses to run errands, 4; faire des économies to save money, 13; faire des radios to take x-rays, 10; faire des tests to run tests, 10; faire du bien to do good, 14; faire du camping to go camping, 7; faire du cyclisme to go cycling, 7; faire du rugby to play rugby, 7; faire du ski to go skiing, 7; faire du soleil to be sunny, 7; faire du vélo to go bicycling, 7; faire du vent to be windy, 7; faire frais to be cool, 7; faire froid to be cold, 7; faire gris to be overcast, cloudy, 7; faire la cuisine to cook, 8; faire la grasse matinée to sleep in, 7; faire la lessive to do laundry, 4; faire la queue to wait in line, 6; faire la vaisselle to do dishes, 4; faire le lit to make the bed, 4; **faire les comptes** to do the finances, 4; **faire les courses** to go grocery shopping, 4; **faire les devoirs** to do homework, 4; **faire les vitres** to clean the windows, 8; **faire mal à** to hurt, 10; **faire mauvais** to be bad weather, 7; **faire un safari** to go on a safari, 12; **faire une dépression** to be depressed, 10; **faire une opération** to perform an operation, 10; **faire une prise de sang** to draw blood, 10; **faire une promenade** to take a walk, 7; **faire une randonnée** to go hiking, 12; **faire une tête** to be angry, unhappy, 8; **se faire mal** to hurt oneself, 10; **s'en faire** to worry, 11

faits divers *m pl*, news in brief, 13
falloir to be necessary, 6
famille *f*, family, 3
fatigué/e tired, 4
faut: il faut it is necessary, 6
fauteuil *m*, armchair, 2
faux/fausse false, 10
félicitations congratulations, 8
féliciter to congratulate, 8
femme *f*, woman, wife, 4
fenêtre *f*, window, 1
fer à repasser *m*, iron, 8
fermer to close, 2
fête *f*, holiday, 3; **fête du travail** May Day, 3; **fête nationale** national holiday, 3
février *m*, February, 3
fiançailles *f pl*, engagement, 9
fiancé/e fiancé(e), 9
fiche *f*, slip (of paper), 11
fièvre *f*, fever, 10
figurer: se figurer to imagine, 11
fil dentaire *m*, dental floss, 10
fille *f*, girl, daughter, 2; **fille au pair** au pair girl, 1
film *m*, film, 7; **film d'amour** romantic film; **film d'aventure** adventure film; **film de science-fiction** science fiction film; **film historique** historical film; **film policier** detective film
fils *m*, son, 2
fin *f*, end, 14; **à la fin** finally
finalement finally, 7
fines herbes *f pl*, herb mixture, 5

finir to finish, 7
finlandais/e Finnish, 4
Finlande *f*, Finland, 4
fleur *f*, flower, 8
foie *m*, liver, 10
fond: au fond de at the back, at the end of, 4
football *m*, soccer, 7
formalités (douanières) *f pl*, (customs) formalities, 12
formation *f*, training, 12
formidable terrific, 8
formulaire *m*, form, 6
foule *f*, crowd, 3
fourchette *f*, fork, 5
frais/fraîche fresh, 5
fraise *f*, strawberry, 5
français *m*, French language, 2
français/e *adj*, French, 4
France *f*, France, 4
frapper to knock, 11
frère *m*, brother, 4
frigo *m*, refrigerator, 8
frisé/e curly, 4
frites *f pl*, French fries, 5
froid/e cold, 4
fromage *m*, cheese, 5
fruit *m*, fruit, 5
fumer to smoke, 12
fumeur/fumeuse smoker, 12
furieux/furieuse angry, furious, 8

gagner to save (money); win, 6
gardien/ne *m/f*, guardian, 2
gare *f*, train station, 12
gâteau *m*, cake, 8
gâter to spoil, 8
gauche *f*, left *(direction)*, 13; **à gauche** to the left, 4
généraliste *m/f*, generalist, 10
généreux/généreuse generous, 4
genre *m*, kind, type, 12
gentil/le nice, 4
gestion *f*, management, 12
glace *f*, ice cream, 5
glaçon *m*, ice cube, 5
gomme *f*, eraser, 1
gorge *f*, throat, 10
gramme *m*, gram, 8
grand/e tall, big, 4
grand-mère *f*, grandmother, 4
grand-père *m*, grandfather, 4
grippe *f*, flu, 10
gris/e gray, 6
gros/se fat, 4

grossir to put on weight, 7

guichet *m*, ticket, bank window, 11

guitare *f*, guitar, 7

habillé/e dressed, 9

habiller (qqn) to dress (someone), 10; s'habiller to get dressed, 10

habiter to live, 2

habitude *f*, habit, 13

haricots verts *m pl*, green beans, 5

heure *f*, hour, o'clock, 3; à l'heure on time, 3; à quelle heure... ? what time . . . ?, 3; à tout à l'heure see you soon, 1

heureux/heureuse happy, 4

hier yesterday, 6

histoire *f*, history, story, 2

hiver *m*, winter, 7

homme *m*, man, 6

honnête honest, 9

hôpital *m*, hospital, 3

horaire *m*, timetable, 12

hors d'œuvre *m*, appetizer, 5

hot dog *m*, hot dog, 5

hôtesse de l'air *f*, stewardess, 14

huit eight, 1

hypermarché *m*, large discount store, 6

hypothèque *f*, mortgage, 13

ici here, 2

idée *f*, idea, 7

identité *f*, identity, 12; pièce d'identité *f*, identification document

il he, it, 2; il n'y a pas de quoi you're welcome, 8; il suffit it suffices, all one has to, 13; il vaut mieux it is better, preferable, 12; il y a there is, there are, 3; il y a (+ *time expression*) ago, 11

illustration *f*, picture, plate, 6

ils they, 2

immeuble *m*, apartment building, 2

impôts *m*, taxes, 9

impression *f*, impression, 14

Impressionnistes *m*, Impressionists, 6

imprimante *f*, printer, 12

inaccessible distant, inaccessible, 9

incroyable unbelievable, 11

infirmier/infirmière *m/f*, nurse, 3

inflation *f*, inflation, 9

informaticien/ne computer operator, 3

informatique *f*, computer science, 2

ingénieur/femme ingénieur *m/f*, engineer

inquiéter (qqn) to worry (someone), 10; s'inquiéter to be worried, 13

inscrire: s'inscrire à to register, 14

insister to insist, 14

instant *m*, instant, 5

instituteur/institutrice *m/f*, elementary school teacher, 3

intelligent/e intelligent, 4

interdit/e forbidden, prohibited, 14

intéressant/e interesting, 4

interview *f*, interview, 12

introverti/e introverted, 9

invitation *f*, invitation, 7

invité/e guest, 8

inviter to invite, 8

irlandais/e Irish, 4

irrespectueux/irrespectueuse disrespectful, 9

irresponsable irresponsible, 9

Italie *f*, Italy, 4

italien *m*, Italian language, 2

italien/ne *adj*, Italian, 4

jamais ever, 9; ne... jamais never, 9

jambe *f*, leg, 10

jambon *m*, ham, 5

janvier *m*, January, 3

jardin *m*, garden, 2

jardiner to garden, 7

jaune yellow, 6

je I, 2; je vous en (t'en) prie please, 5

jean *m*, bluejeans, 6

jeudi *m*, Thursday, 3

jeune young, 4

jogging *m*, jogging, 7

joli/e pretty, 4

jouer: jouer à to play a sport, 7; jouer de to play an instrument, 7

jour *m*, day, 3; **de nos jours** nowadays, 9; **jour de congé** day off, 12; **jour de l'An** New Year's Day, 3

journal (*pl* **journaux**) *m*, newspaper, 13

journalisme *m*, journalism, 2

journaliste *m/f*, journalist, 3

journée *f*, day(time), 7

juillet *m*, July, 3

juin *m*, June, 3

jurer to swear, 10

jus *m*, juice, 8

jusqu'à until, 3; **jusqu'à ce que** until, 14

juste right, 10

justificatif de domicile *m*, proof of residency, 13

kilo *m*, kilo, 8

kilogramme *m*, kilogram, 8

là-bas there, 9

laboratoire (**labo**) *m*, laboratory, 2

laid/e ugly, 4

laine *f*, wool, 6

laisser to leave, 9

lait *m*, milk, 5

lampe *f*, lamp, 2

langue *f*, language, 2

laryngite *f*, sore throat, laryngitis, 10

latin *m*, Latin language, 2

laver to wash, 6; **se laver** to wash up, 10

lave-vaisselle *m*, dishwasher, 8

le, la, l', les the, 2

leçon *f*, lesson, 1

lecteur (**interne/externe**) *m*, (internal/external) drive, 12

légume *m*, vegetable, 5

lettre *f*, letter, 11

leur, leurs their, 4

lever: se lever to get up, 10

librairie *f*, bookstore, 6

libre free, 7

licence *f*, bachelor's degree (*approximate equivalent*), 14

ligne *f*, line, 13

limonade *f*, lemon soda, 5

lire to read, 13

liste *f*, list, 6

lit *m*, bed, 2

litre *m*, liter, 8

livre *m*, book, 1

logiciel *m*, software, 12

loin (de) far, 4

long/longue long, 4

lundi *m*, Monday, 3

Luxembourg *m*, Luxembourg, 4

lycée *m*, high school, 2

machine *f*, machine, 8; **machine à laver** washing machine, 8; **machine à traitement de texte** word processor, 12

Madame (*pl* **Mesdames**) Ma'am, Mrs., 1

Mademoiselle (*pl* **Mesdemoiselles**) Miss, 1

magasin *m*, store, 6; **grand magasin** department store, 6

magazine *m*, magazine, 1

magnétoscope *m*, VCR, 2

mai *m*, May, 3

maigrir to grow thin, lose weight, 7

maillot de bain *m*, bathing suit, 6

main *f*, hand, 10

maintenant now, 1

maire *m*, mayor, 13

mairie *f*, city hall, 13

mais but, 2

maison *f*, house, 2

maîtrise *f*, master's degree (*approximate equivalent*), 14

malade sick, 10

maladie *f*, sickness, illness, 10

malgré in spite of, 14

malheureux/malheureuse unhappy, 4

malhonnête dishonest, 9

mandat *m*, money order, 11

manger to eat, 2

manquer (à qqn) to be missed (by someone), 13

manteau (*pl* **manteaux**) *m*, overcoat, 6

maquillé/e to be made up, 9

maquiller: se maquiller to put on makeup, 10

marchand de vin *m*, wine merchant, 6

marché *m*, market, 6; **marché aux puces** flea market, 7

mardi *m*, Tuesday, 3

mariage *m*, marriage, 9

marier: se marier (avec) to marry, 10

mariés *m pl*, married couple, 4

marketing *m*, marketing, 12
Maroc *m*, Morocco, 4
marrant/e funny, 9
mars *m*, March, 3
match *m*, match, game, 7
matériel *m*, hardware, 12
mathématiques (maths) *f pl*,
 math, 2
matière *f*, subject matter, 14
matin *m*, morning, 3
mauvais/e bad, 7
mayonnaise *f*, mayonnaise, 5
mécontent/e unhappy, 4
médecin *m*, doctor, 3
médical/e medical, 12
médicaments *m pl*, medicine, 10
meilleur/e better, 8
ménage *m*, housework, 3
menthe à l'eau *f*, mint soft
 drink, 5
mentir to lie, 7
menu *m*, complete meal at a
 fixed price, 5
merci thank you, 1
mercredi *m*, Wednesday, 3
mère *f*, mother, 4
Messieurs Dames Ladies and
 Gentlemen, 5
mètre *m*, meter, 8
métro *m*, subway, 12
mettre to put, place, put on, 8;
 mettre de côté to save
 (money), 13; **mettre un plâtre**
 to put on a cast, 10
meurtre *m*, murder, 9
meurtrier *m*, murderer, 9
midi *m*, noon, 3
mieux better, 10
migraine *f*, headache, 10
mille thousand, 8
mince thin, 4
minimum *m*, minimum, 13
minuit *m*, midnight, 3
miracle *m*, miracle, 14
mocassin *m*, loafer, 6
mode *f*, fashion, 6
moderne modern, 2
moins... que less . . . than, 8
mois *m*, month, 3
mon, ma, mes my, 4
monde *m*, people, 6
monnaie *f*, change, 11
Monsieur (*pl* **Messieurs)** Sir,
 Mr., 1
montagne *f*, mountain, 12

monter to go up, get on, 13
monument *m*, monument, 13
moule *f*, mussel, 5
mousse *f*, mousse, 5; **mousse à
 raser** *f*, shaving cream, 6
musée *m*, museum, 7
mystère *m*, mystery, 4
mystérieux/mystérieuse
 mysterious, 4

nager to swim, 7
nappe *f*, tablecloth, 5
natation *f*, swimming, 7
Nations Unies *f pl*, United
 Nations, 4
nature plain (tea, coffee), 5
navette *f*, shuttle, 14
ne: ne... jamais never, 5; **ne...
 ni... ni** neither . . . nor, 9;
 ne... pas not, 2; **ne... pas
 encore** not yet, 9; **ne...
 personne** no one, 9; **ne...
 plus** no longer, 9; **ne... rien**
 nothing, anything, 9
nécessaire necessary, 6
négocier to negotiate, 12
neiger to snow, 7
n'est-ce pas? isn't it? isn't it so?, 6
nettoyer to clean, 8
neuf nine
neuf/neuve new, 1; **quoi de
 neuf?** what's new?, 1
nez *m*, nose, 10
Noël *m*, Christmas, 3
noir/e black, 4
nom *m*, name, 4
non no, 1
nord *m*, north, 4; **au nord de**
 to the north of, 4
Norvège *f*, Norway, 4
norvégien/ne *adj*, Norwegian, 4
note *f*, grade, 14
notre, nos our, 4
nous we, 2
nouveau/nouvelle (*pl* **nou-
 veaux/nouvelles)** new, 6
nouvelle *f*, news, 11
novembre *m*, November, 3
nuit *f*, night, 1
numéro de téléphone *m*,
 telephone number, 6

obéir (à qqn) to obey (someone), 7
occupé/e busy, 3

occuper: s'occuper de   to take
care of, 12

octobre *m*, October, 3

oculiste *m/f*, optometrist, 10

œil (*pl* yeux) *m*, eye, 4

œuf *m*, egg, 5; œuf dur
hard-boiled egg, 5

offrir   to give as a gift, 6

olive *f*, olive, 8

omelette *f*, omelet, 5

on   we, you, one, people, 2

oncle *m*, uncle, 4

onze   eleven, 1

opération *f*, operation, 10

opérer   to operate, 10

opinion *f*, opinion, 14

orange *f*, orange, 5

Orangina *m*, orange soda, 5

ordinateur *m*, computer, 12

ordonnance *f*, prescription, 10

oreille *f*, ear, 10

oser   to dare, 9

oto-rhino (-laryngologiste) *m/f*,
ear-nose-throat doctor, 10

ou   or, 2

où   where, 2

oublier   to forget, 6

ouest *m*, west, 4; à l'ouest de   to
the west of

oui   yes, 1

ouvreuse *f*, usher, 12

ouvrier/ouvrière *m/f*, worker, 3

ouvrir   to open, 10

page *f*, page, 1

pain *m*, bread, 5

panneau indicateur *m*, sign
indicating arrivals and departures, 13

pantalon *m*, pants, 6

papeterie *f*, stationery store, 6

papier *m*, paper, 6; papier
hygiénique   toilet paper, 6

Pâques *f*, Easter, 3

paquet *m*, package, 11; paquet-
cadeau   gift box, 6

par   by, for, 3; par avion   by air
mail, 11; par bateau   by surface
mail, 11; par exemple   for
example, 3; par exprès   by express mail, 11

parce que   because, 3

pardon   excuse me, 6

parents *m pl*, parents, 3

paresseux/paresseuse   lazy, 9

parfait/e   perfect, 8

parisien/ne *adj*, Parisian, 4

Parisien/ne *m/f*, Parisian, 3

parler   to speak, 2

part *f*, behalf, 8

partir   to leave, 7

passeport *m*, passport, 12

passer   to run, 8; passer un coup
de fil   to phone, 10; passer un
examen   to take an exam, 14;
se passer   to happen, 10

passion *f*, passion, 7

pâté *m*, pâté, 5

pâtée *f*, dog food, 6

patient/e   patient, 4

pâtisserie *f*, pastry, 5; pastry
shop, 6

patron/ne *m/f*, boss, 12

payer   to pay, 6

pays *m*, country, 4

Pays-Bas *m pl*, the Netherlands, 4

pêche *f*, peach, 5

pédiatre *m/f*, pediatrician, 10

peinture *f*, painting, 6

pendant   during, 3

pénible   annoying, difficult, 8

penser   to think, 2; penser à   to
think about, 13; penser de   to
think of (*to have an opinion of*),
14

Pentecôte *f*, Pentecost, 3

perdre   to lose, 11

père *m*, father, 4

permettre (qqch à qqn)   to
permit (something to someone),
10

perplexe   confused, 13

personne *f*, person, 4; ne...
personne   no one, nobody, 9

petit/e   small, short, 4; petit
déjeuner *m*, breakfast, 5

peu   little, 2; un peu *m*, a little, 2

peut-être   perhaps, 10

pharmacien/ne *m/f*, pharmacist,
10

philosophie *f*, philosophy, 2

photo *f*, picture, 2

photocopie *f*, photocopy, 12

photographe *m/f*, photographer,
11

phrase *f*, sentence, 1

physique *f*, physics, 2

piano *m*, piano, 7

pièce *f*, room, 4

pied *m*, foot, 10; **à pied** on foot, 3

pire worse, 11; **le pire** the worst, 11

pizza *f*, pizza, 5

place *f*, seat, 3; plaza, square, 13

plage *f*, beach, 12

plaire à to like, please, 12

plaisanter to joke, 11

plaisir *m*, pleasure, 7

plan *m*, (city, metro) map, 13

plante *f*, plant, 8

pleuvoir to rain, 7

plombage *m*, filling, 10

plomber to fill a cavity, 10

pluie *f*, rain, 7

plus more; **plus... que** more . . . than, 8; **ne... plus** no longer, 9

pneumonie *f*, pneumonia, 10

pochette *f*, gift package, 6

podologue *m/f*, podiatrist, 10

pointure *f*, shoe/glove size, 6

poire *f*, pear, 5

pois: petits pois *m pl*, peas, 5; **à pois** polka-dotted, 6

poisson *m*, fish, 5

poissonnerie *f*, fish shop, 6

poivre *m*, pepper, 5

poker *m*, poker (*card game*), 7

poli/e polite, 4

police *f*, police, 13

pollution *f*, pollution, 9

polyester *m*, polyester, 6

pomme *f*, apple, 5; **pomme de terre** *f*, potato, 5

pompier *m*, fireman, 9

porte *f*, door, 1; gate, 12

portefeuille *m*, wallet, 6

porter to wear, 6; **se porter (bien/mal)** to feel (good/bad), 10

portugais/e *adj*, Portuguese, 4

Portugal *m*, Portugal, 4

possible possible, 7

poste *f*, post office, 3; **poste aérienne** air mail, 11; **poste restante** poste restante, left mail, 11; **bureau de poste** *m*, post office, 11

poulet *m*, chicken, 5

poupée *f*, doll, 14

pour in order to, for, 14; **pour l'instant** for now, 5; **pour que** in order to, 14

pourquoi why, 3

pouvoir to be able, can, 7

pratiquer to practice, 2

préférable preferable, better, 12

préférer to prefer, 2

premier/première first, 3

prendre to take, to have (a meal), 5; **prendre la correspondance** to transfer, 13; **prendre le pouls** to take a pulse, 10; **prendre un verre** to have a drink, 5

préparatifs *m pl*, preparations, 13

préparer to prepare, 2

près de near, 4

présenter to present, introduce, 12; **se présenter** to present oneself, introduce oneself, 12; **se présenter à un examen** to take an exam, 14

presse *f*, press, 14

prétentieux/prétentieuse pretentious, 9

printemps *m*, spring, 7

prix *m*, price, 6

professeur *m*, high school teacher, professor, 1

profession *f*, profession, 6

profiter (de) to take advantage (of), 12

programme *m*, program, 12

progrès *m pl*, progress, 14

promenade *f*, walk, 7

promettre (qqch à qqn) to promise (something to someone), 10

publicité *f*, publicity, 11

puis then, 3

pull *m*, sweater, 6

punch *m*, punch, 8

quai *m*, platform, 12

qualification *f*, qualification, 12

quand when, 3

quartier *m*, neighborhood, 13

quatorze fourteen, 1

quatre four, 1

quatrième fourth, 4

quel/le which, what, 6

quelque chose something, 5

quelquefois sometimes, 3

quelqu'un someone, 8

question *f*, question, 1

qui who, 2; **qui est à l'appareil?** who's there (on the phone)?, 9

quiche *f*, quiche *(type of cheese tart)*, 5
quinzaine *f*, around fifteen, 8
quinze fifteen, 1
quitter to leave, 2

raconter to tell, talk about, 2
radio *f*, radio, 2; x-ray, 10
raide straight, 4
randonnée *f*, hike, 12
ranger to straighten up, clean up, 8
râpé/e grated, 5
rappeler to call back, 12; **se rappeler** to remember, 12
rapport *m*, report, 13
rarement rarely, 5
raser: se raser to shave, 10
ravi/e delighted, 8
rayé/e striped, 6
rayon *m*, department, 6
réception *f*, reception desk, 12
recevoir to receive, 6; **recevoir un diplôme** to graduate, get a degree, 14
recommandation *f*, recommendation, 12
recommandé: en recommandé by registered mail, 11
réduit/e reduced, 12
refuser to refuse, 7
regarder to watch, look at, 2
régime *m*, diet, 5
régler to pay, 6
regretter to be sorry, 7
relax/e relaxed, 9
remède *m*, remedy, 10
remercier to thank
rempart *m*, rampart, 13
remplir to fill out, 11
rencontrer to meet, 8; **se rencontrer** to meet one another, 10
rendez-vous *m*, appointment, 3
rendre to return (an object), 11; **rendre visite (à qqn)** to visit (someone), 11; **se rendre compte (de)** to realize, 11
renseignement *m*, information, 6
renseigner: se renseigner to get information, 11
rentrée *f*, beginning of classes, 14
rentrer to go home, 2

renverser to spill, tip over, 8
renvoyer to return, send back, 11; to fire, 12
repas *m*, meal, 3
repasser to iron, 8
répéter to repeat, 2; to rehearse, 11
répondre (à) to answer, 11
reposer: se reposer to rest, 10
réserver to reserve, 12
résidence *f*, dormitory, 2
résister to resist, 7
respectueux/respectueuse respectful, 9
responsable responsible, 4
ressembler à to resemble, seem like, 9
restaurant *m*, restaurant, 3; **restaurant universitaire** student cafeteria, 2
rester to stay, 3
retard *m*, delay, 12; **en retard** late, 3
retirer to withdraw, 13
retourner to go back, 6
retrouver to find again, 9
réunion *f*, meeting, 3
réussir (à) to succeed, pass *(course, test)*, 7
réveiller (qqn) to wake (up) (someone), 10; **se réveiller** to wake up, 10
revenir to return, get over, 10
revoir: au revoir good-bye, 1
rez-de-chaussée *m*, ground floor, 4
rhume *m*, cold, 10
riche rich, 4
ridicule ridiculous, 4
rien: de rien you're welcome, 8; **ne... rien** nothing, 9
robe *f*, dress, 6
rôle *m*, role, 11
roman *m*, novel, 13; **roman policier** detective novel, 13
roquefort *m*, roquefort *(type of cheese)*, 5
rosbif *m*, roast beef, 5
rose pink, 6
rouge red, 5
roux/rousse red (hair), 4
rugby *m*, rugby, 7
russe *adj*, Russian, 4; *m*, Russian language, 2

sac *m*, purse, 6; **sac de voyage** totebag, 14

safari *m*, safari, 12

saison *f*, season, 7

salade *f*, salad, 5

salaire *m*, salary, 12

salle *f*, room, 2; **salle à manger** dining room; **salle de bains** bathroom; **salle de séjour** living room

salut hi; good-bye, 1

samedi *m*, Saturday, 3

sandale *f*, sandal, 6

sandwich *m*, sandwich, 5

saucisson *m*, sausage, 5

savoir to know, 8

savon *m*, soap, 6

Schweppes *m*, tonic water, 5

sciences politiques *f pl*, political science, 2

séance *f*, showing, 7

séchoir *m*, dryer, 8

secret *m*, secret, 11

seize sixteen, 1

sel *m*, salt, 5

selon according to, 14

semaine *f*, week, 3

sembler to seem, 14

sens de l'humour *m*, sense of humor, 9

sentimental (*pl* sentimentaux) sentimental, 7

sentir to feel, smell, 10; **se sentir** (+ *adj*) to feel (+ *adj*), 10

sept seven, 1

septembre *m*, September, 3

serveur/serveuse *m/f*, waiter/ waitress, 3

service *m*, tip, service charge, 5

serviette *f*, napkin, 5

servir to serve, 7; **se servir (de)** to use, 12

seul/e alone, 8

seulement only, 10

si if, 12; yes (*reply to a negative statement*), 10

siège *m*, seat, 14

s'il vous (te) plaît please, 1

sinusite *f*, sinusitis, 10

sirop *m*, syrup, 10

six six, 1

ski *m*, skiing, ski, 7

sociable friendly, 4

sociologie *f*, sociology, 2

sœur *f*, sister, 4

sofa *m*, sofa, 2

soie *f*, silk, 6

soigner (qqn) to take care of (someone), 10; **se soigner** to take care of oneself, 10

soir *m*, evening, 3

soirée *f*, evening party, 7

solde *m*, sale, 6; **en solde** on sale

sole *f*, sole (*fish*), 5

soleil *m*, sun, 7

son, sa, ses his, her, its, 4

sortir to go out, 7

souffrir to suffer, 10

sous under, 2

souvenir *m*, memory, souvenir, 14; **se souvenir de** to remember, 10

souvent often, 5

sport *m*, sport, 7

sportif/sportive *m/f*, sportsman/ sportswoman, 7

sportif/sportive *adj*, athletic, 7

station *f*, station, 13

steak frites *m*, steak with french fries, 5

steward *m*, steward, 14

studio *m*, studio, 11

stylo *m*, pen, 1

sud *m*, south, 4; **au sud de** to the south of

Suède *f*, Sweden, 4

suédois/e *adj*, Swedish, 4

suisse *adj*, Swiss, 4

Suisse *f*, Switzerland, 4

suivre to follow; to take (*a course*), 12

supermarché *m*, supermarket, 6

sur on, 2

sûr/e sure, 4

surprenant/e surprising, 11

surprendre to surprise, 11

surprise-partie *f*, party, 7

surtout especially, 14

sympa *invar*, nice, 4

sympathique nice, 4

symptôme *m*, symptom, 10

table *f*, table, 2

tableau (*pl* tableaux) *m*, blackboard, 1; picture, 2

taille *f*, size (*except for gloves or shoes*), 6

tais-toi! be quiet!, 13

tante *f*, aunt, 4
taper à la machine to type, 12
tard late, 3
tarif *m*, fare, 12
tarte aux pommes *f*, apple tart, 5
tartine *f*, slice of bread, 5
tasse *f*, cup, 6
taux *m*, rate, 13; **taux d'intérêt**
  interest rate; **taux du change**
  exchange rate
taxi *m*, taxi, 9
Tee-shirt *m*, T-shirt, 1
télégramme *m*, telegram, 11
téléphone *m*, telephone, 2
téléphoner (à) to call, phone, 11
télévision *f*, television, 2
tellement so much, so many, 6
temps *m*, weather, 7; **à mi-**
  temps part-time, 12; **à plein**
  temps full-time, 12; **dans le**
  temps in the past, 9; **de temps**
  en temps sometimes, 5; **en**
  même temps at the same time,
  14; **gagner du temps** to save
  time, 6
tennis *m*, tennis, 7
tête *f*, head, 10
TGV *m*, French high-speed
  train, 12
thé *m*, tea, 5
théâtre *m*, theater, 7
thèse *f*, thesis, 14
thon *m*, tuna, 5
timbre(-poste) *m*, stamp, 11
timide timid, 4
tiroir *m*, drawer, 13
titre *m*, title, 13; **gros titres**
  m pl, headlines, 13; **sous-titre**
  m, subtitle, 7
toilettes *f pl*, toilet, 2
tomate *f*, tomato, 5
tomber to fall, 7
ton, ta, tes your, 4
tôt early, 4
touche *f*, key (*on a keyboard*), 12
toujours always, 5, still, 9
tourner to turn, 13
Toussaint: la Toussaint *f*, All
  Saints' Day, 3
tousser to cough, 10
tout/e (*pl* tous/toutes) all, 8; **à**
  tout à l'heure see you soon, 1;
  tout à l'heure just now, 14;
  tout de suite immediately, 8;
  tout droit straight ahead, 13;

tout le monde everybody, 1;
  tout le temps always, 5
toux *f*, cough, 10
train *m*, train, 3
tranquille calm, quiet, 4
travail *m*, work, job, 3
travailler to work, 2
travailleur/travailleuse
  hard-working, 9
treize thirteen, 1
trente thirty, 1
très very, 1
tricoter to knit, 7
triste sad, 9
trois three, 1
troisième third, 4
tromper: se tromper de to be
  wrong, make an error, 10
trop too much, too many, 6
trouver to find, 3; **se trouver** to
  be located, be, 10
truite *f*, trout, 5
tu you, 2
Tunisie *f*, Tunisia, 4
tunisien/ne *adj*, Tunisian, 4

un, une *m/f*, a, an, one, 1; **à la**
  une on the front page, 13
unité de valeur *f*, credit, 14
universitaire university, 2
université *f*, university, 3
urgent/e urgent, 11
usine *f*, factory, 3

valise *f*, suitcase, 2
veau *m*, veal, 5
veinard/e *m/f*, someone who is
  lucky, 8
veine *f*, luck, 8
vélo *m*, bicycle, 3
vendre to sell, 11
vendredi *m*, Friday, 3
venir to come, 8; **venir de**
  (+*infinitive*) to have just (+*past*
  participle), 9
vent *m*, wind, 7
verre *m*, glass, 5
version: version française *f*,
  French version (dubbed), 7; **ver-**
  sion originale original version
  (not dubbed), 7
vert/e green, 4
veste *f*, sports jacket, 6
veuf/veuve *m/f*, widower,
  widow, 9

viande f, meat, 5
vide empty, 8
ville f, city, 2
vin m, wine, 5
vingt twenty, 1
vingtaine f, around twenty, 8
violence f, violence, 7
violon m, violin, 7
visa m, visa, 12
visiter to visit (a place), 12
vitrine f, store window, 6
voici here is, 5
voie f, track, 12
voilà here is, there is, 1
voir to see, 6
voisin/e m/f, neighbor, 4
voiture f, car, wagon, 3; **voiture de location** rental car, 12

vol m, theft, 9; flight, 14
voleur m, thief, 9
volley-ball (volley) m, volleyball, 7
votre, vos your, 4
vouloir to want, 7; **vouloir dire** to mean, 8
vous you, 2
voyage m, trip, 2; **voyage d'affaires** business trip, 10; **voyage organisé** tour, 12
vrai/e true, 10
vraiment really, 6

W.-C. m pl, toilet, 12
wagon m, car (of a train), 12; **wagon-bar** bar (on a train); **wagon-lit** sleeping car; **wagon-restaurant** dining car

English–French Vocabulary

The following abbreviations are used:

adj	adjective	*pl*	plural
adv	adverb	*qqch*	quelque chose
f	feminine	*qqn*	quelqu'un
m	masculine		

a, an, one un, une
able: to be able to pouvoir, arriver à
above au dessus de
to **accept** accepter
accessible accessible
to **accompany** accompagner
to **accomplish** accomplir
according to selon
account compte *m*
acquainted: to be acquainted with connaître
action action *f*
to **add** ajouter
address adresse *f*
administration administration *f*
to **adore** adorer
advantage avantage *m*; **to take advantage of** profiter de
advantageous avantageux/avantageuse
adventure film film d'aventure *m*
advice conseil(s) *m*
to **advise** conseiller (qqch à qqn)
aerogram aérogramme *m*
to **affix postage** affranchir
after après
afternoon après-midi *m*
age âge *m*
agency: travel agency agence de voyages *f*
to **aggravate** agacer, embêter, énerver
aggravating agaçant/e, embêtant/e, énervant/e, pénible
ago il y a

to **agree** être d'accord
agreement: to be in agreement être d'accord
ahead: straight ahead tout droit
air letter aérogramme *m*
air mail poste aérienne *f*; par avion
airplane avion *m*
airport aéroport *m*
Algeria Algérie *f*
Algerian *adj* algérien/ne
all tout, toute, tous, toutes
All Saints Day la Toussaint *f*
alone seul/e
also aussi
although bien que
always toujours, tout le temps
to **amuse** amuser (qqn)
and et
Andorra Andorre *f*
anger colère *f*
angry furieux/furieuse; **to be angry** être en colère, faire une tête
animal animal (*pl* animaux) *m*
announcement annonce *f*; **birth and death announcements** carnet du jour *m*
to **annoy** agacer, embêter, énerver
annoying agaçant/e, embêtant/e, énervant/e, pénible, ennuyeux/ennuyeuse
to **answer** répondre (à)
antibiotic antibiotique *m*
antihistamine antihistaminique *m*
apartment building immeuble *m*
to **appear** (+*adj*) avoir l'air (+*adj*)

appetizer hors d'œuvre *m*

apple pomme *f*; **apple tart** tarte
aux pommes *f*

application demande *f*

appointment rendez-vous *m*

April avril *m*

architect architecte *m/f*

arm bras *m*

armchair fauteuil *m*

Armistice Day l'Armistice *m*

arrival arrivée *f*

to **arrive** arriver

arrogant arrogant/e

as comme; **as . . . as** aussi...
que

Ascension: the Ascension
l'Ascension *f*

to **ask** demander (qqch à qqn)

asleep: to fall asleep s'endormir

aspirin aspirine *f*

Assumption: the Assumption
l'Assomption *f*

to **assure** assurer

to **astonish** étonner

astonishing étonnant/e

athletic sportif/sportive

ATM distributeur automatique
de billets *m*

August août *m*

aunt tante *f*

au pair girl fille au pair *f*

automatic teller distributeur
automatique de billets *m*

autumn automne *m*

available disponible

to **avoid** éviter

bachelor célibataire *m/f*

bachelor's degree licence *f*

back dos *m*; **at the back of** au
fond de; **to be back** être de
retour

bad mauvais/e; **bad luck**
déveine *f*; **to be bad (weather)**
faire mauvais; **to look bad**
avoir mauvaise mine

baggage bagage *m*

bakery boulangerie *f*

bank banque *f*; **bank window**
guichet *m*

bar *(on a train)* wagon-bar *m*

bargain affaire *f*

basketball basket-ball (basket) *m*;
basketball shoe basket *f*

bathing suit maillot de bain *m*

bathroom salle de bains *f*

to **be** être

beach plage *f*

beaujolais beaujolais *m*

beautiful beau/belle (*pl* beaux/
belles)

because of à cause de, parce que

become devenir

bed lit *m*; **to go to bed** se
coucher; **to make the bed**
faire le lit

bedroom chambre *f*

beef bœuf *m*

beer bière *f*

before avant, avant que

beginning début *m*; **beginning
of classes** rentrée *f*

behalf part *f*

behind derrière

Belgium Belgique *f*

believable croyable

to **believe** croire

belt ceinture *f*; **safety belt**
ceinture de sécurité

berth: sleeping berth couchette *f*

better meilleur/e *adj*; mieux *adv*;
it is better il vaut mieux

bicycle bicyclette *f*, vélo *m*

big grand/e

biology biologie *f*

birth, death announcements
carnet du jour *m*

birthday anniversaire *m*

black noir/e; **black (tea, coffee)**
nature

blackboard tableau (*pl* tableaux) *m*

blocked up bouché/e

blond blond/e

blood: to draw blood faire une
prise de sang

blouse chemisier *m*

blue bleu/e

blue jeans jean *m*

boat bateau (*pl* bateaux) *m*

book livre *m*; **book of tickets**
carnet *m*; **telephone book**
annuaire *m*

book bag cartable *m*

bookstore librairie *f*

boot botte *f*

booth: telephone booth cabine
téléphonique *f*

bored: to be bored s'ennuyer

boring ennuyeux/ennuyeuse

boss patron/ne

to **bother** déranger
box boîte *f*
bracelet bracelet *m*
bread pain *m*; **slice of bread** tartine *f*
to **break** casser; **to break one's (leg)** se casser (la jambe)
breakfast petit déjeuner *m*; **to have breakfast** prendre le petit déjeuner
break-in cambriolage *m*
briefcase cartable *m*
to **bring** amener *(people)*; apporter *(things)*
brioche brioche *f*
brochure brochure *f*
bronchitis bronchite *f*
broom balai *m*
brother frère *m*
brown brun/e
brush brosse *f*; **toothbrush** brosse à dents *f*
to **brush** brosser; **to brush one's (teeth)** se brosser (les dents)
building bâtiment *m*
burglar cambrioleur *m*
bus autobus *m*; **intercity bus** autocar *m*
business affaires *f pl*; commerce *m*; **business trip** voyage d'affaires *m*
busy occupé/e; **to be busy** être occupé/e
but mais
butcher's shop boucherie *f*
butter beurre *m*
to **buy** acheter
by par
bye ciao, salut

café café *m*
cafeteria: student cafeteria restaurant universitaire, resto-U *m*
cake gâteau *m*
to **call** appeler (qqn); **to call back** rappeler (qqn)
calm tranquille
to **camp, go camping** faire du camping; **camp grounds** camping *m*
can pouvoir
Canada Canada *m*
Canadian canadien/ne
to **cancel** annuler

canceled annulé/e
candidacy candidature *f*
capital capitale *f*
car voiture *f*; **dining car** wagon-restaurant *m*; **rental car** voiture de location *f*; **sleeping car** wagon-lit *m*
card carte *f*; **postcard** carte postale
care: to take care of s'occuper de; **to take care of oneself** se soigner; **to take care of (someone)** soigner (qqn)
carrot carotte *f*
cartoon dessin animé *m*
cash argent liquide *m*; espèces *f pl*; **cash register** caisse *f*
cashier caissier/caissière
cassette tape cassette *f*
cast: to put on a cast mettre un plâtre
cathedral cathédrale *f*
cavity carie *f*
center centre *m*
chablis chablis *m*
chair chaise *f*
champagne champagne *m*
change monnaie *f*
chapter chapitre *m*
charming charmant/e
charter flight charter *m*
cheap bon marché
check chèque *m*; **check** *(restaurant)* addition *f*
to **check in** enregistrer
checkbook chéquier *m*
checkered à carreaux
checking account compte courant *m*
cheese fromage *m*
chemistry chimie *f*
chess échecs *m pl*
chicken poulet *m*
chip: potato chip chip *f*
chocolate chocolat *m*; **hot chocolate** chocolat
to **choose** choisir
Christmas Noël *m*
city ville *f*; **city hall** mairie *f*
civilized civilisé/e
class classe *f*
classified ads petites annonces *f pl*
to **clean** nettoyer; **to clean up** ranger, nettoyer
to **clear** débarrasser

client client/e
to close fermer
cloudy nuageux/nuageuse; **to be cloudy** faire gris
cocktail party cocktail *m*
coffee café *m*
cognac cognac *m*
coincidence coïncidence *f*
cola coca *m*
cold rhume *m*; froid; **to be cold** avoir froid; **to be cold (weather)** faire froid
cologne eau de cologne *f*
color couleur *f*
to come arriver, venir; **come in** entrer (dans)
comedy comédie *f*
compared to à côté de
compartment compartiment *m*
to complete accomplir
compliment compliment *m*
computer ordinateur *m*
computer operator informaticien/ne *m/f*
computer science informatique *f*
concert concert *m*
confused perplexe
to congratulate féliciter
congratulations! chapeau!, félicitations!
to continue continuer (à)
to cook faire la cuisine
cookie biscuit sec *m*
cool: **to be cool (weather)** faire frais
corner coin *m*
correct juste
corridor couloir *m*
to cost coûter
cotton coton *m*
cough toux *f*
to cough tousser
counter comptoir *m*
country pays *m*
country(side) campagne *f*
couple: **married couple** mariés *m pl*
course cours *m*; **of course** bien sûr; **to take a course** suivre un cours
cousin cousin/e *m/f*
to cover couvrir
credit unité de valeur *f*
credit card carte de crédit *f*
crew équipage *m*

crime crime *m*
croissant croissant *m*
crowd foule *f*
cup tasse *f*
curly frisé/e
currency devise *f*
customer client/e
customs douane *f*; **customs check** contrôle douanier *m*
to cut couper

dance bal *m*
to dance danser
Danish danois/e
to dare oser
daughter fille *f*
day jour *m*; **day off** jour de congé *m*; **day(time)** journée *f*
dear cher/chère
December décembre *m*
to decide décider (de), se décider
decision décision *f*
declaration déclaration *f*
degree diplôme *m*; **to get a degree** recevoir un diplôme
delay retard *m*
delicatessen charcuterie *f*
delicious délicieux/délicieuse
delighted ravi/e
to demand exiger
Denmark Danemark *m*
dental dentaire
dental floss fil dentaire *m*
dental insurance assurance dentaire
dentist dentiste *m/f*
department rayon *m*
department store grand magasin *m*
departure départ *m*
to deposit encaisser, déposer
depressed déprimé/e; **to be depressed** faire une dépression
depression dépression *f*
to descend descendre
to describe décrire
desk bureau (*pl* bureaux) *m*; **reception desk** réception *f*
dessert dessert *m*
detective détective *m*
diagnosis diagnostic *m*
dictionary dictionnaire *m*
diet régime *m*; **to be on a diet** être au régime
difficult difficile, pénible

difficulty: **to have difficulty (in)**
avoir du mal (à)

dinner dîner *m*; **to have dinner**
dîner

diploma diplôme *m*; **high school**
diploma baccalauréat *m*

direction direction *f*

discothèque discothèque *f*

discount store hypermarché *m*

to **discover** découvrir

to **disguise oneself** se déguiser

dish assiette *f*; **to do the dishes**
faire la vaisselle

dishonest malhonnête

dishwasher lave-vaisselle *m*

disorder désordre *m*

disquette disquette *f*

disrespectful irrespectueux/irre-
spectueuse

distant distant/e, inaccessible

district arrondissement *m*

divorced: to be divorced être
divorcé/e

to **do** faire

doctor médecin *m*

doctorate doctorat *m*

doll poupée *f*

door porte *f*

dormitory résidence *f*

dotted: polka-dotted à pois

downtown centre-ville *m*

dozen douzaine *f*

drama drame *m*

drawer tiroir *m*

dress robe *f*

to **dress (someone)** habiller (qqn);
to get dressed s'habiller

dressed habillé/e

to **drink** boire; **to have a drink**
prendre un verre

to **drip** couler

drive (internal/external) lecteur
(interne/externe) *m*

dryer séchoir *m*

dubbed version française *f*; **not**
dubbed version originale *f*

during pendant

ear oreille *f*

ear-nose-throat doctor oto-
rhino (-laryngologiste) *m/f*

early avance, en avance, tôt

earring boucle d'oreille *f*

east est *m*; **to the east of** à l'est de

Easter Pâques *f*

easy facile

to **eat** manger

editorial éditorial *m*

egg œuf *m*

eight huit

eighteen dix-huit

elementary school école
primaire *f*

elevator ascenseur *m*

eleven onze

employee employé/e

empty vide

end fin *f*; **at the end of** au fond de

to **endorse** endosser

energy énergie *f*

engaged: to be engaged être
fiancé/e

engagement fiançailles *f pl*

engineer ingénieur, femme ingénieur

England Angleterre *f*

English language anglais *m*

enough assez

to **enter** entrer (dans)

envelope enveloppe *f*

eraser gomme *f*

errand course *f*

error erreur *f*; **to make an**
error se tromper (de)

especially surtout

espresso express *m*

essential essentiel/le

European *adj* européen/ne

evening soir *m*; **evening party**
soirée *f*; **good evening** bonsoir

ever jamais

everybody tout le monde

exact exact/e

exam examen *m*; **competitive**
exam concours *m*; **to take an**
exam se présenter (à), passer
un examen

to **examine** examiner

exchange rate taux du change
m; **foreign currency exchange**
bureau de change *m*

to **excuse** excuser; **to excuse**
oneself s'excuser; **Excuse**
me! Pardon! Excuse(z)-moi!

executive cadre *m/f*

ex-husband ex-mari *m*

expensive cher/chère

experience expérience *f*
to **explain** expliquer
express mail par exprès
extroverted extraverti/e
eye œil (*pl* yeux) *m*

factory usine *f*
to **fail** échouer (à)
to **fall** tomber; **to fall asleep**
s'endormir
false faux/fausse
family famille *f*
far loin de
fare tarif *m*
fashion mode *f*
fat gros/se
father père *m*
February février *m*
to **feel (something)** sentir (qqch); **to**
feel (good/bad) se porter
(bien/mal), se sentir (bien/mal);
to feel great être en bonne/
pleine forme
fever fièvre *f*
fiancé(e) fiancé/e
fifteen quinze; **around fifteen**
quinzaine *f*
to **fill** remplir; **to fill a cavity**
plomber une carie; **to fill out (a**
form) remplir (un formulaire)
filling plombage *m*
film film *m*; **detective film** film
policier *m*; **historical film** film
historique *m*; **romantic film**
film d'amour *m*; **science fiction**
film film de science-fiction *m*;
film series ciné-club *m*
finally à la fin, enfin, finalement
finances: to do the finances
faire les comptes
to **find** trouver
to **find again** retrouver
finger doigt *m*
to **finish** finir
Finland Finlande *f*
Finnish finlandais/e
to **fire** renvoyer
fireman pompier *m*
fire station caserne *f*
first premier/première; **first of**
all au début, d'abord
fish poisson *m*
fish shop poissonnerie *f*

five cinq
flea market marché aux puces *m*
flight vol *m*; **charter flight**
charter *m*
floor étage *m*
flower fleur *f*
flu grippe *f*
to **follow** suivre
foot pied *m*
for pour; **for example** par
exemple; **for now** pour
l'instant; **for** (+ *time expression*)
depuis (+ *time expression*)
forbidden interdit/e
foreign étranger/étrangère
foreign currency exchange bureau de change *m*
to **forget** oublier
fork fourchette *f*
form formulaire *m*
formality formalité *f*
formerly autrefois
four quatre
fourteen quatorze
fourth quatrième
France France *f*
free libre
French *adj* français/e
french fries frites *f pl*
French language français *m*
fresh frais/fraîche
Friday vendredi *m*
friend ami/e, camarade, copain/
copine *m/f*
friendly aimable, sociable
front: in front of devant
fruit fruit *m*
full complet/complète
full-time à plein temps
fun: to have fun s'amuser
funny drôle, marrant/e
furious furieux/furieuse

game match *m*, jeu (*pl* jeux) *m*
garden jardin *m*
to **garden** jardiner
gate porte *f*
generalist généraliste *m/f*
generous généreux/généreuse
generous (*amount*) copieux/co-
pieuse
German *adj* allemand/e
German language allemand *m*

Germany Allemagne *f*

to **get** recevoir; **to get a degree** recevoir un diplôme; **to get along well with** s'entendre bien avec; **to get information** se renseigner; **to get off** descendre de; **to get on** monter dans; **to get up** se lever

gift box pochette *f*, paquet-cadeau *m*

girl fille *f*

to **give** donner; **to give as a gift** offrir

glass verre *m*

glove size pointure *f*

to **go** aller; **to go back** retourner; **to go camping** faire du camping; **to go down** descendre; **to go grocery shopping** faire les courses; **to go hiking** faire une randonnée; **to go home** rentrer; **to go jogging** faire du jogging; **to go on a safari** faire un safari; **to go out** sortir; **to go sailing** faire de la voile; **to go shopping** faire des achats; **to go skiing** faire du ski; **to go to bed** se coucher; **to go up** monter; **to go well** aller bien

good bon/bonne; **good-bye** au revoir, salut; **good evening** bonsoir; **good night** bonne nuit; **to do good** faire du bien; **to look good** avoir bonne mine, avoir l'air bon

grade note *f*

to **graduate** recevoir un diplôme

gram gramme *m*

grandfather grand-père *m*

grandmother grand-mère *f*

grated râpé/e

gray gris/e

great! chic, chouette

green vert/e

green beans haricots verts *m pl*

grilled ham and cheese croque-Monsieur *m*

grocery store épicerie *f*

ground floor rez-de-chaussée *m*

to **grow thin** maigrir

guardian gardien/ne

guest invité/e

guitar guitare *f*

habit habitude *f*

hair cheveux *m pl*

hairdresser coiffeur/coiffeuse

ham jambon *m*

hand main *f*; **hand luggage** bagage à main *m*

to **happen** arriver, se passer

happy content/e, heureux/heureuse

hard difficile, dur/e

hard-boiled egg œuf dur *m*

hardware matériel *m*

hardworking travailleur/travailleuse

hat chapeau *m*

to **hate** détester, avoir horreur de

to **have** avoir; **to have an ache** avoir mal (à); **to have difficulty (in)** avoir du mal (à); **to have dinner** dîner; **to have a drink** prendre un verre; **to have a good time** s'amuser; **to have indigestion** avoir mal au foie; **to have just** (+ *past participle*) venir de (+ *infinitive*); **to have a meal** prendre un repas; **to have a pain** avoir mal (à); **to have to** devoir

he il

head tête *f*

headache migraine *f*

headlines gros titres *m pl*

to **hear** entendre

heart cœur *m*

hello allô (*telephone*), bonjour

to **help** aider

her son, sa, ses

herb mixture fines herbes *f pl*

here ici; **here is** voici, voilà

hi! salut!

to **hide** cacher

high-heeled shoe chaussure à talon haut *f*

high school lycée *m*

hike randonnée *f*; **to go hiking** faire une randonnée

to **hire** embaucher

his son, sa, ses

historical: historical film film historique

history histoire *f*

holiday fête *f*

homework devoirs *m pl*;

homework assignment devoir
m; to do homework faire les
devoirs
honest honnête
to hope espérer
hospital hôpital m
hot chaud; to be hot avoir
chaud; to be hot (weather)
faire chaud
hot chocolate chocolat m
hot dog hot dog m
hour heure f
house maison f
housework ménage m
how comment
how many combien de
how much combien de
to hug embrasser
hundred cent; around one
hundred centaine f
hungry: to be hungry avoir faim
to hurry se dépêcher
to hurt oneself se faire mal

I je
ice cream glace f
ice cube glaçon m
idea idée f
identification document pièce
d'identité f
identity identité f
ill souffrant/e, malade; to be ill
être souffrant/e, malade
illness maladie f
to imagine se figurer
immediately tout de suite
impression impression f
Impressionists Impressionnistes m pl
in dans; in front of devant; in
order to pour, pour que, afin
de, afin que; in spite of
malgré; in the past dans le
temps
inaccessible inaccessible
included compris/e
indigestion: to have indigestion
avoir mal au foie
inflation inflation f
information renseignement m;
to get information se
renseigner
to insist insister
instant instant m

insurance assurance f
intelligent intelligent/e
intercity bus autocar m
interesting intéressant/e
interest rate taux d'intérêt m
interview interview f
to introduce présenter; to introduce oneself se présenter
introverted introverti/e
invitation invitation f
to invite inviter
Irish adj irlandais/e
iron fer à repasser m
to iron repasser
irresponsible irresponsable
it il, elle; it is better il vaut
mieux; it suffices il suffit; isn't
it? n'est-ce pas?
Italian adj italien/ne
Italian language italien m
Italy Italie f
its son, sa, ses

jacket blouson m; sports jacket
veste f
jam confiture f
janitor concierge m/f
January janvier m
jewel bijou (pl bijoux) m
jewelry bijouterie f
job emploi, travail m
jogging jogging m
joke blague f, plaisanterie f
to joke plaisanter
journalism journalisme m
journalist journaliste m/f
juice jus m
July juillet m
June juin m
just now tout à l'heure
juvenile delinquency délinquance juvénile f
juvenile delinquent délinquant/e
juvénile m/f

key clé f; (on a keyboard) touche f
keyboard clavier m
kilo kilo m
kilogram kilogramme m
kind genre m
to kiss embrasser
kitchen cuisine f
knife couteau m
to knit tricoter

to **knock** frapper
to **know** savoir

label étiquette *f*
laboratory laboratoire, labo *m*
Ladies and Gentlemen Messieurs Dames
lady dame *f*
lamb agneau *m*
lamp lampe *f*
landing atterrissage *m*
language langue *f*
large (*amount*) copieux/copieuse
laryngitis laryngite *f*
last dernier/dernière
late en retard; **to be late** être en retard
Latin language latin *m*
laundry: to do laundry faire la lessive
lawyer avocat/e
lazy paresseux/paresseuse
to **learn** apprendre
to **leave** laisser, partir, quitter
lecture hall amphithéâtre *m*
left (*direction*) gauche *f*; **to the left** à gauche; **left mail** poste restante *f*
leg jambe *f*
lemon citron *m*
lemon soda limonade *f*
less . . . than moins... que
lesson leçon *f*
letter lettre *f*
library bibliothèque *f*
to **lie** mentir
life insurance assurance vie *f*
like comme
to **like** aimer, plaire (à)
line ligne *f*, queue *f*; **to wait in line** faire la queue
lipstick rouge à lèvres *m*
list liste *f*
to **listen (to)** écouter (qqn, qqch)
liter litre *m*
little peu *m*; **a little** un peu
to **live** habiter
liver foie *m*
living room salle de séjour *f*
loafer mocassin *m*
loan emprunt *m*
located: to be located se trouver
locker consigne *f*
long long/longue
to **look** (+ *adj*) avoir l'air (+ *adj*); **to**

look bad avoir mauvaise mine; **to look good** avoir bonne mine
to **look at** regarder
to **look for** chercher
to **lose** perdre; **to lose weight** maigrir
lot: a lot beaucoup
to **love** aimer; **to be in love (with)** être amoureux/amoureuse (de)
luck chance *f*, veine *f*; **to be lucky** avoir de la chance
lucky person veinard/e *m/f*
luggage bagage *m*; **hand luggage** bagage à main
lunch déjeuner *m*; **to have lunch** déjeuner
Luxembourg Luxembourg *m*

machine machine *f*; **washing machine** machine à laver
made up: to be made up maquillé/e
magazine magazine *m*
mail courrier *m*; **by air mail** par avion; **by surface mail** par bateau; **left mail** poste restante *f*
mailman facteur *m*
to **make** faire; **to make the bed** faire le lit
makeup maquillage *m*; **to put on makeup** se maquiller
man homme *m*
to **manage** arriver à
management gestion *f*
many beaucoup de; **how many** combien de; **too many** trop de
map carte *f*; (*city, metro*) plan *m*
March mars *m*
market marché *m*; **open-air market** marché en plein air
marketing marketing *m*
to **marry** se marier (avec); **married** marié/e; **married couple** mariés *m pl*
Mastercard EuroCard *f*
master's degree maîtrise *f*
mathematics mathématiques, maths *f pl*
matter affaire *f*
May mai *m*
May Day la fête du travail *f*
mayonnaise mayonnaise *f*
mayor maire *m*
meal repas *m*
to **mean** vouloir dire

meat   viande *f*
medical   médical/e
medicine   médicaments *m pl*
to meet   rencontrer, retrouver; **to meet one another**   se rencontrer, se retrouver; **pleased to meet you**   enchanté/e
meeting   réunion *f*
memory   souvenir *m*
menu   carte *f*
merchant: **wine merchant**   marchand de vin *m*
meter   mètre *m*
midnight   minuit *m*
midst: **to be in the midst of**   être en train de
milk   lait *m*
mineral water   eau minérale *f*
minimum   minimum *m*
miracle   miracle *m*
Miss   Mademoiselle (*pl* Mesdemoiselles)
missed: **to be missed by someone**   manquer à qqn
modern   moderne
Monday   lundi *m*
money   argent *m*; **money order**   mandat *m*; **pocket money**   argent de poche *m*
month   mois *m*
monument   monument *m*
mood: **to be in a bad mood**   être de mauvaise humeur; **to be in a good mood**   être de bonne humeur
more . . . than   plus... que
morning   matin *m*
Morocco   Maroc *m*
mortgage   hypothèque *f*
mother   mère *f*
mother-in-law   belle-mère *f*
mountain   montagne *f*
mourning   deuil *m*; **to be in mourning**   être en deuil
mousse   mousse *f*
mouth   bouche *f*
to move   déménager
Mr.   Monsieur (*pl* Messieurs)
Mrs.   Madame (*pl* Mesdames)
much: **how much**   combien de; **too much**   trop de
mugger   agresseur *m*
mugging   agression *f*
murder   meurtre *m*
murderer   meurtrier *m*

museum   musée *m*
mussels   moules *f pl*
my   mon, ma, mes
mysterious   mystérieux/mystérieuse
mystery   mystère *m*

name   nom *m*
to name: **to be named**   s'appeler
napkin   serviette *f*
national   national/e
nauseated: **to be nauseated**   avoir mal au cœur
near   près de
necessary   nécessaire; **to be necessary**   falloir
necklace   collier *m*
to need   avoir besoin de
to negotiate   négocier
neighbor   voisin/e *m/f*
neighborhood   quartier *m*
neither . . . nor   ne... ni... ni
Netherlands   Pays-Bas *m pl*
never   ne... jamais
new   nouveau/nouvelle (*pl* nouveaux/nouvelles); **What's new?**   Quoi de neuf?
news   nouvelle *f*; **news in brief**   faits divers *m*
newspaper   journal (*pl* journaux) *m*
New Year's Day   jour de l'An *m*
next   ensuite; **next to**   à côté de
nice   gentil/le, sympathique, sympa, chic, chouette; **to be nice (weather)**   faire beau
night   nuit *f*; **good night**   bonne nuit
nine   neuf
nineteen   dix-neuf
no   non; **no longer**   ne... plus; **no one**   ne... personne
noon   midi *m*
north   nord *m*; **to the north of**   au nord de
Norway   Norvège *f*
Norwegian   *adj* norvégien/ne
nose   nez *m*
not   ne... pas; **not yet**   ne... pas encore
notebook   cahier *m*
nothing   ne... rien
novel   roman *m*; **detective novel**   roman policier
November   novembre *m*

now maintenant
nowadays de nos jours
number nombre *m*; **telephone number** numéro de téléphone *m*
nurse infirmier/infirmière
nursery school école maternelle *f*

to **obey** obéir (à)
o'clock heure *f*
October octobre *m*
of course bien sûr
office bureau (*pl* bureaux) *m*; **post office** bureau de poste *m*
often souvent
OK d'accord
olive olive *f*
omelet omelette *f*
on sur; **on bicycle** à vélo; **on foot** à pied; **on sale** en solde; **on the front page** à la une; **on time** à l'heure
one-way (ticket) aller simple
only seulement
to **open** ouvrir
to **operate** opérer
operation opération *f*
opinion opinion *f*; avis *m*
optometrist oculiste *m/f*
or ou
orange orange *f*; **orange soda** Orangina *m*
our notre, nos
overcast: to be overcast faire gris
overcoat manteau *m*
to **owe** devoir

package colis, paquet *m*
page page *f*
pain: to have a pain avoir mal à
painting peinture *f*
pal copain/copine
pants pantalon *m*
paper papier *m*; **slip of paper** fiche *f*; **toilet paper** papier hygiénique *m*
parents parents *m pl*
Parisian *adj* parisien/ne, Parisien/ne
part-time à mi-temps
party boum *f*, surprise-partie *f*
to **pass** (*course, test*) réussir (à), être reçu/e (à)
passion passion *f*
passport passeport *m*
past: in the past dans le temps

pastry pâtisserie *f*
pastry shop pâtisserie *f*
pâté pâté *m*
patient patient/e
to **pay** payer, régler
peach pêche *f*
peanut cacahuète *f*
pear poire *f*
peas petit pois *m pl*
pediatrician pédiatre *m/f*
pen stylo *m*
pencil crayon *m*
Pentecost la Pentecôte *f*
people monde *m*
pepper poivre *m*
perfect parfait/e
perfume parfum *m*
perhaps peut-être
to **permit** permettre (qqch à qqn)
person personne *f*
pharmacist pharmacien/ne *m/f*
philosophy philosophie *f*
photocopy photocopie *f*
photographer photographe *m/f*
physical education éducation physique *f*
physics physique *f*
piano piano *m*
picture photo *f*; tableau (*pl* tableaux) *m*; illustration *f*
pink rose
pizza pizza *f*
to **place** mettre
plant plante *f*
platform quai *m*
to **play** jouer; **to play** (*sport*) jouer (à); **to play** (*instrument*) jouer (de); **to play cards** jouer aux cartes
plaza place *f*
pleasant agréable
to **please** plaire (à)
please s'il vous (te) plaît, je vous en (t'en) prie
pleased to meet you enchanté/e
pleasure plaisir *m*
pneumonia pneumonie *f*
pocket money argent de poche *m*
podiatrist podologue *m/f*
police police *f*; **police station** commissariat de police *m*
policeman agent de police *m*
polite poli/e
political science sciences politiques *f pl*

polka-dotted à pois
pollution pollution *f*
polyester polyester *m*
Portugal Portugal *m*
Portuguese *adj* portugais/e
possible possible
postcard carte postale *f*
post office bureau de poste *m*,
  poste *f*
poster affiche *f*
poste restante poste restante *f*
potato pomme de terre *f*; **potato
  chip** chip *f*
to practice pratiquer
to prefer préférer, aimer mieux
preferable préférable; **it is
  preferable** il vaut mieux, il est
  préférable
preparations préparatifs *m pl*
to prepare préparer
prescription ordonnance *f*
present cadeau (*pl* cadeaux) *m*
to present présenter
press presse *f*
pretentious prétentieux/
  prétentieuse
pretty joli/e
price prix *m*
printer imprimante *f*
profession profession *f*
professor professeur *m*
program programme *m*
progress progrès *m pl*
prohibited interdit/e
to promise promettre (qqch à qqn)
proof of residency justificatif de
  domicile *m*
publicity publicité *f*
pulse: to take a pulse prendre le
  pouls
punch punch *m*
purchase achat *m*
to purchase acheter
purse sac *m*
to put, to put on mettre; **to put on
  a cast** mettre un plâtre; **to put
  on makeup** se maquiller; **to
  put on weight** grossir; **to put
  (someone) to bed** coucher
  (qqn)

qualification qualification *f*
question question *f*
quiet tranquille; **be quiet!**
  tais-toi!

radio radio *f*
rain pluie *f*
to rain pleuvoir
rampart rempart *m*
rarely rarement
rate taux *m*; **exchange rate**
  taux du change; **interest rate**
  taux d'intérêt
to read lire, bouquiner
to realize se rendre compte de
really vraiment
to receive recevoir
receiver destinataire *m/f*
reception desk réception *f*
recommendation recommandation *f*
record disque *m*
red rouge, (*hair*) roux/rousse
reduced réduit/e
refrigerator frigo *m*
to refuse refuser
register caisse *f*
to register (for) s'inscrire (à)
registered (*mail*) en recommandé
to rehearse répéter
relaxed décontracté/e, détendu/e,
  relax/e
remedy remède *m*
to remember se souvenir de
rental car voiture de location *f*
to repeat répéter
report rapport *m*
request demande *f*
to resemble ressembler à
to reserve réserver
residency: proof of residency
  justificatif de domicile
to resist résister
respectful respectueux/respec-
  tueuse
responsible responsable
to rest se reposer
restaurant restaurant *m*
résumé curriculum vitae *m*
to return revenir, retourner; (*letter*)
  renvoyer; (*object*) rendre
rich riche
ridiculous ridicule
right (*correct*) exact/e, juste;
  (*direction*) droite *f*; **to the right**
  à droite; **right afterward** tout
  de suite après; **to be right**
  avoir raison; **to have the right**
  avoir le droit de
ring bague *f*; **wedding ring** alliance *f*

roast beef   rosbif *m*

role   rôle *m*

romantic film   film d'amour *m*

room   pièce *f*, salle *f*; **dining room**   salle à manger *f*; **hotel room**   chambre d'hôtel *f*; **living room**   salle de séjour *f*

round-trip (ticket)   aller et retour *m*

rugby   rugby *m*

to run (*film*)   passer; *(water)* couler; *(tests)* faire des tests

Russian   *adj* russe

Russian language   russe *m*

sad   triste

safari   safari *m*; **to go on a safari**   faire un safari

safety belt   ceinture de sécurité *f*

sailing: to go sailing   faire de la voile

salad   salade *f*

salary   salaire *m*

sale   solde *m*

salt   sel *m*

sandal   sandale *f*

sandwich   sandwich *m*

Saturday   samedi *m*

sausage   saucisson *m*

to save *(money)*   mettre (de l'argent) de côté, faire des économies; *(time)* gagner du temps

savings   économies *f pl*

savings bank   caisse d'épargne *f*

to say   dire

schedule   emploi du temps *m*

school   école *f*; **elementary school**   école primaire *f*; **high school**   lycée *m*; **nursery school**   école maternelle *f*

science fiction film   film de science-fiction *m*

Scotland   Écosse *f*

Scottish   écossais/e

screen   écran *m*

season   saison *f*

seat   place *f*, siège *m*

second   deuxième

secret   secret *m*

to see   voir; **see you soon**   à bientôt, à tout à l'heure; **see you tomorrow**   à demain

to seem   sembler; **it seems to me**   il me semble; **to seem like**   ressembler à

to sell   vendre

to send   envoyer, expédier; **to send back**   renvoyer

sender   expéditeur *m*

sense of humor   sens de l'humour *m*

sentence   phrase *f*

sentimental   sentimental/e (*pl* sentimentaux)

September   septembre *m*

to serve   servir

service charge   service *m*

seven   sept

seventeen   dix-sept

shame   dommage *m*

shampoo   shampooing *m*

shape: to be in bad/good shape   être en mauvaise/bonne forme

shave   se raser

shaving cream   mousse à raser *f*

she   elle

shirt   chemise *f*

shoe   chaussure *f*; **basketball shoe**   basket *f*; **tennis shoe**   chaussure de tennis *f*

shoe size   pointure *f*

shopping: to go grocery shopping   faire les courses; **to go shopping**   faire des achats; **shopping center**   centre commercial *m*

short   *(things)* court/e; *(people)* petit/e

shower   douche *f*

showing   séance *f*

shrimp   crevette *f*

shuttle   navette *f*

sick   malade

sickness   maladie *f*

sideboard   buffet *m*

sign indicating arrivals and departures   panneau indicateur *m*

silk   soie *f*

since   depuis

sinusitis   sinusite *f*

Sir   Monsieur (*pl* Messieurs)

sister   sœur *f*

six   six

sixteen   seize

size *(shoe, glove)*   pointure *f*; *(except for gloves, shoes)* taille *f*

ski   ski *m*

skiing: to go skiing   faire du ski

to sleep   dormir

to **sleep in** faire la grasse matinée
sleeping berth couchette *f*
sleeping car wagon-lit *m*
sleepy: to be sleepy avoir sommeil
slice: slice of bread tartine *f*
slip: slip of paper fiche *f*
sloppy cochon *(invariable)*
small petit/e
to **smell** sentir
to **smoke** fumer
smoker fumeur/fumeuse *m/f*
snack *invar* amuse-gueule *m*
to **snow** neiger
so donc; **so many** tellement; **so
   much** tellement; **so-so**
   comme ci comme ça
soap savon *m*
soccer football *m*
social worker assistant/e social/e
sociology sociologie *f*
sock chaussette *f*
soda: orange soda Orangina *m*
sofa sofa *m*
software logiciel *m*
sole *(fish)* sole *f*
some *translated by indefinite or
   partitive noun markers*
someone quelqu'un
something quelque chose
sometimes de temps en temps,
   quelquefois
son fils *m*
soon: see you soon à bientôt, à
   tout à l'heure
sore throat angine *f*, laryngite *f*
sorry désolé/e; **to be sorry** être
   désolé/e, regretter
south sud *m*; **to the south of** au
   sud de
souvenir souvenir *m*
Spain Espagne *f*
Spanish *adj* espagnol/e
Spanish language espagnol *m*
to **speak** parler
to **spill** renverser
to **spoil** gâter
spoon cuillère *f*
spoonful cuillerée *f*
sport sport *m*
sports jacket veste *f*
sportsman sportif *m*
spring printemps *m*
square place *f*
staircase escalier *m*
to **stamp** affranchir

stamp timbre(-poste) *m*
station *(subway)* station *f*; **train
   station** gare *f*
stationery store papeterie *f*
to **stay** rester
steak bifteck *m*
stereo chaîne stéréo *f*
steward steward *m*
stewardess hôtesse de l'air *f*
stomach estomac *m*
to **stop** arrêter
store magasin *m*
store window vitrine *f*
story histoire *f*
stove cuisinière *f*
straight *(hair)* raide; **straight
   ahead** tout droit
to **straighten up** ranger
strawberry fraise *f*
striped rayé/e
student étudiant/e *m/f*; **student
   cafeteria** restaurant universitaire, resto-U *m*
studies études *f pl*
studio studio *m*
to **study** étudier
stuffed up bouché/e
stupid bête
subject matter matière *f*
subtitle sous-titre *m*
suburbs banlieue *f*
subway métro *m*
to **succeed** réussir (à)
to **suffer** souffrir
to **suffice** suffire; **it suffices** il
   suffit
suit costume *m*
suitcase valise *f*
summer été *m*
sun soleil *m*
Sunday dimanche *m*
sunny: to be sunny faire du soleil
super concierge *m/f*
supermarket supermarché *m*
sure sûr/e
surface: by surface mail par
   bateau
surgeon chirurgien *m*
surgery chirurgie *f*
to **surprise** étonner, surprendre
surprising étonnant/e
to **swear** jurer
sweater pull *m*
Sweden Suède *f*
Swedish *adj* suédois/e

to **sweep** balayer
to **swim** nager
  swimming natation *f*
  Swiss *adj* suisse
  Switzerland Suisse *f*
  symptom symptôme *m*
  syrup sirop *m*

  table table *f*
  tablecloth nappe *f*
  tablespoonful cuillerée à soupe *f*
to **take** prendre; **to take a course**
  suivre un cours; **to take a**
  pulse prendre le pouls; **to take**
  a walk faire une promenade;
  to take advantage of profiter
  de; **to take an exam** se
  présenter à un examen, passer
  un examen; **to take care of**
  s'occuper de; **to take care of**
  oneself se soigner; **to take care**
  of (someone) soigner (qqn); **to**
  take x-rays faire des radios
  take-off décollage *m*
to **talk** parler; **to talk about** parler
  de, raconter
  tall grand/e
  taxes impôts *m*
  taxi taxi *m*
  tea thé *m*
  teacher: elementary school
  teacher instituteur/institutrice
  m/f; **high-school teacher**
  professeur *m*
  teaspoonful cuillerée à café *f*
  telegram télégramme *m*
to **telephone** passer un coup de fil
  à, téléphoner (à)
  telephone téléphone *m*;
  telephone book annuaire *m*;
  telephone booth cabine
  téléphonique *f*; **telephone**
  number numéro de téléphone *m*
  television télévision *f*
to **tell** raconter
  ten dix; **around ten** dizaine *f*
  tennis tennis *m*
  tennis shoe chaussure de tennis *f*
  terrific formidable
  test épreuve *f*; **to take a test**
  passer un examen; **to run tests**
  faire des tests
to **thank** remercier
  thank you merci

  that ce/cet/cette; **that one**
  celui/celle
  the le, la, les
  theater théâtre *m*
  theft vol *m*
  their leur, leurs
  then alors, ensuite, puis
  there là-bas; **there is, there are**
  il y a, voilà
  these ces; **these ones** ceux/celles
  thesis thèse *f*
  they ils, elles
  thief voleur *m*
  thin mince
to **think about** *(reflect on)* penser à;
  (have an opinion about) penser de
  third troisième
  thirsty: to be thirsty avoir soif
  thirteen treize
  thirty trente
  this ce/cet/cette; **this one**
  celui/celle
  those ces; **those ones** ceux/celles
  thousand mille
  three trois
  throat gorge *f*; **sore throat**
  angine *f*, laryngite *f*
  Thursday jeudi *m*
  ticket billet *m*; **one-way ticket**
  aller simple *m*; **round-trip**
  ticket aller et retour *m*; **ticket**
  window guichet *m*
  tie cravate *f*
  time heure *f*, temps *m*; **at the**
  same time en même temps; **to**
  have a good time s'amuser;
  what time is it? quelle heure
  est-il?
  timetable horaire *m*
  timid complexé/e, timide
  tip service *m*
to **tip over** renverser
  tired fatigué/e
  title titre *m*
  to à
  today aujourd'hui
  toilet toilette *f*, W.-C. *m pl*
  toilet paper papier hygiénique *m*
  tomato tomate *f*
  tomorrow demain
  tonic water Schweppes *m*
  too trop; **too many** trop de; **too**
  much trop de
  tooth dent *f*
  toothbrush brosse à dents *f*

toothpaste   dentifrice *m*
totebag   sac de voyage *m*
tour   voyage organisé *m*
track   voie *f*
train   train *m*; **train station**   gare *f*
training   formation *f*
to **transfer**   prendre la correspondance
travel agency   agence de voyages *f*
travel agent   agent de voyage *m*
trip   voyage *m*
trout   truite *f*
true   vrai/e
T-shirt   Tee-shirt *m*
Tuesday   mardi *m*
tuna   thon *m*
Tunisia   Tunisie *f*
Tunisian   *adj* tunisien/ne
to **turn**   tourner
twelve   douze
twenty   vingt; **around twenty**
   vingtaine *f*
two   deux
type   genre *m*
to **type**   taper à la machine

ugly   laid/e
unbelievable   incroyable
uncle   oncle *m*
under   sous
underneath   en dessous de
to **understand**   comprendre
unemployment   chômage *m*
unfriendly   antipathique
unhappy   malheureux/malheu-
   reuse, mécontent/e; **to be
   unhappy**   faire une tête
United Nations   Nations
   Unies *f pl*
university   *adj* universitaire
university   université *f*, fac *f*
unmarried woman   célibataire *f*
unpleasant   antipathique,
   désagréable
until   jusqu'à, jusqu'à ce que
urgent   urgent/e
to **use**   employer, se servir de
usher   ouvreuse *f*

to **vacuum**   passer l'aspirateur
vacuum cleaner   aspirateur *m*
to **validate**   composter
VCR   magnétoscope *m*
veal   veau *m*

vegetable   légume *m*; **raw
   vegetables**   crudités *f pl*
version   version *f*
very   très
violence   violence *f*
violin   violon *m*
visa   visa *m*
Visa card   Carte Bleue *f*
to **visit** *(person)*   rendre visite à,
   (place) visiter
volleyball   volley-ball (volley) *m*

to **wait (for someone)**   attendre
   (qqn); **to wait in line**   faire la
   queue
waiter   serveur *m*
waitress   serveuse *f*
to **wake (someone)**   réveiller (qqn);
   to wake up   se réveiller
to **walk**   aller à pied, faire une
   promenade
walk   promenade *f*
wallet   portefeuille *m*
to **want**   vouloir, avoir envie de
warm *(personality)*   chaleureux/
   chaleureuse
to **wash**   laver; **to wash up**   se laver
washing machine   machine à
   laver *f*
to **watch**   regarder
water   eau *f*; **mineral water**   eau
   minérale *f*; **tonic water**
   Schweppes *f*
to **water**   arroser
we   nous
to **wear**   porter
weather   temps *m*
wedding   mariage *m*; **wedding
   ring**   alliance *f*
Wednesday   mercredi *m*
week   semaine *f*
weight: to put on weight   grossir
welcome: you're welcome   de
   rien, il n'y a pas de quoi
well   bien
west   ouest *m*; **to the west of**   à
   l'ouest de
what   quel, qu'est-ce que
when   quand
where   où
which   quel/quelle
white   blanc/blanche
who   qui; **who's there?** *(on the
   phone)*   qui est à l'appareil?
why   pourquoi

widow veuve *f*
widower veuf *m*
wife femme *f*
to **win** gagner
wind vent *m*
window fenêtre *f*; **bank, ticket window** guichet *m*; **to clean the windows** faire les vitres
windy: to be windy faire du vent
wine vin *m*; **wine merchant** marchand de vin *m*
winter hiver *m*
to **withdraw** retirer
woman femme *f*
wool laine *f*
word processor machine à traitement de texte *f*
to **work** travailler
work emploi *m*, travail *m*
worker ouvrier/ouvrière *m/f*
worried inquiet/inquiète; **to be worried** s'inquiéter

to **worry** s'inquiéter, s'en faire; **to worry someone** inquiéter (qqn)
worse pire
worst le/la/les pire/s
to **write** écrire; **to write to one another** s'écrire
wrong: to be wrong avoir tort, se tromper; **to have something wrong** avoir quelque chose

x-ray radio *f*; **to take x-rays** faire des radios

year an *m*, année *f*
yellow jaune
yes oui; *(reply to a negative)* si
yesterday hier
you tu, vous; **you're welcome** de rien, il n'y a pas de quoi
young jeune
your ton, ta, tes; votre, vos

Realia and Photo Credits

Realia

For permission to reprint copyrighted material, grateful acknowledgment is made to the following sources:

Page 62, Postal calendar, Ministère des PTT; p. 90, Floor plans, Pavillons Modernes; p. 124, "Restaurants à Paris" from *Guide des restaurants de Paris 1989-1990*, Éditeur Office du Tourisme et des Congrès de Paris (O.T.C.P.), 127, Champs-Élysée 75008; p. 126, "Si vous allez au café ou au restaurant" from *Midi Libre*, August 28, 1988, © *Midi Libre*; p. 132, Credit card application, American Express; pp. 134-135, Excerpts from Mammouth advertisement "La Rentrée à tout casser," Mammouth; pp. 158-160, Excerpts from *Le Catalogue Trois Suisses—Catalogue Hiver 1988-1989*, Les Trois Suisses; p. 164, "Karina: 168, 85, 60, 85, 74" from *La France, j'aime* by G. Quénelle, © Hatier, 1985; p. 187, Excerpt from *l'Officiel des spectacles*, August 17-23, 1988, © *L'Officiel des spectacles*; p. 188, Excerpt from *Pariscope*, August 7-13, 1988, © *Pariscope*; p. 190, "La Météo" from *Le Monde*, © *Le Monde*; p. 224, "Yves et Véronique" from *Yves et Véronique* by Guy Sitbon, © Éditions Bernard Grasset; pp. 254-255, "Leurs problèmes" from *La France, j'aime* by G. Quénelle, © Hatier, 1985; pp. 284-286, "Pourquoi les gens consomment-ils des drogues?" from *Santé et bien-être social Canada*, reproduit avec l'autorisation du Ministre des Approvisionnements et Services Canada; p. 288, "La Santé des Français" from *Francoscopie*, © Librairie Larousse; p. 316, "Comment obtenir votre correspondant," Ministère des PTT; p. 318, "Vous désirez téléphoner," Ministère des PTT; pp. 320-321, "Les lettres à Marcelle Ségal" from *Elle*, April 9, 1989, © *Elle*/M. Ségal; p. 359, Train schedule, SNCF; p. 360, Excerpt from *The Michelin Red Guide to France*, © Michelin Travel Publications; p. 363, "Je suis agent de comptoir," from *La France, j'aime* by G. Quénelle, © Hatier, 1985; p. 391, Metro map, RATP; p. 399, "Assurez l'argent de vos vacances," avec la permission de la Société Française du Chèque de Voyage; p. 402, "Paris, reine du monde from *Le Nouvel Observateur*, June 5, 1988, © *Le Nouvel Observateur.*

Photos

Chapter 1
p. 1 (left), PhotoEdit; (top right), Stuart Cohen; (bottom right), Peter Menzel
p. 13, Francis de Richemond/The Image Works

Chapter 2
p. 19, Beryl Goldberg, Photographer
p. 22 (top), Francis de Richemond/The Image Works; (middle), Francis de Richemond/The Image Works; (bottom), Francis de Richemond/The Image Works

Chapter 3
p. 47 (top left), Peter Menzel; (top middle), Peter Menzel; (top right), PhotoEdit; (bottom left), Peter Menzel; (bottom middle), Peter Menzel; (bottom right), Hugh Rogers, Monkmeyer
p. 68, Mark Antman/The Image Works
p. 69 (top), Antman Scribner; (bottom), Gamma-Liaison
p. 70, Richard Lucas/The Image Works

Chapter 4
p. 73 (top left), Beryl Goldberg, Photographer; (top middle), PhotoEdit; (top right), Mat Jacob/The Image Works; (bottom left), Mat Jacob/The Image Works; (bottom middle), Richard Lucas/The Image Works; (bottom right), Mat Jacob/The Image Works
p. 76 (top left), Comstock; (top right), PhotoEdit; (bottom left), Mat Jacob/The Image Works; (bottom middle), Beryl Goldberg, Photographer; (bottom right), Peter Menzel

Index